COYOTE ATTEND

Titre original : *Coyote waits*
© 1990, Tony Hillerman
© 1991, Éditions Rivages
106, bd Saint-Germain - 75006 Paris
ISBN 2-86930-567-2
ISSN 0764-7786

Tony Hillerman

COYOTE ATTEND

Traduit de l'américain
par Danièle et Pierre Bondil

*Collection dirigée
par François Guérif*

rivages/noir

Du même auteur
dans la collection Rivages/Thriller

Le Voleur de temps
Porteurs-de-peau
Dieu-qui-parle
Coyote attend
Les Clowns sacrés
Moon

dans la collection Rivages/noir

Là où dansent les morts (n° 6)
Le Vent sombre (n° 16)
La Voie du fantôme (n° 35)
Femme qui écoute (n° 61)
Porteurs-de-peau (n° 96)
La Voie de l'ennemi (n° 98)
Le Voleur de temps (n° 110)
La Mouche sur le mur (n° 113)
Dieu-qui-parle (n° 122)
Le Grand Vol de la banque de Taos (n° 145)
Les Clowns sacrés (n° 244)

hors collection

La Trilogie Joe Leaphorn
Le Garçon qui inventa la libellule
La Trilogie Jim Chee
Hillerman Country
Suite navajo 1

A mon grand ami et beau-frère,
Charles Unzner,
et
A nos irremplaçables et exceptionnels voisins :
Jim et Mary Reese,
Gene et Geraldine Bustamante.

Tous les personnages et événements décrits dans ce livre sont des créations de mon imagination.

Note des traducteurs

Le lecteur américain est tout aussi ignorant que le lecteur français des mœurs et coutumes des Indiens Navajos. Nous avons donc décidé de respecter le choix de l'auteur, qui a disséminé ici et là dans son roman les informations nécessaires à en assurer la bonne compréhension, et de ne pas alourdir le texte d'une quantité de notes explicatives et de termes en italiques. Toutefois, il nous a semblé utile de faire figurer en fin d'ouvrage un glossaire qui devrait permettre au lecteur qui en éprouverait le besoin d'avoir une meilleure vue d'ensemble de cette civilisation et de ses voisines. Les mots suivis d'un astérisque dans la traduction pourront renvoyer à ce glossaire. Nous avons en outre établi une carte des territoires concernés.

Par ailleurs, certaines particularités orthographiques (accords, majuscules notamment) se retrouvent dans le texte de Tony Hillerman ; et des termes d'origine indienne peuvent présenter des différences d'un livre à l'autre : quelques lignes extraites du remarquable ouvrage de Harry Hoijer, *A Navajo Lexicon*, University of California Press 1974, permettront aisément de comprendre pourquoi (extrait consacré aux noms, les verbes étant environ dix fois plus nombreux en navajo).

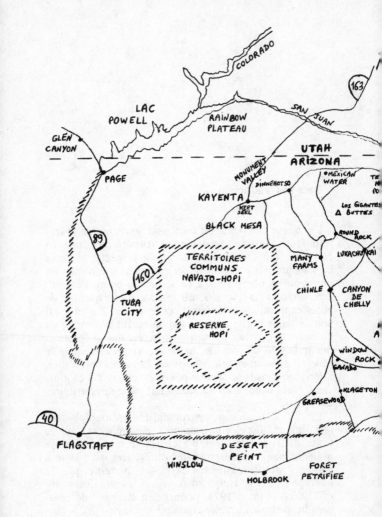

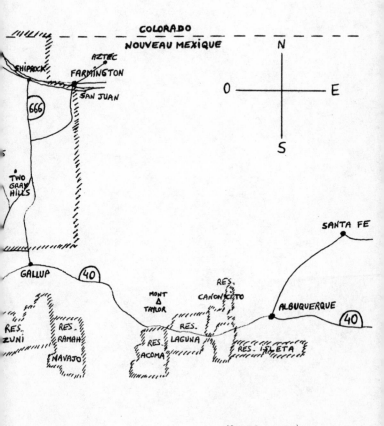

1

Jim Chee en était à se dire que soit le pneu avant droit était dégonflé, soit il y avait un problème d'amortisseur de ce côté-là. A moins, bien sûr, que le conducteur de la niveleuse n'ait pas vérifié le réglage de sa lame et qu'il n'ait rendu le revêtement de la chaussée incliné. Le fait était que la voiture de police tirait légèrement sur la droite. Chee effectua la correction nécessaire en fronçant les sourcils. Il était complètement lessivé.

Le haut-parleur de la radio fit entendre un bruit hésitant puis transmit la voix de Delbert Nez :

– ... je marche aux vapeurs d'essence. Je vais être obligé d'en acheter au prix fort à Red Rock ou de rentrer chez moi à pied.

– Si tu fais ça, je te conseille de sortir l'argent de ta poche, dit Chee. Ça vaudra mieux que d'expliquer au capitaine pourquoi tu as oublié de faire le plein.

– Je crois..., commença Nez dont la voix s'effaça.

– La transmission est interrompue, l'avertit Chee. Je ne te reçois pas.

Nez conduisait la voiture 44 qui était bien connue pour bouffer de l'essence. Un problème au niveau de la pompe, peut-être. Elle était toujours en réparation et personne ne réussissait jamais à la régler correctement.

Silence. Parasites. Silence. La tenue de route semblait maintenant meilleure. Probablement pas un pneu dégonflé. Probablement... Puis la radio imposa à nouveau sa présence.

– ... attraper ce salopard le pistolet à peinture à la main, disait Nez. Je te parie qu'à ce moment-là...

Sa voix disparut, remplacée par le silence.

– Je ne te reçois pas, dit Chee dans son micro. La transmission s'interrompt tout le temps.

Ce qui n'avait rien d'inhabituel. Il y avait une douzaine d'endroits sur les soixante-quatre mille sept cinquante kilomètres carrés que les Navajos appellent la Grande Rèze où les transmissions radio devenaient impossibles pour diverses raisons. Ici, entre les pitons volcaniques monolithiques de Ship Rock, la chaîne des monts Carrizo et les monts Chuska, se trouvait l'un de ces endroits. Chee supposait que ces zones de silence étaient dues aux montagnes mais il y avait d'autres théories. Le shérif adjoint Cowboy Dashee soutenait que cela avait un rapport avec les champs magnétiques des vieilles flèches volcaniques qui se dressaient ici et là telles de grandes cathédrales noires. Grand-Mère Thomasina Bigthumb lui avait dit une fois qu'elle pensait que c'étaient les sorciers* qui étaient à l'origine du problème. Il était exact que cette région de la Réserve était célèbre pour ses sorciers, mais il était également exact que Vieille Femme Bigthumb rendait les sorciers responsables de pratiquement tout.

Puis Chee entendit à nouveau Delbert Nez. Au début la voix était très faible.

– ... sa voiture, disait-il.

(Ou était-ce "... son camion" ? Ou "... son pick-up truck [1]" ? Qu'avait dit Delbert Nez exactement, précisément ?) La transmission, soudain, devint plus claire avec le rire ravi de Delbert :

– Cette fois, je vais le choper, dit-il.

Chee prit son micro.

– Qui est-ce que tu vas choper ? demanda-t-il. Tu as besoin d'aide ?

– Mon peintre fantôme, sembla dire Nez.

En tout cas, ce furent les paroles qui parvinrent aux oreilles de Chee. La réception redevenait mauvaise, inaudible, cédait la place aux parasites.

---

1. Pick-up truck : omniprésent dans les États de l'Ouest, il s'agit d'un camion léger, en général monté sur un châssis d'automobile, dont l'arrière ouvert autorise tous les transports.

– Je ne te reçois pas, avertit Chee. Tu as besoin d'aide ?

Au milieu du fondu sonore, au milieu des parasites, Nez donna l'impression de dire "Non". Son rire, à nouveau.

– Rendez-vous à Red Rock, alors, dit Chee. C'est ton tour de payer.

Cela ne produisit aucune réaction, exception faite des parasites, et nulle n'était nécessaire. Nez patrouillait l'U.S. 666 en partant du quartier général de la Police Tribale Navajo à Window Rock, couvrant le tronçon qui partait de Yah-Ta-Hey en direction du nord. Chee faisait la 666 depuis la sous-agence de la police de Shiprock, et quand ils se rencontraient ils prenaient un café en discutant. Ce soir ils devaient le prendre au bureau de poste/épicerie/station-service de Red Rock, ce qui avait été décidé plus tôt, et c'était sur Red Rock qu'ils convergeaient. Chee descendait la piste de terre qui partait de Biklabito et serpentait vers le sud d'un côté puis de l'autre de la frontière entre l'Arizona et le Nouveau-Mexique. Nez venait de la 666 et faisait route à l'ouest sur l'asphalte de la Route Navajo 33. Nez, qui bénéficiait d'une chaussée, aurait pu arriver peut-être avec quinze minutes d'avance. Mais maintenant, il semblait qu'il avait une arrestation à opérer. Cela allait rétablir l'équilibre.

Il y avait maintenant des éclairs dans le nuage qui se trouvait au-dessus des Chuskas et la voiture de police de Chee avait cessé de tirer sur la droite pour tirer sur la gauche. Probablement pas un pneu, pensa-t-il. Probablement le conducteur de la niveleuse qui avait remarqué le mauvais ajustage de sa lame et avait effectué une correction trop importante. Au moins, cela ne donnait pas l'impression habituelle de rouler sur de la tôle ondulée en se rompant les reins.

C'était le crépuscule, un crépuscule précoce en raison de l'orage imminent, lorsque Chee abandonna la piste de terre pour la chaussée de la Route 33. Aucune trace de

Nez. En fait, aucune trace du moindre phare de voiture, seulement les vestiges de ce qui avait été un coucher de soleil rougeoyant. Il dépassa les pompes de la station-service de Red Rock et se gara derrière le comptoir d'échanges. Pas de voiture 44 à l'endroit où Nez avait l'habitude de la ranger. Il inspecta ses pneus avant qui lui parurent en parfait état. Puis il regarda autour de lui. Trois pick-up trucks et une Chevrolet bleue. Cette dernière appartenait à la nouvelle employée qui tenait le comptoir d'échanges le soir. Une jolie fille mais il ne réussit pas à retrouver son nom. Où était Nez ? Peut-être avait-il vraiment arrêté son vandale vaporisateur de peinture. Peut-être la pompe à essence de la vieille 44 avait-elle rendu l'âme.

Pas de Nez à l'intérieur non plus. Chee adressa un signe de tête à la jeune femme qui lisait derrière la caisse enregistreuse. Elle l'en récompensa par un sourire réservé. Comment s'appelait-elle ? Sheila ? Suzy ? Quelque chose comme ça. Elle appartenait au Dineh* de la Maison Haute et par conséquent n'était en aucune manière liée au propre clan* de Chee, celui du Peuple à la Parole Lente. Cela, il s'en souvenait. C'était la vérification automatique qu'effectue tout jeune Navajo, garçon ou fille, afin de s'assurer que la personne qui l'attire n'est ni une sœur, ni une cousine, ni une nièce à l'intérieur du système clanique complexe de la tribu et, de ce fait, n'est pas rendue taboue par les règles de l'inceste.

Le récipient en verre de la cafetière était aux deux tiers plein, ce qui était d'ordinaire bon signe, et le café sentait bon. Il prit une tasse en polystyrène à cinquante cents, la remplit et y trempa les lèvres. Il le trouva bon. Il s'empara d'un paquet contenant deux Twinkies glacés au chocolat : ils iraient bien avec le café.

De retour à la caisse il tendit un billet de cinq dollars à la jeune femme de la Maison Haute.

– Est-ce que Delbert Nez est passé ? Vous vous souvenez de lui ? Plutôt trapu, petite moustache. Un policier vraiment très laid.

– Moi, je l'ai trouvé mignon, fit-elle en lui souriant.

– C'est peut-être que vous aimez les policiers, c'est tout.

Bon sang, mais comment s'appelait-elle ?

– Pas tous, dit-elle. Ça dépend.

– Ça dépend s'ils ont arrêté votre petit ami.

Elle n'était pas mariée. Il se souvenait que Delbert le lui avait dit. ("Pourquoi tu ne te débrouilles pas tout seul pour trouver ce genre de renseignement", lui avait dit Delbert. "Avant d'être marié, les choses qui ont une importance primordiale comme ça, je les connaissais. Je n'aurais pas eu besoin de demander. Si ma femme apprend que je me livre à des vérifications sur le clan des minettes, je suis dans un drôle de pétrin.")

– Je n'ai pas de petit ami, répondit la jeune femme de la Maison Haute. Pas en ce moment. Et non : Delbert n'est pas venu ce soir.

Elle lui tendit sa monnaie et gloussa :

– Est-ce que Delbert l'a attrapé, son peintre de rochers ?

Chee se disait qu'il avait peut-être un peu passé l'âge de s'occuper des filles qui gloussent. Mais elle avait de grands yeux marron, de longs cils et une peau parfaite. Et à n'en pas douter elle savait flirter.

– Il est peut-être justement en train de l'attraper, répondit-il. Il m'en a touché un mot par radio.

Il remarqua qu'elle s'était trompée de dix cents en lui rendant sa monnaie, ce qui n'était sans doute pas étranger à ce gloussement.

– Ça fait trop, dit-il en lui rendant la pièce de dix cents. Vous avez une idée de qui pourrait peindre comme ça ?

A ce moment-là il se souvint de son nom. C'était Shirley. Shirley Thompson.

Elle frémit avec beaucoup de grâce :

– Un fou, dit-elle.

C'était également la théorie de Chee. Mais il demanda :

– Pourquoi, fou ?

– Eh ben, parce que, c'est tout, fit-elle en arborant une expression sérieuse pour la première fois. Vous savez. Qui d'autre irait faire tout ce travail pour peindre cette montagne en blanc ?

Ce n'était pas vraiment une montagne. Du point de vue du spécialiste, c'était probablement un cratère volcanique, un de ces soulèvements de basalte noir déchiquetés qui jaillissent ici ou là de la prairie à l'est des Chuskas.

– Peut-être qu'il essaye de peindre quelque chose de joli, suggéra Chee. Vous y êtes déjà allée pour jeter un coup d'œil de près ?

Shirley frissonna.

– Il est hors de question que j'aille là-bas, déclara-t-elle.

– Pourquoi ça ? demanda Chee qui le savait.

C'était probablement lié à une légende locale. Un truc à faire peur. Quelqu'un avait probablement été tué là-bas et avait laissé derrière lui son chindi* qui hantait les lieux. Et c'était entaché d'histoires de sorciers. Delbert avait grandi dans le haut pays des Chuskas, à l'ouest du comptoir, et il avait raconté quelque chose sur cette masse de roches (ou peut-être parlait-il d'une autre toute proche), expliquant qu'il s'agissait de l'un des endroits où les membres du clan des porteurs-de-peau* sont censés se réunir. C'était un lieu à éviter... et cela entrait pour partie dans la fascination qu'exerçait cet acte de vandalisme sur le policier Delbert Nez.

– Ce n'est pas seulement parce que c'est un truc complètement dingue de faire ça, avait-il expliqué. Mettre de la peinture sur le versant d'une ligne de crête comme ça. Mais il y a aussi là-dedans un côté malsain. C'est un endroit qui fait peur. Quoi que tu puisses penser des sorciers, personne ne va là-bas. Si tu y vas et que quelqu'un te voit, tout le monde pense que tu es toi-même un porteur-de-peau. Je pense que celui qui fait ça doit avoir un but. Quelque chose de bien précis. Merde, j'aimerais bien savoir qui c'est. Et pourquoi.

Chee, qui se délectait de ses petites obsessions personnelles, s'en était contenté. Il jeta un coup d'œil à sa montre. Où donc était Delbert ?

La porte s'ouvrit et laissa passer une femme d'une quarantaine d'années dont les cheveux étaient retenus par une étoffe bleue. Elle paya son essence, en critiqua le prix et engagea la conversation avec Shirley sur un chant* ou une danse que quelqu'un organisait à l'école de Newcomb. Chee prit une nouvelle tasse de café. Deux adolescents entrèrent, suivis d'un vieil homme qui portait un T-shirt avec l'inscription "Don't Worry, Be Happy" en travers de la poitrine. Une autre femme qui avait l'âge de Shirley franchit la porte, et le bruit du tonnerre l'accompagna. Elles bavardèrent et gloussèrent. Chee consulta à nouveau sa montre. Delbert prenait beaucoup trop de temps.

Il sortit dans la nuit.

Le vent portait l'odeur de la pluie. Il se hâta de tourner l'angle pour pénétrer dans l'obscurité totale sur l'arrière du comptoir d'échanges. Dans sa voiture il brancha la radio et essaya de contacter Nez. Rien. Il lança le moteur et fit patiner les roues arrière dans un démarrage impatient qui ne lui ressemblait nullement. Il en allait de même de ce soudain sentiment d'anxiété. Il enclencha sa sirène et ses feux d'urgence.

Il n'avait quitté le comptoir d'échanges que depuis quelques minutes lorsqu'il vit les phares qui venaient vers lui sur la Route 33. Il ralentit, se sentant soulagé. Mais avant qu'ils ne parviennent à sa hauteur, il vit le clignotant droit de la voiture qui s'allumait. Le véhicule tourna devant lui, prenant la direction du nord : non pas la voiture de la Police Tribale Navajo conduite par Nez mais une Jeepster cabossée de couleur blanche. Chee la reconnut. C'était la voiture du Vietnamien (du Cambodgien, ou allez savoir quoi) qui enseignait à l'école secondaire de Shiprock. Les phares de Chee éclairèrent brièvement le visage du conducteur.

Au même instant la pluie commença à tomber. Une rafale de grosses gouttes très espacées cingla le pare-brise, puis ce fut le déluge. La Route 33 était large et régulière avec une ligne centrale récemment peinte, facile à suivre. Mais la pluie était trop violente pour les essuie-glaces de Chee. Il ralentit, écoutant l'eau qui martelait le toit. En temps normal, la pluie le faisait exulter : un sentiment naturel et primitif, ancré chez les habitants des contrées arides. Pour l'heure cette joie était entravée par l'inquiétude et un soupçon de culpabilité. Quelque chose avait retardé Nez. Il aurait dû partir à sa recherche quand la radio était tombée en panne. Mais ce n'était probablement pas grand-chose. Un ennui de voiture. Une cheville foulée en coursant son peintre dans l'obscurité. Rien de grave.

Un éclair illumina la chaussée devant lui, la lui révélant luisante de pluie et absolument déserte. La lumière soudaine éclaira les contours déchiquetés de la formation basaltique au sud, par-delà la prairie : le relief sur lequel le vandale de Nez s'acharnait à pulvériser sa peinture. Puis le grondement du tonnerre arriva. La pluie se calma, reprit de plus belle, se calma à nouveau tandis que passait la ligne de front de l'orage. Sur sa droite, Chee discerna un rougeoiement. Il scruta du regard. Cela provenait d'une piste de terre qui quittait la 33 vers le sud et franchissait en serpentant une crête qui menait en fin de compte jusqu'à la "famille* élargie" de Grand-Mère Gorman. Chee laissa l'air s'échapper entre ses dents avec un sifflement. Soulagé. C'était certainement Nez. Le sentiment de culpabilité l'abandonna.

A l'intersection, il ralentit et fixa un point au loin sur la route de terre. La lumière des phares devrait être jaune. Celle-ci était rouge. Une lumière dansante. Un feu.

– Seigneur ! s'exclama-t-il.

Une prière. Il rétrograda en seconde et engagea la voiture de police sur la piste boueuse, glissant et dérapant d'un côté à l'autre.

2

La voiture 44 était arrêtée au milieu de la piste, l'avant pointé vers la Route 33. L'arrière vomissait des flammes rouges. Les pneus brûlaient furieusement. Chee freina. Sa voiture partit en dérapage, quittant les ornières boueuses pour s'arrêter parmi les graminées à touffes et la sauge rabougrie. Sa portière était ouverte et l'extincteur dans sa main alors que le véhicule glissait encore.

Il pleuvait fort à nouveau, les gouttes froides s'écrasant sur son visage. Puis il fut englouti par la fumée noire écœurante dégagée par le caoutchouc, l'huile, les sièges en feu. La vitre du côté du conducteur avait été brisée. Chee y projeta le jet de l'extincteur, distinguant le flot de mousse blanche à travers la fumée, et distinguant à travers la fumée la silhouette sombre de Nez, écroulé sur le volant.

– Del !

Il agrippa la poignée de la portière, à peine conscient de la douleur fulgurante. Il l'ouvrit brutalement, se retrouva la proie des flammes. Fit un bond en arrière, frappant de ses mains le feu qui brûlait sa chemise d'uniforme.

– Del ! cria-t-il une nouvelle fois.

Il dirigea à nouveau le jet de l'extincteur vers l'intérieur de la voiture, lâcha l'extincteur, plongea le bras par l'espace libre de la portière, se saisit du bras de Delbert Nez et tira.

Nez avait sa ceinture de sécurité.

A tâtons il chercha le système d'ouverture, le fit jouer, tira de toutes ses forces, prenant conscience en faisant ce geste que sa paume lui faisait mal à un point qu'il n'avait encore jamais connu. Il tomba en arrière sous la pluie battante, et avec lui tomba Delbert Nez. Il resta un moment allongé, la respiration coupée, les poumons emplis de fumée, sentant qu'il avait quelque chose à la main et que le poids de son collègue policier reposait en partie sur lui. Puis il prit conscience de la chaleur : la manche de sa chemise était en feu. Il l'éteignit, se débattit pour se libérer du poids de Nez.

Celui-ci gisait sur le dos, les jambes écartées et les bras en croix. Chee le regarda puis détourna son regard. Il ramassa l'extincteur, arrosa les endroits où le pantalon du policier brûlait puis se servit de ce qui restait dans le réservoir pour éteindre le feu.

"Je marche aux vapeurs d'essence", avait dit Nez. Une chance. Chee avait vu suffisamment de voitures en feu pour savoir ce qu'aurait fait un réservoir d'essence plein. Une chance ? Les vapeurs avaient alimenté un feu suffisant pour tuer Delbert Nez.

Il parlait dans la radio, transmettant tout ce qui s'était passé à Shiprock, demandant de l'aide avant de prendre pleinement conscience de la douleur occasionnée par ses propres brûlures.

– Il y avait aussi du sang, disait-il. Il se peut qu'il ait été abattu. Il me semble qu'il y avait du sang sur le dos de sa chemise, et du sang sur le devant aussi.

Le capitaine Largo se trouvait justement là, penché sur ses perpétuelles paperasses. Pendant que Chee prononçait ces paroles, Largo, à Shiprock, s'empara de la communication dans le bureau du radiotélégraphiste.

– Nous allons envoyer tout ce dont nous disposons ici, dit-il. Et à Window Rock. Et voir si quelqu'un de Crownpoint patrouille du côté où vous êtes. Le sang est encore frais ?

Chee regarda sa main et fit la grimace.

– C'est encore collant, précisa-t-il. Entre épais et collant.

Un gros morceau de peau s'était détaché de la paume de sa main. La poignée de la portière, pensa-t-il. Ça devait venir de là. Ça lui donnait l'impression que la chair avait brûlé jusqu'à l'os.

– Vous n'avez pas vu d'autres lumières de voiture ?

– Une voiture. Juste au moment où je quittais Red Rock, une Jeepster blanche laissait la 33 pour s'engager sur la route de Biklabito. Un homme à l'intérieur. Je crois que c'était ce prof de maths vietnamien de l'école secondaire de Shiprock. En tout cas, je crois que c'est sa voiture.

Il avait la gorge douloureuse. Les poumons également. Ainsi que les yeux. Et le visage. Il y porta des doigts engourdis. Pas de sourcils.

– Dans ce cas c'est nous qui allons nous occuper de cet aspect des choses, dit Largo. Réservez la recherche des empreintes pour quand il fera jour. Pas question d'aller fiche la pagaille autour de la voiture. Vous avez compris ce que j'ai dit ?

Largo marqua un instant de silence puis répéta :

– Pas de questions.

– Compris, déclara Chee.

Il voulait mettre un terme à cette conversation. Il voulait partir à la recherche de celui qui avait tué Delbert Nez. Il aurait dû être avec Nez. Il aurait dû aller l'aider.

– Vous suiviez la 33 en venant de l'ouest ? De Red Rock ? Retournez sur la 33 et prenez vers l'est. Vous allez jusqu'à la 666. Voyez si vous pouvez trouver quelque chose de ce côté-là. Si le type était motorisé, il n'a pu partir que par là.

Largo se tut, ajouta :

– A moins que ce ne soit votre professeur vietnamien.

Chee n'alla pas jusqu'à la 666. A cinq kilomètres à l'est de l'intersection avec la piste en terre, les hauts faisceaux de ses phares furent arrêtés par le dos d'un homme qui marchait sur l'asphalte. Il freina et regarda. L'homme marchait de manière mal assurée au milieu de la file qui partait vers l'ouest. Il était nu-tête avec des cheveux gris attachés en chignon et sa chemise trempée de pluie adhérait à son dos. Il semblait totalement inconscient de la lumière des phares de Chee qui n'étaient maintenant qu'à quelques mètres derrière lui. Sans un regard en arrière, sans faire le moindre effort pour s'écarter vers le côté de la route, il continuait à avancer d'un rythme régulier, balançant quelque chose au bout de sa main droite, zigzaguant un peu, mais avec le pas placide et régulier de celui qui a parcouru de longues distances à pied et qui en parcourra encore d'autres.

Chee s'avança à sa hauteur, baissa sa vitre. L'objet que l'homme balançait était une bouteille ventrue qu'il tenait par le goulot.

Chee lança la traditionnelle salutation navajo :

– *Yaa' eh t'eeh !*

L'homme l'ignora, poursuivant sa marche régulière sur l'asphalte. Quand il dépassa la voiture de police et revint dans la lumière des phares, Chee vit qu'il y avait quelque chose de volumineux glissé sous sa ceinture de pantalon, dans son dos. Ça ressemblait à la crosse d'un pistolet.

Chee dégagea son propre pistolet, le sortit de l'étui et le posa sur le siège à côté de lui. Il toucha le bouton de la sirène, déclenchant un hurlement soudain. L'homme aux cheveux gris sembla ne pas l'entendre.

Chee prit son micro, contacta Shiprock, donna sa position.

– J'ai ici un suspect de sexe masculin, un mètre soixante-dix environ, âgé, cheveux gris, qui marche sur la file ouest en venant de la direction où se trouve Nez. Il a ce qui semble être un pistolet glissé dans sa ceinture, ce qui semble être une bouteille de whisky à la main droite, et il marche d'une manière bizarre.

– D'une manière bizarre, répéta le radiotélégraphiste.

– Je crois qu'il est ivre. Il se comporte comme s'il ne m'entendait pas ou ne me voyait pas.

– Le suspect est ivre, dit le radio.

– Peut-être, corrigea Chee. Je vais l'appréhender maintenant.

Ce qui allait peut-être être plus facile à dire qu'à faire, pensa-t-il. Il dépassa le marcheur et fit demi-tour pour que ses phares illuminent directement le visage de l'homme. Il mit pied à terre, arme au poing. Il avait la tête qui tournait. Tout était confus.

– Restez où vous êtes, ordonna-t-il.

24

Le marcheur s'arrêta. Il fixa intensément Chee du regard, comme s'il essayait de le voir nettement. Puis il poussa un soupir et s'assit sur la chaussée. Il dévissa le bouchon de la bouteille et but une longue lampée bruyamment. Il regarda à nouveau Chee et dit :

– *Baa yanisin, shiyaazh.*

– Vous avez honte ? répéta Chee dont la voix s'étrangla. Honte !

Il tendit le bras au-dessus de l'épaule du marcheur et de sa main valide arracha le pistolet de sa ceinture. Il renifla la gueule du canon et sentit l'odeur de la poudre brûlée. Il vérifia le barillet. Les six logements contenaient tous une cartouche mais trois d'entre elles étaient vides. Elles avaient été tirées. Il enfonça le pistolet dans sa ceinture, arracha la bouteille de la main du marcheur et la projeta dans les buissons de sauge sur le côté de la route.

– Sale Coyote, jura-t-il en navajo d'une voix furieuse. Levez-vous.

L'homme leva les yeux vers lui, l'air surpris. La lumière des phares était renvoyée par les traînées de pluie qui ruisselaient sur son visage, gouttaient de ses cheveux, de ses sourcils.

– Levez-vous ! hurla Chee.

Il tira brutalement l'homme pour le remettre sur ses pieds, le bouscula jusqu'à la voiture de police, le fouilla rapidement à la recherche d'une autre arme, préleva un canif et quelques pièces de monnaie dans une poche de devant et un portefeuille usé dans la poche revolver. Il lui passa les menottes, conscient de la maigreur osseuse de ses poignets, de la sensation d'engourdissement dans sa propre main droite et de la douleur de sa paume gauche. Il aida l'homme à monter sur le siège arrière, referma la portière derrière lui et resta là un moment à le regarder à travers la vitre.

– *Shiyaazh*, dit à nouveau l'inconnu. *Baa yanisin. Mon fils*, j'ai honte.*

Chee restait dehors, tête ployée, la pluie martelant ses épaules. Il passa le dos de sa main sur son visage mouillé et se lécha les lèvres. Elles avaient un goût salé.

Puis il s'avança dans les buissons de sauge à la recherche de la bouteille. Elle allait être nécessaire comme preuve.

3

Il n'y avait rien que le lieutenant Joe Leaphorn détestât plus que cela : cette tâche désagréable qui consistait à faire semblant d'aider les gens qu'il ne pouvait absolument pas aider. Mais ceux dont il s'agissait ce jour-là appartenaient au clan d'Emma, sa belle-famille du Clan de l'Eau Amère. Selon la définition élargie des liens familiaux chez les Navajos, ils étaient les frères et les sœurs d'Emma. Il l'avait rarement entendue parler d'eux, mais la question n'était pas là. Pas plus que de savoir que jamais elle ne lui aurait demandé d'intervenir. Certainement pas dans le cas présent où l'un de leurs policiers avait été assassiné. Néanmoins, elle aurait tenté de les aider elle-même. Elle l'aurait tenté de manière très discrète... et n'aurait pas été moins impuissante que lui. Mais Emma était morte, ce qui ne laissait plus que lui.

– Nous savons qu'il n'a pas tué ce policier, avait dit Mary Keeyani. Pas Ashie Pinto.

Selon la manière qu'ont les hommes blancs d'établir les liens de parenté, cette Keeyani était la nièce d'Ashie Pinto. En fait, c'était la fille de la sœur d'Ashie, ce qui lui donnait au sein du Peuple* de la Montagne qui Tourne le même statut qu'une fille. C'était une petite femme toute en os qui avait mis ses plus beaux habits traditionnels d'autrefois pour se rendre en ville. Mais le chemisier de velours à longues manches flottait sur elle, comme emprunté à une époque plus faste, et elle n'avait qu'un unique et étroit bracelet d'argent et un collier squashblossom* qui n'arborait que bien peu de turquoises. Elle se tenait assise, très raide sur le siège en

26

plastique bleu de l'autre côté de la table de Leaphorn, et paraissait gênée et mal à l'aise.

Mais alors que Mary Keeyani avait expliqué en quoi elle était liée à Ashie Pinto et, par conséquent, au problème de celui-ci, de la manière qui était normale pour une Navajo traditionaliste, Louisa Bourebonette n'avait pas expliqué du tout qui elle était. Elle restait assise à côté de Mary Keeyani, l'air décidé.

– Il n'y a absolument aucun doute qu'il s'agit là d'une erreur due à une raison quelconque, déclara Louisa Bourebonette d'une voix lente, précise, avec un léger accent du Sud. Mais nous n'avons pas réussi à en parler avec le FBI. Nous avons essayé de nous entretenir avec quelqu'un du bureau de Farmington puis nous sommes allées à Albuquerque. Ils refusent tout bonnement d'aborder le sujet. Et nous ne savons pas à qui nous adresser pour qu'on se mette à la recherche de preuves démontrant qu'il est innocent. Nous avons envisagé d'engager un détective privé. Nous avons pensé que vous pourriez peut-être nous recommander quelqu'un de sérieux.

Louisa Bourebonette avait donné sa carte de visite à Leaphorn. Il s'en empara à ce point de la conversation et y jeta un nouveau regard.

LOUISA BOUREBONETTE, DOCTEUR EN PHILOSOPHIE
MAITRE ASSISTANT AU DÉPARTEMENT D'ÉTUDES AMÉRI-
CAINES
UNIVERSITÉ D'ARIZONA NORD
FLAGSTAFF, ARIZONA

Ce n'étaient pas là les informations qu'il voulait. Il voulait savoir comment cette femme soignée, au regard perçant et aux cheveux gris, pouvait être rattachée à cette triste histoire de Delbert Nez : un homme jeune assassiné et un homme âgé détruit. C'était en partie la sagesse que Leaphorn avait accumulée au cours d'une longue vie de travail dans la police qui lui disait que les gens ont des motivations pour tout ce qu'ils font, et que plus les efforts exigés sont importants, plus les motivations doivent l'être. Chez les Navajos, la famille est une motivation à laquelle rien ne résiste. Bourebonette n'était pas Navajo. Ce qu'elle faisait exigeait beaucoup d'efforts. Il rangea la carte de visite dans le tiroir de son bureau.

– Avez-vous parlé avec l'avocate de Hosteen* Pinto ?

– Elle ne m'a pas donné l'impression de savoir grand-chose, dit Bourebonette avec une petite grimace dirigée contre elle-même avant de secouer la tête. Bien évidemment, ils ont confié M. Pinto à quelqu'un de tout nouveau dans le métier. Elle vient d'arriver de Washington. Elle venait d'être engagée. Elle nous a dit que le bureau du Service Fédéral de Défense des Droits du Public disposait de deux enquêteurs qui pourraient nous être utiles. Mais...

Le professeur Bourebonette laissa sa phrase en suspens avec la volonté de laisser le scepticisme du ton adopté l'achever pour elle. Leaphorn garda le silence derrière son bureau. Il lui jeta un coup d'œil. Détourna le regard. Attendit.

Elle haussa les épaules.

– Mais j'ai eu le sentiment qu'elle ne pensait pas qu'ils nous seraient utiles. Je ne crois pas qu'elle les connaisse encore bien. En réalité, elle ne nous a pas donné beaucoup de raisons de croire que M. Pinto sera bien représenté.

Leaphorn connaissait l'un des policiers du Service de Défense. Un Hispano-Américain, quelqu'un de bien, solide, opiniâtre, nommé Felix Sanchez. Il avait travaillé au sein de la police d'El Paso et savait comment réunir des informations. Mais il n'y avait pas grand-chose que Sanchez pût faire pour aider ces femmes. Et rien que Leaphorn pût faire non plus, d'ailleurs. Il pouvait leur fournir le nom de détectives privés de Farmington, Flagstaff ou Albuquerque. Des Blancs. Que pourraient-ils faire ? Que pourrait faire qui que ce soit ? Un vieil homme avait été rendu mauvais par le whisky et avait tué un policier. Pourquoi gâcher le peu d'argent que pouvait avoir sa famille ? Ou l'argent de cette femme blanche caustique ? Que venait-elle faire dans tout cela ?

– Si vous engagiez un détective privé, ça vous coûterait beaucoup d'argent, avertit-il. Il vous réclamerait une avance pour lui servir de provision. Je dirais au moins cinq cents dollars. Et il faudrait que vous régliez ses dépenses. Kilométrage, repas, motels, ce genre de choses. Et tant par heure pour son salaire.

– Combien ? demanda le professeur Bourebonette.

– Je ne suis pas sûr. Peut-être vingt-cinq, trente dollars l'heure.

Mme Keeyani retint sa respiration. Elle paraissait abattue. Le docteur Bourebonette posa une main réconfortante sur son bras.

– C'est à peu près ce à quoi je m'attendais, annonça-t-elle d'une voix guindée aux accents forcés. Nous pouvons le payer. Qui nous recommanderiez-vous ?

– Ça dépendrait. Qu'est-ce que vous...

Elle l'interrompit.

– On pourrait s'attendre, ou plutôt on devrait s'attendre, si on avait des illusions, à ce que ce soit vous, dans la police, qui vous occupiez vous-mêmes de ça. A ce que la famille ne soit pas obligée d'engager quelqu'un pour établir les faits dans une affaire de meurtre.

La colère laissa Leaphorn sans parole. Il répondit donc ce qui était évident :

– Une affaire comme celle-ci, un crime commis sur une réserve dépend légalement...

Elle leva la main.

– Le Bureau Fédéral d'Investigations a le pouvoir légal. Nous le savons. On nous l'a déjà dit et nous le savions déjà, étant normalement intelligentes. Mais après tout, l'un de vos hommes a été tué.

Une trace de sarcasme se glissa dans le ton de Bourebonette lorsqu'elle ajouta :

– Vous n'êtes pas un tout petit peu curieux de savoir qui l'a vraiment tué ?

Leaphorn se sentit rougir. Cette femme blanche arrogante ne s'attendait sûrement pas à ce qu'il réponde à ça. Pas en présence de la nièce du meurtrier.

Mais le professeur attendait une réponse. Qu'elle attende. Leaphorn lui-même attendit. A la fin, il dit :

– Je vous écoute.

– Puisque vous ne semblez pas mener d'enquête, et puisque le FBI se satisfait de traîner Ashie Pinto devant les tribunaux sans faire aucun effort pour découvrir le véritable assassin, nous espérons que vous pouvez au moins nous donner un conseil sur qui nous devons engager. Quelqu'un d'honnête.

Leaphorn s'éclaircit la gorge. Il essayait de se représenter cette femme hautaine dans le bureau magnifiquement décoré du Chef de l'Agence à Albuquerque. Là-bas, assurément, rien d'autre de sa part que politesse et bonnes manières.

– Oui, dit-il. C'est là que nous en étions. Et pour vous donner ce conseil, il y a des choses que je dois savoir. Qu'est-ce que vous avez à dire à un détective privé ? Que pouvez-vous lui donner sur quoi travailler ? Est-ce qu'il s'agirait de pistes qu'il aurait à suivre sur la Réserve, du côté de l'endroit où Hosteen Pinto habitait ? Ou du côté de Shiprock, ou de Red Rock où le... où ça s'est passé ? En d'autres termes, que savez-vous qui puisse être utile ? Que savez-vous qui l'aiderait à trouver un témoin, un fait à établir, par exemple que Hosteen Pinto se trouvait ailleurs lorsque le crime s'est produit ? Que pouvez-vous lui donner qui lui fournisse un endroit par où commencer ses recherches ?

Il se tut, se disant qu'il ne devrait pas mettre les pieds là-dedans. Ce n'était pas sa responsabilité juridique, pas ses oignons. Une ingérence ne pouvait manquer d'être mal perçue dans un service où l'on voulait que la mort d'un collègue soit contrebalancée par la condamnation de son assassin. Il ne devrait pas ouvrir cette porte qu'il était sur le point d'ouvrir. Il devrait se contenter de dire à ces femmes qu'il ne pouvait les aider. Ce qui se trouvait simplement être la triste vérité. Néanmoins, Mary Keeyani appartenait à la famille d'Emma. Et il restait encore des questions sans réponse dans cette affaire Nez... pour autant qu'il soit au courant.

– En fait, dit-il, si vous disposez d'informations utiles... un témoin, quelque chose qui pourrait mener à une preuve matérielle que le FBI refuserait de prendre en considération, vous pouvez me le dire. Je veillerai à ce que l'Agence y consacre l'attention souhaitée. Tout ce que vous pouvez savoir.

– Nous savons que ce n'est pas lui, affirma Bourebonette.

Mais sa colère était maintenant tarie. Elle essaya de sourire : un tout petit sourire.

– Tout ce que nous pouvons vous dire c'est *la raison pour laquelle* nous savons qu'il est impossible qu'il ait tué un policier et cela n'a rien de plus concret que de vous dire le genre d'homme qu'est Ashie Pinto. Qu'il a toujours été.

Mais il a bel et bien tué un homme, pensait Leaphorn, *il y a longtemps. Si je me souviens bien de ce que j'ai lu dans le dossier, il a été reconnu coupable, il y a des années de ça, emprisonné pour avoir tué un homme.*

– Vous faites partie de sa famille ? lui demanda-t-il.

– Je suis une de ses amies.

Il la regarda par-dessus ses lunettes, attendant plus ample réponse.

– Depuis vingt-cinq ans, ajouta-t-elle. Au moins.

– Ah, fit-il.

Le professeur Bourebonette semblait impatiente, comme si cela ne valait probablement pas la peine qu'elle perde son temps à expliquer ces choses, mais elle décida de le faire.

– Mon domaine est la mythologie comparée. L'évolution des mythes dans le cadre des cultures. L'évolution des mythes lorsque les cultures entrent en contact et se mêlent. La relation entre la mythologie de la société et son fondement économique. Son environnement. M. Pinto est l'une de mes sources d'informations. Depuis des années.

Elle se tut.

Leaphorn la regarda. En avait-elle terminé ? Non. Elle interrogeait ses souvenirs.

– Il ne tuerait jamais quelqu'un, ajouta-t-elle. Il a un grand sens de l'humour. Une superbe mémoire pour les choses drôles. Une superbe mémoire pour tout.

Elle regardait Leaphorn droit dans les yeux en disant cela et prononça ces mots lentement comme s'il était le juge. Comme s'il était le jury. Le whisky ne pouvait-il faire un assassin d'un personnage amusant au même titre qu'il le faisait de quelqu'un de triste ou d'irascible ?

– Il avait un grand sens de l'humour, répéta-t-elle.

Cela ne prouvait rien, pensa Leaphorn. Mais c'était intéressant. Ça l'était également qu'elle lui parle de ça. Cela faisait un bien long trajet, beaucoup de temps investi et beaucoup d'argent dépensé si elle était sérieuse quand elle parlait d'engager un détective privé. Et une explication bien légère pour la raison qu'elle avait de le faire.

Et par conséquent Leaphorn avait demandé à la femme de la Montagne qui Tourne et au professeur d'attendre. Il avait appelé en bas et demandé le dossier intitulé HOMI-CIDE : DELBERT NEZ.

Il n'était pas là quand ça s'était produit, attendant dans une chambre d'hôtel de Phoenix d'être appelé à venir témoigner dans une affaire qui passait là-bas en jugement devant le tribunal fédéral. Néanmoins il s'en souvenait fort bien. Il avait bien sûr lu tous les jours ce qu'en disaient la *Gazette* de Phoenix et l'*Arizona Republic*. Il avait appelé la sous-agence de Shiprock et en avait parlé avec le capitaine Largo. La Police Tribale Navajo ne comprenait qu'environ cent dix hommes assermentés, ce qui faisait du meurtre de n'importe lequel d'entre eux un événement non seulement gravé dans les mémoires mais également proche et d'une portée personnelle. Il connaissait à peine Delbert Nez... se souvenait de lui comme d'un jeune policier de petite taille, discret et bien mis. Mais Nez travaillait pour le bureau de Window Rock, comme Leaphorn, qui l'avait vu souvent. Nez essayait de se laisser pousser la moustache. Ce n'était pas là mince affaire pour les Navajos avec leur absence de système pileux sur le visage, et cette croissance clairsemée avait provoqué taquineries et plaisanteries grivoises. Il connaissait beaucoup mieux le policier qui avait procédé à l'arrestation, Jim Chee. Leurs routes s'étaient croisées à plusieurs reprises lors d'autres enquêtes. Un jeune homme exceptionnellement intelligent. Astucieux. Doté de réelles qualités. Mais il avait ce qui pouvait être un défaut fatal pour un policier. C'était un individualiste qui se conformait aux règlements quand, et si, ceux-ci lui convenaient. Et en plus de cela, c'était un romantique. Il voulait même être medecine-man*. Cette idée fit sourire Leaphorn. Un Shaman*-Policier Tribal. Les deux professions étaient totalement incompatibles.

Leaphorn se surprit à se demander s'il avait été le premier client de Chee. Après une affaire difficile, alors qu'il se trouvait en proie à l'épouvantable malaise qui avait suivi la mort d'Emma, il avait fait appel à ses services afin de lui faire exécuter une Voie* de la Bénédiction pour son propre compte. Une décision impulsive... ce qui était très inhabituel chez lui. Il l'avait fait en partie pour offrir à ce jeune homme une occasion de se faire la main comme shaman, et en partie pour faire un geste destiné aux gens de la famille d'Emma. Les Yazzie étaient membres du Clan de l'Eau Amère et ils étaient traditionalistes. La cérémonie serait en quelque sorte une excuse non formulée pour la blessure qu'il avait dû leur causer. Il avait quitté l'habitation de la mère d'Emma le second matin après qu'ils avaient emporté le corps dans le canyon... incapable de supporter les quatre journées entières de retraite silencieuse au milieu de sa famille qu'exigeait la tradition. Cela avait été impoli et il en avait ressenti du regret. Et donc il avait appelé Agnes pour lui dire qu'il avait engagé un chanteur*. Il lui avait demandé d'organiser la cérémonie. Elle avait été heureuse de le faire, n'ayant nul besoin qu'on lui rappelle que son clan à lui, le Clan du Front Rouge, était maintenant éparpillé et presque entièrement réduit à néant, ou qu'il restait très peu de représentants de sa propre famille. Il avait été mal à l'aise en présence d'Agnes. Elle ne s'était jamais mariée et, étant la sœur d'Emma, on se serait attendu à ce qu'il l'épouse si l'on s'en référait aux vieilles traditions.

Il leva les yeux vers les deux femmes qui attendaient patiemment de l'autre côté du bureau et reporta son regard sur le rapport. Mais il repensait à Jim Chee le policier, cheveux noués sur l'arrière de la tête, disposant son matériel sur le sol de terre balayée du hogan* Yazzie. Il avait fait preuve de nervosité en montrant à Leaphorn où il devait s'asseoir, le dos contre le mur ouest du hogan, et en étalant une petite couverture devant lui. Puis il avait sorti de sa *jish** en peau de daim le petit sac de cuir qui était sa bourse* des Quatre* Montagnes, deux jeux de "bâtons* de prières", une boîte de tabac à priser qui contenait des pointes de flèches en silex, et une demi-douzaine de petits sacs de pollen. Il avait solennellement dessiné les contours de traces de pas sur le sol et inscrit dedans à l'aide du pollen les symboles des rayons du soleil sur lesquels Leaphorn allait marcher. Derrière Chee, par la porte du hogan qui ouvrait sur l'est, Leaphorn voyait les remparts déchiquetés des monts Carrizo qui reflétaient le rose du crépuscule. Il avait respiré la fumée de pin pignon qui montait des feux de cuisson faits par les proches d'Emma et par ses propres amis venus se joindre à lui pour ce voyage dans le monde spirituel de son peuple.

A cet instant il avait appelé de toutes ses forces un moyen de tout annuler. Il se sentait hypocrite. Il ne croyait pas que la poésie rituelle que Jim Chee allait entonner, ou que les peintures* sèches qu'il allait dessiner sur le sol du hogan, pouvaient contrôler les puissances et les contraindre à rendre Joe Leaphorn à une vie apportant "la beauté tout autour de lui". La beauté était partie quelque part dans les rochers du canyon avec le corps d'Emma. Partie à jamais. Son seul souhait était de la suivre.

Mais il n'y avait pas eu de moyen d'y échapper. Et quand l'aube s'était levée pour la seconde fois, après une longue nuit de chants, il avait empli ses poumons des quatre grandes bouffées rituelles d'air froid du matin en se sentant différent de ce qu'il avait été depuis des semaines. Cela ne l'avait pas guéri mais avait déclenché le processus de la guérison. Il supposait qu'il pouvait en être reconnaissant à Jim Chee le shaman. Au moins en partie. Mais Jim Chee le policier était une tout autre affaire. Si Jim Chee le policier avait fait son devoir, Delbert Nez serait peut-être encore en vie.

"La balle est entrée dans la partie supérieure de la poitrine, du côté gauche", précisait le rapport. "Apparemment presque à bout portant."

Leaphorn leva les yeux vers Mary Keeyani et le professeur.

– Désolé de prendre aussi longtemps, s'excusa-t-il.

– Nous avons le temps, répondit Mary Keeyani.

Le capitaine Largo lui avait dit que Chee voulait démissionner après l'homicide. En extirpant Nez de la voiture, il avait été brûlé aux deux mains, à un bras, à une jambe et à la poitrine. Largo s'était rendu à l'hôpital de Farmington pour le voir. Largo était un vieil ami. Il en avait parlé à Leaphorn.

– Il n'a pas simplement proposé de remettre sa démission, lui avait-il dit. Il a insisté pour le faire. Il m'a rendu son insigne. Il m'a dit qu'il avait déconné à mort. Qu'il aurait dû aller porter main-forte à Nez quand il a su que Nez se lançait à la poursuite de quelqu'un. Et bien sûr que c'est ce qu'il aurait dû faire.

– Pourquoi il ne l'a pas fait, nom de nom ? avait demandé Leaphorn. Le sale petit con. C'était quoi son excuse ?

– Il n'a pas avancé d'excuse, avait répondu Largo dont la voix montrait que le ton de jugement employé par Leaphorn lui déplaisait. Mais je lui ai rappelé que son rapport indiquait que Nez riait. D'après le peu qu'il en avait entendu par radio, Nez ne prenait pas ça au sérieux. Comme si c'était une blague. Et je lui ai dit que de toute façon il ne pouvait pas démissionner. Il ne peut pas le faire tant que nous n'aurons pas fait passer Pinto devant le tribunal.

En repensant à cette conversation maintenant, tandis qu'il tournait les pages du rapport, Leaphorn se souvint que Largo avait, au niveau du clan, un vague lien familial avec Chee. Tout au moins, c'est ce qu'il avait entendu dire. Les règlements de la Police Tribale Navajo interdisaient le népotisme au sein de la hiérarchie. Mais ces règles étaient juste imitées des règlements s'appliquant aux personnels *biligaana**. Les règlements des Blancs ne mentionnaient pas les relations claniques.

La feuille suivante était le rapport du sergent Eldon George. Quand il était arrivé il avait trouvé Chee, affalé sur le siège avant de son véhicule, qui avait à demi perdu connaissance par suite de l'état de choc. Pinto dormait sur le siège arrière, menottes aux poignets. George avait essayé de soigner les brûlures de Chee avec sa trousse de soins d'urgence. Une autre voiture de la Police Navajo était arrivée, puis celle d'un shérif du comté de San Juan, un policier des Forces de Police de l'Etat du Nouveau-Mexique qui patrouillait, et enfin l'ambulance que Chee avait appelée pour emporter Nez. Au lieu de Nez, elle avait emporté Chee. Pinto avait été acheminé vers la prison du comté à Aztec et inculpé de voie de fait, l'accusation la plus grave possible pour un crime commis sur les terres placées sous tutelle fédérale tant que les fédéraux n'étaient pas intervenus et n'avaient pas déposé leur plainte pour homicide volontaire.

Leaphorn leva les yeux vers Mme Keeyani. Elle était assise avec les mains serrées sur ses cuisses, la lèvre inférieure entre les dents, et elle le regardait.

– Il faut que je me rafraîchisse la mémoire avant de pouvoir vous dire quoi que ce soit, expliqua-t-il.

Mme Keeyani fit oui de la tête.

La page suivante rappela à Leaphorn qu'Ashie Pinto n'avait fait aucune déclaration. Lorsqu'on l'avait arrêté, d'après le rapport il avait dit :

– Monsieur le policier, j'ai fait quelque chose dont j'ai honte.

Ça paraissait manquer de naturel. Leaphorn réfléchit. Pinto avait probablement dû s'adresser à Chee en navajo. Chee, sans doute guère plus qu'à demi conscient, avait dû transmettre une traduction à George. George l'avait notée dans son calepin, puis l'avait retranscrite dans son rapport dactylographié. Qu'avait véritablement dit Pinto ?

Selon le rapport, rien d'autre. Il n'avait rien reconnu, n'avait rien nié, était resté absolument silencieux, refusant de répondre à toutes les questions à l'exception d'un hochement de tête pour confirmer son identité, déclinant l'invitation à appeler un avocat, à donner le nom de quelqu'un qu'il aurait pu souhaiter voir informé de son arrestation. Quand on lui avait demandé de se soumettre à la prise de sang :

"Le suspect Pinto a répondu de manière visible par un hochement de tête affirmatif".

Le test avait montré un niveau d'alcool dans le sang de 0,211. Le pourcentage d'alcool dans le sang qui, au Nouveau-Mexique, détermine si quelqu'un se trouve légalement et officiellement en état d'ébriété est de 0,10.

Venait ensuite le rapport du FBI daté de onze jours après l'arrestation. Leaphorn le parcourut. Les études balistiques confirmaient que la balle tirée dans la poitrine de Nez provenait du pistolet confisqué à Pinto, une arme de calibre 38. Elles confirmaient que les trous du pantalon de Pinto avaient été causés par le feu. Il y avait d'autres éléments, y compris l'autopsie. Leaphorn savait ce qu'elle disait. Nez était en vie quand le feu l'avait suffoqué. Probablement inconscient, mais en vie. Il laissa échapper un soupir, passa à la page suivante. C'était le résumé d'une déclaration de Chee, enregistrée alors qu'il se trouvait à l'hôpital. Il le parcourut rapidement. Les trucs habituels. Mais, une seconde. Il s'arrêta sur un paragraphe. Le relut.

"Chee a déclaré que cela faisait plusieurs semaines que Nez souhaitait appréhender un suspect non identifié qui vandalisait et barbouillait un relief basaltique à l'est de Red Rock et au sud de Shiprock. Chee a déclaré qu'il croyait, d'après ce qu'il avait entendu à la radio, que Nez avait vu cette personne et s'attendait à appréhender son suspect. Il a déclaré que la liaison radio s'interrompait de plus en plus souvent mais qu'il avait entendu Nez rire et qu'il ne semblait pas désirer d'assistance."

Leaphorn exprima sa dérision dans un bruit plein de colère et involontairement fort. Il leva les yeux pour voir si les deux femmes l'avaient remarqué. Oui.

Il masqua son embarras derrière une question.

– Quelqu'un vous a-t-il parlé des circonstances ?

– On nous a dit qu'il avait été arrêté là où ça s'est passé, répondit Mme Keeyani. On nous a dit qu'il avait le pistolet qui a tué ce policier.

– Vous ont-ils dit qu'il n'a pas nié l'avoir fait ? demanda Leaphorn.

Mais il pensait à Jim Chee. Ça l'irritait. Nez ne semblait pas désirer d'assistance. Qu'il l'ait désiré ou non, le règlement stipulait que Chee devait être avec lui. Mais ça, c'était la réputation de Chee. Il appliquait son propre règlement. Intelligent. Exceptionnellement intelligent. Mais pas capable de travailler en équipe. Et donc il était assis dans le comptoir d'échanges de Red Rock à boire du café pendant que Nez, tout seul, était aux prises avec un ivrogne homicide armé d'un revolver.

– Je ne sais pas ce que mon oncle leur a dit, reprit Mary Keeyani en secouant la tête. Mais je sais qu'il ne l'a pas fait. Pas Hosteen Pinto. Jamais il ne tuerait quelqu'un.

Leaphorn attendit, scrutant son visage, lui laissant la possibilité de poursuivre. Elle restait assise sans bouger, le regard baissé sur ses mains.

A la fin, elle dit :

– Il y a longtemps, très longtemps. Avant ma naissance... Il s'est trouvé dans une bagarre en ce temps-là, quand il était jeune, et un homme a été tué. Mais à ce moment-là c'était un garçon violent, et il avait bu. Aujourd'hui c'est un vieil homme. Il ne boit plus maintenant. Pas depuis des années.

Ce n'était pas un point sur lequel argumenter. Leaphorn préféra dire :

– Il ne veut rien leur dire du tout. C'est ce qu'on m'a dit. Pas un mot. Pas même à son avocat.

Mme Keeyani regarda ses mains.

– Cette arme n'était pas à lui, dit-elle. Mon oncle a une vieille carabine 22. Une carabine à un seul coup. Il l'a toujours. Elle est dans son hogan.

Leaphorn ne dit rien. Cela l'intéressait. Ce pistolet que Pinto avait dans la main était un Ruger, un modèle onéreux, et pas ce que l'on s'attendrait à ce que quelqu'un comme lui possède. D'un autre côté, il pouvait y avoir mille explications justifiant qu'il en fût effectivement propriétaire.

– Peut-être n'étiez-vous pas au courant pour ce pistolet, suggéra-t-il.

C'était maintenant au tour de Mme Keeyani d'être surprise.

– C'est le frère de ma mère. Il ne s'est jamais marié. Il habitait là-bas à côté de chez ma grand-mère derrière la Montagne Yon Dot.

Leaphorn n'avait pas besoin d'autres explications. Si Ashie Pinto avait été propriétaire d'un revolver Ruger qui coûtait cher, ses proches l'auraient su. Il ramena son regard sur le rapport du FBI, cherchant le nom de l'agent chargé de l'enquête. Theodore Rostik. Il n'avait jamais entendu parler de lui, ce qui voulait dire qu'il s'agissait d'un nouveau venu à l'agence de Gallup... soit qu'il fût quelqu'un de frais émoulu de l'Académie du FBI, soit qu'il s'agît d'un agent plus âgé exilé car considéré comme une cause perdue. Les agents qui montaient n'étaient pas envoyés dans des endroits comme Farmington, Fargo, Gallup ou autres villes considérées comme sibériennes par la hiérarchie du Bureau. C'étaient des cantonnements réservés aux hommes neufs n'ayant pas de relations politiques au sein de l'agence, ou à ceux qui étaient en rupture de grâce... peut-être pour avoir causé une publicité négative (le péché mortel pour l'agence), ou montré les signes d'une manière originale de réfléchir. Pour Leaphorn, le fait était que Rostik pouvait être exceptionnellement stupide ou exceptionnellement intelligent, l'un comme l'autre pouvant entraîner son exil. Mais il était infiniment probable qu'il s'agissait simplement d'un bleu.

– Je vais vous dire ce que vous devriez faire à mon avis, dit-il à Mme Keeyani sans lever les yeux du rapport. Hosteen Pinto a une avocate qui est peut-être une débutante mais qui sera intelligente. Le Service Fédéral de Défense des Droits du Public n'engage que des gens intelligents. Travaillez avec elle. Faites-lui part des choses bizarres qui vous gênent. Elle enverra l'un des enquêteurs afin qu'il établisse les faits. Je connais l'un d'entre eux personnellement, quelqu'un de très bien. Vous devriez travailler avec eux.

Il poursuivit sa lecture sans lever les yeux, attendant une réponse. Il entendit Mme Keeyani changer de position sur son siège, mais la voix qu'il entendit fut celle du docteur Bourebonette.

– Est-ce qu'ils sont Navajos ? s'enquit-elle. Est-ce qu'ils comprendraient que la famille de Hosteen Pinto ne manquerait certainement pas de savoir si Hosteen Pinto était propriétaire de ce pistolet ?

– Peut-être pas, reconnut Leaphorn.

Il ne leva pas les yeux parce qu'il ne voulait pas montrer son animosité. Il pouvait tolérer l'attitude de Mme Keeyani. Il respectait la raison qu'elle avait d'être là... même si elle perdait son temps et lui faisait perdre le sien. Il en allait autrement du professeur Bourebonette. Mais c'était une question astucieuse.

– Cela ils ne le comprendraient probablement pas, concéda-t-il.

Il cherchait quelque chose dans le rapport qui lui expliquerait comment Ashie Pinto était allé de l'endroit où il habitait derrière la Montagne Yon Dot jusqu'à la Route Navajo 33 au sud de Shiprock, au Nouveau-Mexique. Trois cent vingt kilomètres environ. Rien dans le rapport ne mentionnait une voiture ou un pick-up truck abandonné.

Le docteur Bourebonette s'éclaircit poliment la gorge.

– Ce rapport vous dit-il comment Pinto a fait tout ce chemin jusqu'au Nouveau-Mexique ?

– C'est ce que je cherchais, dit Leaphorn en levant les yeux vers elle. Vous le savez ?

– Quelqu'un est venu le chercher.

– Qui ?

Le docteur Bourebonette regarda Mary Keeyani.

– Je ne sais pas, dit Mary Keeyani. Mais je sais que quelqu'un est venu le chercher. J'étais partie au magasin du Gap pour acheter du pétrole pour la lampe. Et mon mari, il était quelque part avec les moutons. Tout le monde était parti à droite ou à gauche sauf la plus jeune de mes filles. Elle était rentrée par le car de ramassage scolaire et elle était sortie pour attraper son cheval et aller aider pour les moutons, et elle a vu la poussière de la voiture.

– Etait-ce la voiture de Pinto ?

Mme Keeyani rit.

– La voiture de Hosteen Pinto est en panne depuis bien longtemps, dit-elle. Les poules dorment dedans. (Son amusement disparut aussi vite qu'il était venu.) Elle était assez haut sur le flanc de la colline et tout ce qu'elle a vu ça a été la poussière et peut-être qu'elle l'a un peu entrevue. Elle venait de la cabane de Hosteen Pinto. La route, elle tourne à droite au hogan de ma mère puis elle passe devant notre maison et s'en va vers Twentynine Mile Canyon et rejoint la route au comptoir d'échanges de Cedar Ridge. Elle a dit que c'était peut-être une voiture de couleur claire, ou un pick-up truck, ou peut-être qu'elle était juste couverte de poussière.

– Quand était-ce ?

– C'était le soir avant que Hosteen Pinto ne se fasse arrêter au Nouveau-Mexique.

Leaphorn revint aux pages du rapport. Il ne trouva rien sur tout ça.

– Est-ce qu'un policier est venu vous parler ?

– Un jeune homme blanc, dit-elle. Avec ces petites marques sur la figure. Et un Navajo pour tout lui traduire.

Des taches de rousseur, pensa Leaphorn. Une culture qui n'est pas affligée par les taches de rousseur n'a pas de nom pour les désigner.

– Que voulaient-ils savoir ?

– Ils m'ont posé des questions sur le pistolet. Ils m'ont demandé ce que Hosteen Pinto faisait là-bas. Où s'était-il procuré le pistolet ? Comment avait-il eu les deux billets de cinquante dollars qu'il avait dans sa poche ? Est-ce que Hosteen Pinto connaissait Delbert Nez, l'homme qu'il a tué, d'après eux ? Ils m'ont posé des questions comme s'ils pensaient que Hosteen Pinto fabriquait de l'alcool de contrebande. Des trucs comme, de quelle manière se comportait-il quand il avait bu ? Est-ce qu'il se bagarrait ? Comment gagnait-il sa vie ? Est-ce qu'il était trafiquant d'alcool ?

Tout ce temps Mme Keeyani avait regardé ses mains. Elle leva alors les yeux :

– Ils semblaient vraiment penser qu'il était trafiquant d'alcool.

Elle secoua la tête.

– Qu'avez-vous répondu ?

– Je leur ai dit que les billets de cinquante dollars représentaient peut-être son salaire. Donné par celui qui est venu le chercher.

– Son salaire ?

– Il a emmené ses cristaux avec lui. Quand il était plus jeune, c'était son travail de trouver des choses pour les gens. Quand j'étais petite, les gens venaient d'aussi loin que Tuba City et même de Kayenta et de Leupp. Il était drôlement connu à ce moment-là.

– C'était un homme-qui-lit-dans-le-cristal*, dit Leaphorn.

Il se pencha en avant. Si cet homme travaillait comme shaman, peut-être y avait-il davantage dans cette histoire qu'un stupide et sordide meurtre de plus.

– Il le faisait toujours ?

– Pas beaucoup.

Elle réfléchit avant d'ajouter :

– L'an dernier il a trouvé un cheval pour un homme qui travaille à la mine de cuivre et après il a fait un petit travail pour un homme blanc. Et il travaillait avec le professeur Bourebonette. (Elle inclina sa tête du côté de celle-ci.) C'est à peu près tout ce que je sais de ses activités.

– Qu'est-ce que l'homme blanc avait perdu ?

– Je crois qu'il était à la recherche d'histoires d'autrefois.

Leaphorn n'était pas sûr de ce qu'elle voulait dire par là. Il attendit une explication. Aucune ne vint.

– Hosteen Pinto est-il quelqu'un que les anthropologues venaient voir pour apprendre les histoires d'autrefois ? Comme le professeur Bourebonette ?

– Oui. Très souvent, dans le temps. Plus tellement maintenant. Je crois que la plupart c'est Narbona Begay qui les lui avait apprises. Le frère de sa mère.

– Vous pensez que c'était cet homme blanc qui était à la recherche d'histoires qui est venu le chercher le jour d'avant le meurtre ?

Mme Keeyani secoua la tête.

– Je ne sais pas qui c'était. Peut-être.

Ou peut-être pas, pensa Leaphorn. Et en quoi cela peut-il faire progresser les choses, de toute façon ? Son esprit ne cessait d'en revenir à la raison qu'avait le professeur Bourebonette d'être là. Elle connaissait l'accusé, c'était évident. Elle disait qu'elle l'appréciait, qu'elle avait travaillé avec lui. Mais sa présence ici exigeait beaucoup de temps et d'efforts pour quelqu'un qui travaillait à Flagstaff. Et elle semblait également prête à payer la note d'un détective privé.

– Est-ce que vous travaillez encore avec Hosteen Pinto ? lui demanda-t-il. Je veux dire est-ce que vous avez quelque chose en cours ? En ce moment même ?

Elle acquiesça de la tête.

– Nous collaborons sur un livre.

– Sur la mythologie ?

– Sur l'évolution des croyances dans la sorcellerie. Ashie Pinto l'avait lui-même remarqué. La façon dont les histoires ont changé depuis son enfance. Il est allé à Albuquerque avec moi et a écouté des enregistrements sur bande...

Elle se tut. Décida que cela méritait une explication. Reprit :

– Les enregistrements d'histoire orale de la collection de l'université du Nouveau-Mexique. Des interviews de Navajos âgés. Et pas uniquement de Navajos. D'autres cultures amérindiennes et de personnes âgées de souche hispano-américaine. Des bandes qui ont été faites dans les années trente et quarante et qui ont enregistré des souvenirs remontant jusqu'aux années dix-huit cent quatre-vingt. Et si vous acceptez les témoignages indirects, les témoignages de seconde main (ce que nous appelons des histoires de grands-pères), certains de ces souvenirs remontent à avant la Longue* Marche. Nous les écoutions et en regardions la transcription, et cela rafraîchissait la mémoire que gardait Hosteen Pinto des histoires qu'on lui avait racontées.

Le docteur Bourebonette avait un visage austère. Les seules expressions que Leaphorn y eût identifiées étaient le scepticisme, la colère et la détermination : c'était le visage d'une femme habituée à obtenir ce qu'elle voulait et qui doutait de l'obtenir de lui. Maintenant, son visage avait changé. Tandis qu'elle parlait du livre, il reflétait l'animation et l'enthousiasme.

Leaphorn conclut qu'il allait peut-être apprendre quelle était sa motivation.

– ... C'est remarquable, disait-elle. Ce dont Hosteen Pinto est capable de se souvenir. A quel point il domine les infimes nuances de ces vieilles histoires. Les différences d'attitude du conteur vis-à-vis du sorcier par exemple. Les modifications dans le degré d'importance des choses si l'origine des changements a été extérieure à la culture navajo. Par exemple la tradition de sorcellerie chez les Zuni*. Les légendes des "cœurs* doubles" hopi* ou...

Elle s'interrompit au milieu de sa phrase. Prit l'air gêné.

– Vous travailliez toujours avec Hosteen Pinto ? Vous n'aviez pas terminé ?

– Plus ou moins. Je devais passer le prendre plus tard dans la semaine. Celle où ça s'est produit. En fait, c'est comme ça que j'ai découvert qu'il avait été arrêté. J'avais lu des articles sur le crime, mais le nom de Hosteen Pinto n'avait pas été rendu public. Je me suis donc rendue chez lui et Mme Keeyani m'a dit qu'il était en prison.

En prison, pensa Leaphorn. Non disponible pour répondre à des questions d'ordre professionnel. Un livre mis en attente. Qui ne serait peut-être jamais achevé. Les motivations du professeur Bourebonette paraissaient bien moins mystérieuses.

– Le livre peut-il être terminé sans lui ? demanda-t-il.

Son ton était aussi neutre qu'il le pouvait. Mais elle interpréta parfaitement ses paroles. Ses yeux bleus perçants le fixaient.

– Bien sûr, dit-elle.

Mais elle hocha la tête, reconnaissant qu'il tenait un argument et acceptant cette accusation :

– Mais ce ne serait peut-être pas un travail aussi solide.

Leaphorn détourna les yeux, les ramena sur le rapport, impressionné par la perspicacité de cette femme et se sentant légèrement coupable. S'il avait raconté cet échange à Emma, et il l'aurait assurément fait, elle aurait fait claquer sa langue, marquant sa réprobation vis-à-vis de son attitude. Il tourna la page, cherchant la réponse à la question évidente que ces femmes avaient posée. Comment ce vieil homme avait-il fait pour se rendre de l'extrémité ouest de la Réserve jusqu'aux environs de Shiprock ? Cela, au moins, il pouvait essayer de le découvrir pour elles.

– C'était son livre avant tout, dit le professeur Bourebonette comme se parlant à elle-même.

Levant la tête, Leaphorn la regarda droit dans les yeux. Pour y voir quoi ? De la colère ? De la déception ?

Il parcourut les pages qui restaient. La question qui semblait si évidente, à lui comme à ses visiteuses, n'avait pas paru intriguer autant l'agent Rostik. Elle n'était tout simplement pas soulevée. Enfin, peut-être y avait-il une réponse plus simple et sans aucun rapport.

Il avait eu l'intention de ne pas tenir compte de l'enveloppe en papier kraft qui contenait les photographies, à la fin du dossier. Ce n'était pas le genre de clichés dont il souhaitait partager la vision avec ces femmes. Mais maintenant sa curiosité était éveillée. Il fit glisser sur sa table le tas des clichés contenus dans le dossier.

Le corps de Nez à côté de la voiture carbonisée. A nouveau la voiture carbonisée, avec l'extincteur de Chee par terre à côté d'elle. Le pistolet, rutilant et comme neuf. Une demi-douzaine de photos représentent le théâtre des événements, prises de jour, avec la forme laide et torturée d'un relief basaltique qui se dressait à l'arrière-plan au-dessus d'une élévation de terrain couverte d'herbe, une bouteille d'alcool, un canif, des choses et d'autres dont le photographe de la police, ou le policier responsable de l'enquête, avaient pensé qu'elles pourraient s'avérer utiles.

Utiles. Il prit la photographie de la bouteille. Une bouteille de scotch classique... rien pour la différencier de la majorité des autres si ce n'était le coût. Il chaussa ses lunettes et examina l'étiquette.

Il retourna la photo. L'étiquette figurant au dos confirmait que c'était bien la bouteille qu'Ashie Pinto tenait dans sa main lorsqu'il avait été appréhendé par Chee.

"Capacité un litre", précisait l'inscription, "approx. aux cinq sixièmes vide."

Du whisky écossais. Du whisky cher.

– Madame Keeyani, dit-il. Savez-vous ce que Hosteen Pinto aime boire ? Du vin ? Du whisky ?

Les traits de Mme Keeyani montrèrent qu'elle n'appréciait pas cette question.

– Il ne boit pas, répondit-elle.

– Cette nuit-là, il avait bien bu, insista Leaphorn. L'alcool était passé dans son sang.

– Il lui arrivait de boire autrefois, reconnut-elle. Juste de temps en temps. Il disait que s'il avalait ne serait-ce qu'une cuillerée, il ne pouvait plus s'arrêter. Pendant longtemps il ne buvait pas, puis quelqu'un était obligé d'aller à Flagstaff, à Winslow ou ailleurs pour le sortir de prison et le ramener chez nous. Et après il ne buvait plus pendant longtemps. Des mois. Mais enfin, il y a quatre ou cinq ans il l'a refait et il a été malade dans la prison de Flag. Il a fallu l'emmener à l'hôpital et le docteur lui a dit que ça le tuerait. Et après ça...

Elle se tut un instant, secoua la tête :

– ... Il n'a plus jamais bu après ça.

– Mais quand il buvait, que buvait-il ?

Elle haussa les épaules.

– Du vin. N'importe quoi. Tout ce qui était bon marché.

– Du whisky ?

Mme Keeyani parut embarrassée.

– C'est doux ? demanda-t-elle.

– Non. C'est très fort et cher mais pas doux. Pourquoi ? lui demanda Leaphorn.

Elle sourit en même temps que ses souvenirs lui revenaient.

47

– Mon oncle adorait les sucreries. On l'appelait Monsieur Sucre. Tout ce qui était sucré, il aimait. Quand elle voyait le pick-up truck de Hosteen Pinto arriver, ma mère disait, les enfants, dépêchez-vous de cacher le gâteau que j'ai fait. Cachez les bonbons. Cachez le sac de sucre. Voilà mon frère Monsieur Sucre qui arrive.

Ce souvenir lui arracha un petit rire. Puis, ne voulant pas que sa mère soit mal jugée, elle ajouta :

– Elle lui donnait un morceau de gâteau.

– Mais vous ne savez pas s'il buvait du whisky ?

– Si c'était doux, il en buvait. Si ce n'était pas cher.

Leaphorn posa le regard sur la photographie représentant la bouteille. Le whisky qu'elle contenait était assurément tout sauf bon marché.

Il poussa un soupir. Après toute une vie passée à travailler dans la police, il se connaissait suffisamment pour savoir qu'il ne pouvait tolérer cette apparente transgression de l'ordre naturel des choses. Sa curiosité avait été éveillée par la manière dont Pinto avait fait pour se trouver à trois cent vingt kilomètres de chez lui sans disposer d'un moyen pour s'y rendre, ni pour en revenir. Mais cela pouvait s'expliquer par l'auto-stop. Il ne parvenait pas à trouver d'explication aussi simple à la présence de cette bouteille de whisky Dewars. Pas plus qu'aux deux billets de cinquante dollars. Ou à la façon dont il s'était procuré le pistolet.

Il se leva.

– Mesdames, dit-il, je vais voir ce que je peux découvrir.

4

Jim Chee sortit le dos voûté du cabinet du docteur spécialiste des brûlures au service des grands brûlés de l'Hôpital de l'université du Nouveau-Mexique, avec le moral résolument bas. Les pronostics concernant sa main avaient été ambigus. Puis il remarqua la femme qui était assise contre le mur de la salle d'attente. Quelque chose en elle lui rappelait Janet Pete. Elle était plongée dans un *Newsweek*, ses cheveux noirs et soyeux visibles au-dessus de la couverture et ses très jolies jambes élégamment croisées. Son regard se fixa sur elle. Elle tourna la page du magazine, ce qui lui permit d'apercevoir plus que son front.

Le sentiment de déprime l'abandonna, remplacé par la joie. *C'était* Janet Pete.

– Hé, fit-il. Janet. Qu'est-ce que tu fais ici ?

– Je t'attendais, dit-elle en lui adressant un grand sourire. Je voulais voir comment tu étais une fois passé au gril.

– Pas vraiment mieux qu'autrement, dit-il en exhibant le bandage qui entourait sa main.

Il se servit de son bras valide pour la serrer contre lui.

Elle lui rendit son étreinte, s'appuyant fort contre la poitrine douloureuse du policier.

– Aaah !

Janet recula.

– Oh. Je suis désolée.

– Je faisais semblant pour susciter ta compassion, dit-il d'une voix hachée.

– Je n'avais pas remarqué les bandages que tu as sous ta chemise, expliqua-t-elle toute penaude.

– J'en ai aussi un à la jambe, dit-il en baissant la main sur sa cuisse et en lui souriant. Le docteur dit que si on fait la moyenne de l'ensemble, je me situe quelque part entre à point et bien cuit.

– Je viens seulement de l'apprendre. Ça s'est produit exactement au moment où je déménageais. Là-bas, à Washington, ils ont tellement de meurtres bien à eux cultivés sur place qu'un homicide qui se produit ici ne fait pas la une des journaux. Pas même s'il s'agit d'un policier.

– J'avais entendu dire que tu étais de retour. Ou presque. J'allais me lancer à ta recherche une fois qu'ils m'auraient enlevé tous ces pansements.

Il la dominait de la taille et la regardait en se rendant compte qu'il arborait un sourire d'abruti, que la réceptionniste observait la scène et que Janet Pete était venue pour le voir.

– Mais comment m'as-tu trouvé ici ?

– J'ai appelé ton bureau de Shiprock. Ils m'ont dit que tu étais en congé maladie. Et le radiotélégraphiste s'est renseigné pour moi et a appris que tu étais venu ici au centre des brûlés pour faire procéder à un bilan général.

Elle toucha le bandage d'un doigt hésitant :

– Ça va mieux ? Cela ne laissera pas de traces ?

– Pour l'essentiel rien que des cicatrices. Sauf pour cette main. Ils pensent qu'elle va guérir aussi. Probablement. Ou suffisamment pour que je puisse m'en servir. Mais sortons d'ici. Tu as le temps de prendre un café ?

Elle avait le temps.

Tandis qu'ils quittaient l'hôpital de l'université et traversaient le campus pour se rendre au Frontier Restaurant, Janet aborda délicatement le sujet de la mort de Nez et en déduisit que Chee n'était pas prêt à en parler. Chee aborda celui de son retour à elle sur la réserve, loin de son travail dans un cabinet juridique de Washington, et sentit que c'était un sujet sur lequel il serait préférable de revenir plus tard. Et donc, pendant qu'ils marchaient par cette douce matinée printanière, ils remontèrent plus loin dans le temps et se remémorèrent leurs souvenirs.

– Tu te souviens du jour où nous nous sommes rencontrés ? dit Janet. A la prison du comté de San Juan. Tu essayais de garder mon client derrière les barreaux sans l'inculper de quoi que ce soit. Et moi j'étais à juste titre remplie d'indignation. Tu t'en souviens ?

Elle riait.

– Je me souviens de la façon dont je t'ai eue.

– Mon œil que tu m'as eue.

Elle s'arrêta de rire. S'arrêta de marcher.

– Comment ça ? voulut-elle savoir.

– Tu te souviens que tu faisais élargir ton client, que tu avais récupéré le sac contenant ses possessions au bureau d'incarcération, et tu t'es fichue en colère contre moi parce que dans la salle d'interrogatoire tu as cru que j'essayais de lui arracher des informations qui pouvaient être retenues contre lui. Alors tu es allée appeler le FBI pour te plaindre de mon attitude et me faire relever de l'affaire, tu as emmené ton client avec toi pour te rendre au téléphone.

Janet avait les sourcils froncés :

– Je m'en souviens. L'agent responsable de l'affaire m'a répondu que tu n'avais pas l'autorisation du FBI de parler à mon client. Comment il s'appelait ?

– Bisti. Roosevelt Bisti.

– Oui, acquiesça-t-elle. Je me souviens qu'il était malade. Et je me souviens que l'agent fédéral a dit qu'il voulait te parler et il t'a dit de dégager la piste. Pas vrai ? Alors comment tu as fait pour m'avoir, toi qui es si malin ?

– Quand tu es allée téléphoner, tu as emmené Bisti mais tu as laissé son sac derrière vous.

Janet digéra l'information. Elle s'avança vers lui en secouant la tête.

– Tu as fouillé dans ses affaires, dit-elle sur un ton accusateur. C'est ça que tu es en train de me dire ? Ce n'est pas se montrer plus intelligent, ça. C'est tricher.

Ils marchaient à nouveau, Chee arborant toujours son large sourire. Sa main lui faisait un peu mal, de même que sa brûlure à la poitrine, mais il s'amusait bien. Il était heureux.

– Selon quelles règles ? demanda-t-il. Tu es avocate donc tu dois te conformer aux règles des *biligaana*. Mais tu ne m'as pas demandé quelles étaient les règles auxquelles je me conformais.

Elle rit.

– O.K., Jim. De toute façon, j'ai fait sortir Grand-Père Bisti de prison et je l'ai arraché à tes griffes déloyales.

– Tu aimais bien ce travail, pas vrai ? Je veux dire, ton travail sur la Grande Rèze ? Pourquoi tu ne le reprends

51

pas ? Ils manquent de monde. Je parie que tu pourrais récupérer ton travail en l'espace d'une minute.

– J'y retourne effectivement.

– Au DNA ?

L'immense plaisir de Chee s'entendait dans sa voix. Le Dinebeiina Nahiilna be Agaditahe était au sein de la Tribu Navajo l'équivalent d'une société d'aide judiciaire : il fournissait des conseils juridiques à ceux qui ne pouvaient financièrement se les offrir. Il allait voir Janet Pete souvent.

– Même genre de travail mais pas au DNA, précisa-t-elle. Je vais travailler pour le ministère de la Justice. Pour le Service Fédéral des Avocats commis d'office, ici, à Albuquerque. Je serai l'un des avocats de la défense nommés par la cour dans les procès criminels relevant de la justice fédérale.

– Oh ! fit Chee. Son esprit rapide atteignit deux conclusions rapides. Janet Pete, étant Navajo et étant de l'équipe l'avocate la plus récemment entrée en fonction, avait dû se voir attribuer la représentation d'Ashie Pinto. A partir de cette conclusion, la seconde fut instantanée et enleva toute joie à cette matinée. Janet Pete était venue voir Jim Chee le policier, pas Jim Chee l'ami.

– C'est ici que j'ai fait mes études, tu sais, dit-il simplement pour avoir quelque chose à dire et cacher sa déception.

Ils marchaient sous les sycomores qui ombrageaient la vaste esplanade de briques de l'allée centrale. Un escadron d'adolescents en planches à roulettes passèrent à côté d'eux dans un bruit de tonnerre. Janet Pete lui jeta un regard, curieuse de savoir ce qui avait entraîné ce changement de sujet et le silence soudain qui l'avait précédé.

– Au bout de quatre ans, dit-elle, on commence à se sentir chez soi sur un campus.

– Sept ans pour moi, corrigea-t-il. On y va pendant deux ou trois semestres puis on se trouve à court d'argent et on revient quand on en a à nouveau amassé un peu.

C'est la moyenne ici, je pense. A peu près sept ans pour décrocher une licence. Mais je n'ai jamais pu m'y sentir chez moi.

– C'était différent à Stanford. Soit les gens avaient de l'argent, soit ils avaient décroché les grosses bourses. On vivait sur le campus alors on faisait connaissance avec les autres, on se faisait des amis. C'est davantage une communauté, je suppose. (Elle lui adressa un nouveau regard.) Qu'est-ce qu'il y a qui ne va pas ?

– Rien. Tout va très bien.

– Ton humeur a changé. Un nuage qui masque le soleil.

– Je suis passé du mode de la conversation sociale à celui de la discussion purement professionnelle.

– Oh ? fit-elle d'une voix désorientée.

– Tu représentes Ashie Pinto, non ?

Son ton était un peu plus morne qu'il n'en avait eu l'intention.

Ils dépassèrent le centre culturel et social des étudiants sans réponse à cette question, se dirigèrent vers une fontaine érigée à partir d'un gros bloc de roche naturelle. Chee se souvint de la légende locale selon laquelle l'architecte de l'université, manquant de fonds pour une sculpture qui avait été prévue, avait chapardé dans une carrière les plaques de marbre brut monolithiques et les avait disposées pour donner quelque chose qui puisse suggérer Stonehenge, la nature à l'état sauvage ou tout ce que l'imagination autorisait à penser. Pour Chee cela fonctionnait à merveille et d'ordinaire lui remontait le moral.

– Je suis venue te voir parce que je t'aime bien, déclara Janet. Si tu n'étais pas mon ami, et il se trouve que tu l'es, je serais venue te voir parce que tu es le policier qui a procédé à l'arrestation et que c'est mon travail.

Chee réfléchit à ce qu'elle venait de dire.

– J'avais donc deux raisons, conclut-elle. Est-ce que cela en fait une de trop pour toi ?

– Qu'est-ce que j'ai dit ? s'insurgea-t-il. Je n'ai rien dit.

– Tu parles que tu n'as rien dit. Alors pourquoi est-ce que j'ai l'impression d'être sur la défensive ? Et de ne pas savoir exactement pourquoi ?

Elle pressa le pas en ajoutant :

– Ça alors. Ça alors, je comprends pourquoi cette petite amie blanche que tu avais est retournée dans le Wisconsin.

Chee la rattrapa.

– Comment elle s'appelait ? demanda Janet. Mary ?

– Mary Landon. Ecoute, je m'excuse. Je sais comment ça se passe. Il y a quelqu'un qui doit représenter Pinto et naturellement il fallait que ce soit toi. Alors qu'est-ce que tu veux savoir ?

Elle marchait toujours vite et était maintenant sortie de sous les arbres, traversant le parking à l'oblique en direction de Popejoy Hall. Chee la suivait sous un ciel matinal qui était bleu foncé et ensoleillé... avec juste assez de ces nuages duveteux d'avant le milieu de journée pour suggérer que l'automne n'était pas très lointain et, en même temps, donner des fronts orageux dans l'après-midi.

– Le FBI n'est pas coopératif, hein ? fit Chee. Qu'est-ce que tu veux savoir ?

– Rien.

– Allez, Janet. Je t'ai dit que je m'excusais.

– Eh bien, commença-t-elle avant de rire en levant les yeux vers lui et en lui serrant le bras. Je peux être aussi susceptible que toi. Je peux être une vraie garce. (Elle rit à nouveau.) Mais tu as remarqué avec quel brio je t'ai mis en tort. Tu as apprécié la manière ?

– Pas beaucoup. C'est quelque chose qu'on apprend à la fac de droit ?

– C'est quelque chose qu'on apprend de sa mère.

En matière de café, le goût de Jim Chee avait été massacré par les années passées à boire la version qu'il faisait à son propre usage dans sa caravane sous les trembles, à Shiprock. Le café du Frontier Restaurant avait un arôme frais mais il était léger. En buvant leur seconde tasse ils décidèrent qu'il allait récupérer l'argent de son billet de retour sur le vol Mesa Airlines et rentrer à Shiprock en voiture avec elle. Demain, il allait lui montrer le lieu du crime. D'ici là, pensait-il, il ressentirait l'envie d'en parler.

– Est-ce que tu savais que Hosteen Pinto refuse toujours de dire quoi que ce soit sur ce qui s'est passé ? lui demanda Janet. Il me parle d'autre chose, mais pas du crime. Il se tait simplement.

– Qu'y a-t-il à dire ?

– Ben, tout. Si c'est lui, pour commencer. Pourquoi il a fait ça, si c'est lui ? Ce qu'il faisait là-bas. Tu savais que c'est un shaman, un homme-qui-lit-dans-le-cristal ? Il trouve des choses pour les gens. Ça semble être son unique source de revenus. Ça et ce qu'il reçoit pour donner des renseignements. Aux universitaires, je veux dire. Il fait plus ou moins autorité pour ce qui est des histoires d'autrefois, des légendes, de ce qui s'est passé et quand. Par conséquent les professeurs d'histoire, les mythologues, les sociologues, ce genre de gens sont toujours là à lui demander de se souvenir de choses pour eux et à les enregistrer. Il a une voiture mais elle ne marche pas, alors comment est-il arrivé ici ? Je veux dire là où il était quand tu l'as arrêté. Que faisait-il à environ trois cents kilomètres de chez lui ? Voilà ce que je veux qu'il me dise. Et s'il a fait ça, pourquoi ? Tout.

– Il l'a fait parce qu'il était ivre. Nez l'a fait monter pour le sortir de sous la pluie, il a essayé de le faire monter à l'arrière de sa voiture officielle et ça a mis Pinto en colère.

– Cela semble être la "version officielle du crime". Je sais que c'est celle que l'avocat de la partie civile va défendre au procès.

– Et cela semble bien être ce qui s'est passé.

– Mais pourquoi Nez ne lui a-t-il pas pris son pistolet ? Dans le service vous avez une procédure normale à suivre pour ce genre de choses, non ? Quand vous avez affaire à des ivrognes ?

Chee s'était lui-même posé la question.

– Il n'était pas en train de l'arrêter, dit-il. Nous prenons des ivrognes en charge pour leur propre protection. Pour qu'ils ne meurent pas de froid. Ou qu'ils ne se noient pas.

Ainsi qu'elle le savait pertinemment.

Elle but son café. Ses yeux noirs paraissaient sceptiques au-dessus du bord de la tasse.

– Il n'a pas pris le pistolet parce qu'il ne l'a pas vu, ajouta Chee. Le vieil homme le portait glissé dans sa ceinture, dans son dos.

Janet but.

– Allez, insista-t-elle. Sois pas vache. Ça ne serait pas un endroit plutôt normal pour mettre son pistolet ?

Chee haussa les épaules.

– Alors comment Pinto est-il arrivé là-bas ?

– Je n'en sais rien. Peut-être que c'est le type à la voiture blanche qui l'a amené. Tu as vu le rapport du FBI, pas vrai ? Qu'est-ce qu'ils disent ?

Janet avait reposé sa tasse.

– La voiture blanche ? Quelle voiture blanche ?

– Quand je venais de Red Rock, j'ai rencontré un véhicule de couleur blanche... en tout cas de couleur claire. Il pleuvait et il commençait à faire nuit. Mais je crois l'avoir reconnu. C'est une vieille Jeepster toute cabossée dans laquelle roule l'un des professeurs de Shiprock. Qu'ont-ils mis là-dessus dans le rapport ?

– Ils n'en ont pas parlé. C'est tout nouveau pour moi.

– Ils n'ont pas suivi cette piste ? s'insurgea Chee qui secoua la tête. Je ne peux pas y croire.

– Moi, si. Tu leur as donné tout ce dont ils avaient besoin. Leur suspect, arrêté sur les lieux du crime, l'arme du crime à la main. Tout ce qui manque, c'est le mobile. Le fait qu'il ait été en état d'ébriété règle le problème. Il ne nie même pas l'avoir fait. Alors pourquoi perdre son temps et compliquer les choses en allant dénicher tout ce qui s'est passé ?

La question semblait empreinte d'amertume.

– Et cette bouteille dispendieuse qu'il avait à la main ?

Est-ce que le rapport indique d'où elle venait ?

– Pas du tout. J'ignorais qu'elle coûtait cher.

– Le genre que l'on offrirait pour Noël à un amateur de boissons alcoolisées. Si on voulait marquer le coup. Ce n'était pas ce qu'un ivrogne irait acheter.

Janet finit son café, posa sa tasse, le contempla un moment.

– Tu sais, Jim, rien ne t'oblige à jouer ce rôle-là. Je sais ce que tu dois ressentir. Et j'ai du mal à maintenir la séparation entre l'amie et l'avocate quand...

Il leva sa main droite, la paume tournée vers elle, pour l'interrompre.

– Quand j'aurai le sentiment que c'est une avocate qui parle, je me tairai, affirma-t-il.

Ce qu'il y avait de différent avec Janet Pete c'était qu'il parvenait à lui parler de choses dont il était difficile de parler. Elle n'était pas Mary Landon : ni cheveux clairs et doux, ni yeux bleus sans fond, ni talent pour lui donner l'impression qu'il était le mâle dans toute sa splendeur. Mais d'ici demain, se disait-il, il pourrait lui raconter qu'il avait entendu Delbert Nez rire dans sa radio. Il pourrait lui raconter comment le sentiment atroce avait grandi tandis qu'il était attablé devant son café au comptoir d'échanges de Red Rock et qu'il avait attendu, attendu et attendu encore. Il pourrait lui raconter le temps qu'il lui avait fallu pour sentir qu'il avait commis une erreur impardonnable, irréparable. Elle comprendrait pourquoi, lorsque Ashie Pinto serait condamné, il donnerait sa démission de la Police Tribale et trouverait un travail pour lequel il soit fait. Elle comprendrait pourquoi il fallait qu'il assiste à la condamnation du vieil homme. Il n'avait pas fait son travail. Il n'avait pas fait en sorte que Delbert Nez soit encore vivant. Mais au moins, il avait arrêté son assassin. Il y avait une chose qu'il avait faite comme il fallait.

Elle aurait à défendre le vieil homme, à obtenir pour lui une condamnation légère... ou peut-être à négocier pour plaider le déséquilibre mental, ce qui le ferait placer dans un hôpital psychiatrique pendant quelque temps. Cela ne lui posait aucun problème. Ça lui était égal que le vieil homme soit puni. Absolument aucun bien ne pouvait en sortir.

Mais il fallait que Janet Pete comprenne qu'un verdict qui déclarerait Pinto innocent rendrait Jim Chee doublement coupable.

5

Joe Leaphorn se tenait à la porte de la maison d'Ashie Pinto et interrogeait une nouvelle fois son interprétation personnelle de ce que la loi autorisait dans le cadre d'une enquête criminelle. Il était sûr que seul le juge le plus compréhensif tolérerait ce qui se passait là. Ce serait qualifié de perquisition effectuée sans mandat, peut-être carrément de pénétration avec effraction dans un lieu privé. Toutefois, Mary Keeyani et Louisa Bourebonette n'avaient pas été impressionnées par ce genre de précisions, pas plus que par les réticences de Leaphorn.

— Je croyais que nous allions seulement vérifier sur place, avait-il dit. Poser des questions. Voir si quelqu'un a remarqué quelque chose. Nous n'avons aucun droit légal de pénétrer dans la maison d'un suspect.

— C'est mon oncle, avait dit Mary Keeyani.

Elle manipulait la manivelle de la voiture du professeur Bourebonette, s'attaquant au moraillon du cadenas qui protégeait la porte d'Ashie Pinto.

— Ce n'est pas comme si nous nous introduisions vraiment chez lui, avait argumenté Bourebonette. Nous sommes ici dans son propre intérêt.

Joe Leaphorn n'était pas tout à fait sûr de la raison de sa présence à lui. En partie par curiosité, en partie par un sentiment irrationnel de responsabilité vis-à-vis de la sœur de clan d'Emma... un geste d'appartenance familiale, plus ou moins, pour apaiser sa conscience. Il n'avait assurément aucune raison de s'y trouver qui pût paraître plausible ou professionnelle si cette intrusion dans une affaire de meurtre dépendant des autorités fédérales entraînait des complications. Il était exact que cela paraissait extrêmement improbable. Mais il se mit à l'écart pendant que Mary Keeyani ouvrait la porte forcée. Les deux femmes entrèrent l'une à la suite de l'autre en passant devant lui.

– Il range ses papiers dans une boîte en fer, dit Mary Keeyani. Elle est quelque part à l'intérieur ; je vais voir si je peux la trouver.

Leaphorn les laissa à leur tâche contestable. Il traversa l'étendue de terre tassée derrière la maison de Pinto et inspecta le camion de celui-ci. C'était un pick-up truck Ford de 1970 à petit plateau dont le pneu avant droit était à plat, le pneu arrière gauche dégonflé de manière critique ; il n'y avait plus de vitre du côté du conducteur mais il y avait des déjections de poules sur le siège. Il fit jouer la fermeture du capot qu'il souleva. La batterie n'était pas à sa place... la première chose que l'on prélève dans cette région reculée de la réserve quand un véhicule devient trop usagé pour être réparé. Visiblement, Ashie Pinto n'avait pas conduit ce camion depuis très, très longtemps.

Il ferma le capot et descendit la pente au milieu des herbes-aux-serpents jusqu'au cabinet de Pinto. Les planches brutes utilisées pour l'édifier une génération plus tôt s'étaient rétractées et avaient gauchi. Par les espaces béants, Leaphorn admira la vue dont jouissait Pinto en urinant... une vaste étendue d'herbes d'un brun-roux argenté et de sauge noir argenté qui suivait la pente de Blue Moon Bench vers les falaises du Canyon du Colorado. En revenant vers la maison il fit une nouvelle halte au hogan qui la jouxtait. Il était de forme arrondie, sans fenêtres, construit en pierres avec son toit de papier goudronné isolé par une couche de terre. Leaphorn tira à lui la porte de planches et scruta les ténèbres. Il vit une couchette métallique, des boîtes, un vieux réfrigérateur apparemment utilisé comme espace de rangement, rien qui lui parût intéressant.

Pas plus qu'il n'y avait quelque chose d'intéressant sous l'abri de broussailles d'Ashie Pinto : juste un vieux harnais, suspendu à une traverse, dont l'extrémité était rouillée, le cuir durci et craquelé. Il s'en empara, l'observa, le raccrocha où il l'avait trouvé, bâilla. Une journée gâchée, pensa-t-il. La seule chose utile qui, dans l'idée du lieutenant, pourrait être découverte sur place, c'était un indice qui leur indiquerait comment Pinto s'était rendu d'ici, sur la limite ouest de la Grande Réserve, jusqu'aux territoires dépendant de Shiprock. Probablement au moins trois cents kilomètres. Quelqu'un qui avait un véhicule avait dû l'emmener. En toute logique, ce quelqu'un avait dû faire savoir qu'il allait venir. Probablement par voie postale, le message destiné à Pinto étant adressé au comptoir d'échanges de Short Mountain. Et il était possible, ainsi que le croyait Mary Keeyani, que cette lettre eût été gardée dans le lieu que Pinto consacrait à la conservation des documents.

– Quand on reçoit peut-être une lettre par an, ou peut-être seulement huit ou dix dans toute sa vie, on les conserve probablement, avait-elle expliqué.

Tout à fait exact. Il retourna vers la maison. Dans son expérience, les hommes qui vivaient seuls avaient tendance à se montrer soit intrinsèquement désordonnés et négligés, soit intrinsèquement propres et organisés... ça va d'un extrême à l'autre. Ashie Pinto était propre et organisé. De sa position stratégique, appuyé contre le montant de la porte, Leaphorn voyait tout dans la chambre-salon de la maison de Pinto, qui était constituée de deux pièces. Le bois de lit était posé sur le linoléum craquelé et usé, une couverture J.C. Penney [1] bleu et blanc pliée dessus ; à côté de l'unique fenêtre, une commode comportant trois tiroirs ; à côté de la commode un fauteuil dont la garniture du dossier et du siège présentait

---

1. J. C. Penney : chaîne de magasins bon marché.

des taches d'eau ; une table en métal et en Formica, deux chaises en bois ; une haute armoire avec deux portes qui, puisque la pièce ne comportait pas de placard, devait abriter les vêtements de rechange de Pinto. Il n'y avait rien sur la table, rien sur les chaises, rien sur le lit, mais sur le dessus de la commode était posée une boîte à cigares, une photographie encadrée qui, de l'endroit où se trouvait Leaphorn, semblait représenter Pinto lui-même, une grande cuvette en céramique blanche et un objet métallique, noir et plat.

Mary Keeyani fouillait dans les tiroirs de la commode et le professeur Bourebonette entrechoquait diverses choses dans la cuisine.

– Une boîte en fer, s'enquit-elle. Ronde ou carrée ?

– Ronde, répondit Mary Keeyani. Je crois qu'il y avait un gâteau aux fruits dedans. Peut-être des gâteaux secs.

Leaphorn voyait s'affronter, d'une part son sens des convenances, de l'autre sa curiosité. Qu'est-ce que c'était que ce truc, sur la commode ? Il atteignit un compromis.

– Madame Keeyani. Qu'est-ce que c'est que cet objet noir qui se trouve sur la commode ? Là, à côté de la boîte à cigares.

– C'est un magnétophone.

Elle s'en saisit, s'approcha de la porte et le tendit au policier avec un petit sac plastique contenant cinq cassettes.

– Mon oncle faisait souvent ça. Il enregistrait des choses pour ces *biligaana* pour qui il travaillait.

Le professeur Bourebonette apparut à la porte de la cuisine. Elle leur présenta une boîte en fer-blanc ronde au couvercle décoré d'une masse de roses rouges.

– C'est elle, confirma Mary Keeyani.

Le magnétophone était de ce type volumineux et lourd qui se vendait il y a une vingtaine d'années. Il contenait une cassette. Leaphorn appuya sur le bouton lecture. Il entendit le faible bruit de friction que font les magnétophones lorsqu'ils lisent une bande vierge. Il appuya sur le bouton stop, puis sur rembobinage, attendit que le processus du retour en arrière s'achève et appuya à nouveau sur lecture.

Le haut-parleur fit entendre la voix d'un vieil homme qui s'exprimait en navajo.

Ils disent que Coyote est drôle, certains de ces gens disent ça. Mais les personnes âgées qui m'ont raconté ces histoires ne pensaient pas, elles, que Coyote était drôle. Coyote causait toujours des ennuis. Il était mauvais. Il causait des épreuves et des difficultés. Il faisait mal aux gens. Il causait la mort des gens. Voilà comment étaient les histoires qui m'ont été racontées par mes oncles quand j'étais petit. Mes oncles à moi, ils disaient...

Le professeur Bourebonette se tenait à côté de Leaphorn. Il appuya sur le bouton d'arrêt, leva les yeux vers elle.

– Il faisait ça pour moi, dit-elle. Je lui avais demandé cette histoire. Je me demande jusqu'où il est allé.

– Ashie Pinto ? Pour votre livre ?

– Pas vraiment. Il m'a dit qu'il connaissait la version d'origine exacte de l'un des mythes de Coyote. Celui des carouges à épaulettes rouges et du jeu auquel ils se livrent avec leurs orbites oculaires. Quand ils les jettent en l'air et qu'ils les rattrapent, et Coyote les oblige à lui apprendre ce jeu. (Elle lui décocha un regard narquois.) Vous connaissez l'histoire ?

– Je l'ai entendue, répondit-il en regardant la boîte qu'elle tenait à la main. Allez-vous ouvrir la boîte de M. Pinto ?

Bourebonette perçut une nuance de désapprobation dans le ton employé par le lieutenant. Elle regarda la boîte, puis Leaphorn, et dit :

– Je vais la donner à Mary. Elle est sa nièce.

Mary Keeyani n'eut pas de scrupules. Elle se débarrassa du couvercle. A l'intérieur, Leaphorn aperçut un fouillis de papiers : enveloppes, reçus, ce qui ressemblait à des papiers de voiture, des choses diverses. Elle la posa sur la table où Bourebonette et elle effectuèrent le tri.

– Voilà une lettre de moi, dit Bourebonette en sortant une enveloppe. Et une autre.

Elle posa un regard sur Leaphorn, ajoutant :

– Il n'y en a pas d'autres. Nous ne passions pas beaucoup par la poste pour ce travail.

Mary Keeyani cessa de trier les papiers.

– Voilà tout ce qu'il y a ici pour cette année, dit-elle en présentant deux enveloppes. Ce n'est pas la peine de remonter plus loin que ça.

Elle sortit une seule feuille de papier de l'une d'elles, la lut, la reglissa dans son enveloppe qu'elle laissa retomber dans la boîte. Elle répéta cette opération, remit le couvercle sur la boîte et resta là, l'air déçu.

– Rien qui puisse servir ? demanda Bourebonette

– Rien qui puisse servir, avait alors reconnu Mme Keeyani.

Rien qui puisse leur indiquer qui était venu jusqu'ici sur cette épouvantable piste rocailleuse et avait véhiculé un vieil homme vers l'autre côté de la réserve pour qu'il y commette un meurtre. Leaphorn, précisément, conduisait maintenant sur cette piste rocailleuse, analysant ses réactions face à tout cela. C'était ce à quoi il s'était attendu, ou ce à quoi il aurait dû s'attendre, et néanmoins il était déçu. Pourquoi ? Il n'avait pas pensé qu'une fouille dans les documents de Pinto, si jamais il en possédait, pût être révélatrice. Mais si l'on joue sa chance, il arrive que l'on en soit récompensé.

Son réel espoir consistait à trouver un témoin. Le FBI semblait avoir décidé que l'affaire était bouclée et ils n'avaient pas essayé d'en trouver un. Et des véhicules inconnus venaient si rarement sur ces pistes, lesquelles n'étaient en réalité guère plus que des kilomètres et des kilomètres d'allées servant d'accès à des habitations, que les gens s'en souvenaient. La visite d'un étranger chez quelqu'un qui vivait sur le flanc de la montagne où l'on habitait était un événement. Mais, malheureusement, l'endroit où vivait Ashie Pinto, même s'il était situé à six kilomètres et demi de la route, était le premier sur cette piste. La famille élargie de Mary Keeyani occupait un petit groupement de cabanes et un hogan partagé là où

Leaphorn s'apprêtait maintenant à se garer, hors de vue à plus d'un kilomètre cinq en contrebas. C'était uniquement par hasard que l'un des enfants qui accompagnait les moutons avait remarqué la poussière soulevée par le véhicule qui emmenait Pinto. Il n'y avait eu personne d'autre pour la voir.

Il étouffa un bâillement. Le crépuscule était presque là. Une longue journée. Il était fatigué. Il avait parcouru plus de quatre cents kilomètres et quatre cents kilomètres avec deux femmes inconnues est plus épuisant que la même distance dans la solitude détendue à laquelle il était habitué. Et avant qu'il n'en ait fini avec cette journée, il allait lui falloir faire quatre heures de route supplémentaires pour revenir à Window Rock. Une journée perdue. Rien d'accompli. Enfin, presque rien. Il gara sa voiture à côté de la maison de Mme Keeyani : un mobile-home fatigué monté sur des blocs de béton. Au moins allait-il être débarrassé de ce sentiment de responsabilité familiale (et être débarrassé de ces deux femmes), quand il allait en terminer avec tout ça.

Alors terminons-en.

– Mme Keeyani, dit-il, qui sont tous ceux avec qui Hosteen Pinto travaillait ? Je veux dire, ces dernières années. A part le docteur Bourebonette.

Madame Keeyani était assise à côté de lui, rassemblant ses affaires.

– Il travaillait avec quelqu'un de Tucson. Un homme qui s'appelle le docteur Drabner. Mais pas cette année, je crois. Et puis il y avait un vieux professeur de l'université de l'Utah. Je ne me souviens plus de son nom mais il parlait un très bon navajo.

– Je crois que c'était un certain docteur Justin Milovich, précisa Bourebonette. Son domaine était la linguistique.

– Milovich, répéta Mme Keeyani.

Elle descendit de voiture au milieu de trois chiens qui l'accueillirent avec un déploiement de remuements de queue, de bonds et d'enthousiasme débridé.

– C'était lui, ajouta-t-elle.

– Quelqu'un d'autre ? C'est tout ?

– Personne d'autre à ma connaissance.

– Et ce professeur d'histoire de l'université du Nouveau-Mexique, souffla Bourebonette. Et Tagert alors ? Hosteen Pinto travaillait beaucoup avec lui.

– Non, plus maintenant, il ne le fait plus.

Le ton employé et le visage de Mary Keeyani soulevaient une question que le professeur Bourebonette posa.

– Il s'est passé quelque chose ?

– Il donnait du whisky à mon oncle.

– Oh ! fit Bourebonette. Le salopard !

Elle se tourna vers Leaphorn et expliqua :

– Quand il boit c'est tout juste s'il ne se tue pas luimême.

Lui ou quelqu'un d'autre, pensa Leaphorn.

– J'avais dit à cet homme de ne plus jamais donner de whisky à mon oncle mais il l'a fait quand même, raconta Mary Keeyani. Alors la dernière fois qu'il a écrit une lettre à mon oncle pour qu'il travaille pour lui, quand mon oncle me l'a apportée je n'ai même pas voulu la lui lire. Je l'ai simplement déchirée. Et j'ai fait promettre à mon oncle de ne plus travailler pour lui.

– Quand était-ce ? demanda Leaphorn

– L'année dernière. Ça remonte au printemps de l'année dernière.

– Quand a-t-il été en contact avec Milovich ou Drabner pour la dernière fois ? Vous pouvez vous en souvenir ?

– Cela fait longtemps pour Milovich, dit-elle. Drabner, je crois que c'était l'hiver dernier. Peut-être même l'automne dernier. C'était cette lettre dans la boîte.

Ils étaient maintenant de nouveau sur l'U.S. 89, Bourebonette et lui, et roulaient vers le sud en direction du carrefour de Tuba City lorsque la route qui part vers Short Mountain rappela à Leaphorn Grand-Père McGinnis et son comptoir d'échanges de Short Mountain.

Il ralentit, regarda Bourebonette.

– Je repense à cette bouteille de whisky qu'avait Ashie Pinto. Celle qu'il avait quand Chee l'a arrêté. Vous vous souvenez de ce que Mary Keeyani nous a dit à propos de cet historien du Nouveau-Mexique qui lui donnait de l'alcool ?

– Moi aussi j'y ai pensé. Peut-être que Pinto a récupéré son courrier lui-même, qu'il y avait une lettre du docteur Tagert et qu'Ashie ne l'a pas fait voir à Mary. Peut-être a-t-il demandé à quelqu'un d'autre de la lui lire et de l'aider à y répondre.

– Exactement, dit Leaphorn qui était satisfait de l'entendre parler ainsi. Et tout aussi bien, peut-être que non. Mais est-ce que les Pinto ne faisaient pas leurs échanges commerciaux à Short Mountain ?

– C'était son adresse postale.

– Allons vérifier.

La route qui reliait l'axe 89 au comptoir d'échanges de Short Mountain était légèrement meilleure que Leaphorn ne s'en souvenait depuis l'époque où, basé à Tuba City, il patrouillait au volant de sa voiture de police. Gravillons et nivellement l'avaient améliorée : d'épouvantable elle était devenue assez mauvaise. Il manœuvra la voiture de police d'un côté à l'autre de sa surface en tôle ondulée, évitant les cahots les plus mauvais qu'engendrent ces routes-là. Le crépuscule était là lorsqu'ils plongèrent dans Short Mountain Wash* et se rangèrent sur la terre tassée qui constituait la cour du comptoir d'échanges.

Elle était vide. Leaphorn se gara près du porche, coupa le contact et resta assis. Il était venu avec Emma, une fois, il y avait longtemps, pour qu'elle voie cet endroit et qu'elle fasse la connaissance de Grand-Père John McGinnis. Il avait décrit McGinnis tel qu'il le connaissait, honorable à sa manière à lui mais ronchon, pessimiste, l'esprit pervers, prompt à insulter et jamais à court d'histoires ronflantes et de racontars. Au-dessus de la porte d'entrée, clouée au porche, une pancarte aux lettres passées proclamait :

Cette pancarte était là depuis cinquante ans au moins. D'après la légende locale, McGinnis l'y avait apposée quelques semaines après avoir acheté le magasin au mormon qui l'avait créé. La légende voulait que le jeune McGinnis se soit fait posséder en concluant l'affaire. Ceux qui le connaissaient trouvaient cela impossible à croire.

– Il est malpoli, avait-il averti. Absolument aucune éducation et il est possible qu'il te rembarre grossièrement. Mais observe-le bien. J'aimerais savoir ce que tu penses de lui.

Et, bien sûr, McGinnis s'était montré empressé, charmant, plein de sourires et de compliments, montrant à Emma ce qu'il y avait de mieux parmi les objets qu'on lui avait déposés en gage et dans sa collection de pointes de lances, de poteries et d'objets d'artisanat divers... l'esprit aussi pervers que jamais. Emma avait été conquise.

– Je ne vois pas pourquoi tu dis des choses aussi méchantes sur son compte, avait-elle dit. C'est quelqu'un de bien.

Comme toujours lorsqu'il s'agissait de juger les gens, Emma avait vu juste. A sa manière à lui, hargneuse et excentrique, McGinnis était quelqu'un de bien.

Leaphorn n'ignorait pas que le professeur Bourebonette lui avait lancé un regard puis avait détourné les yeux. Il supposa qu'elle se demandait pourquoi il restait assis sans bouger. Mais elle ne disait rien et ne faisait aucun geste pour ouvrir la portière. Prête à attendre, sensible à la valeur que ce moment revêtait pour lui. Il se surprit à se sentir favorablement impressionné par cette femme. Mais il était vrai que ce genre de sensibilité devait être un point que les gens entretenaient dans sa profession : un aspect de leur technique pour établir le contact avec ceux dont ils ont besoin d'utiliser les services. Combien de temps cette manière de se comporter allait-elle la faire attendre ?

L'air frais du soir qui s'installait sur Short Mountain Wash amena une légère brise qui traversa la cour et poussa avec langueur une herbe-qui-roule en direction du porche. Un baril d'eau l'arrêta. Ces bâtiments lui avaient paru fatigués et décrépits la première fois qu'il avait vu ce lieu. Dans la lumière rouge du coucher de soleil ils paraissaient encore pire. Une structure de pierre et de plâtre, derrière le comptoir d'échanges principal, avait partiellement brûlé et été laissée en l'état ; la remise où l'on entreposait le foin penchait vers la gauche ; même le porche semblait s'être affaissé sous le poids des ans et de la solitude.

A ce moment-là une ampoule électrique nue qui pendait au-dessus de la porte du comptoir d'échanges s'alluma, répandant une faible lueur jaune dans le crépuscule.

– Bon, fit Leaphorn. Il est prêt à recevoir son client. Allons parler avec lui.

– Je ne l'ai rencontré qu'une fois, dit Bourebonette. Il m'a aidée à retrouver des gens. Je me souviens qu'il m'avait fait l'effet d'être très vieux.

– Il a connu mon grand-père. En tout cas c'est ce qu'il raconte.

Bourebonette le regarda.

– Vous paraissez en douter !

Leaphorn rit, secoua la tête :

– Oh, je suppose qu'il l'a effectivement connu. Mais avec McGinnis...

Il rit à nouveau.

La porte d'entrée s'ouvrit et McGinnis s'immobilisa dans l'encadrement, le regard tourné vers eux.

– L'heure de la fermeture est passée, dit-il. Qu'est-ce que c'est ?

Il était plus petit que Leaphorn n'en avait gardé le souvenir : un vieil homme voûté à cheveux blancs qui portait une salopette d'un bleu passé. Mais il reconnut le lieutenant dès que celui-ci descendit de voiture.

– Je veux bien être pendu si c'est pas le Sherlock Holmes de la Police Tribale Navajo, s'exclama-t-il. Et je vous parie que je devine ce qui l'a attiré ici dans le coin déshérité de la Réserve.

– *Yaa' eh t'eeh*, fit Leaphorn, je crois que vous connaissez le docteur Bourebonette que voici.

– Ça alors, c'est sûr que je la connais.

Au grand étonnement de Leaphorn, il effectua ce qui ressemblait à une révérence et poursuivit :

– Et c'est un plaisir de vous revoir ici, madame. Vous pouvez bien entrer boire quelque chose ? Ou peut-être vous joindre à moi pour le dîner ? Ce n'est que du ragoût mais il y en a en quantité.

Le professeur Bourebonette avait un très large sourire.

– Monsieur McGinnis, dit-elle. J'espère que vous avez reçu ma lettre vous remerciant de l'aide que vous m'aviez apportée.

Elle lui tend la main.

McGinnis la saisit d'un geste gauche, son visage arborant une expression que Leaphorn n'y avait jamais vue jusque-là. Timidité ? Gêne ?

– Je l'ai eue, répondit McGinnis. Ce n'était pas nécessaire. Mais ça a été grandement apprécié.

Il leur fit traverser l'obscurité triste du magasin pour rejoindre les pièces d'habitation sur l'arrière. Pas grand-chose en stock, remarqua Leaphorn. Certaines étagères étaient vides. La caisse dans laquelle McGinnis avait toujours rangé les objets déposés en gage, fermée à double tour derrière une vitrine, ne contenait que des objets éparpillés : ceintures conchas*, couvertures, ainsi que les bijoux, turquoise et argent, avec lesquels les Navajos évaluent et préservent leurs maigres surplus financiers. Il y régnait une atmosphère de magasin au bord de la fermeture. Leaphorn ressentit la même impression lorsqu'il franchit le seuil de la grande pièce aux murs de pierre où vivait McGinnis.

– Vous voulez parler de Hosteen Pinto, déclara celui-ci. De ce que je sais de lui.

Il avait enlevé pour Bourebonette une pile de *National Geographic* qui se trouvait sur un fauteuil en peluche d'un rouge fané, indiqué à Leaphorn le sofa recouvert de plastique et s'était lui-même installé dans son rocking-chair.

– Eh bien, je ne le sais pas, pourquoi il a tué votre gars de la police. Un drôle de truc, venant de quelqu'un comme lui. (Il secoua la tête à cette pensée.) Il paraît qu'il était soûl et je l'ai vu soûl une fois ou deux. Il avait l'alcool mauvais. Irascible. Mais pas plus mauvais que la plupart des gens. Et il m'avait dit qu'il avait cessé de boire comme ça. Je me demande la raison qu'il a bien pu avoir de flinguer ce policier. Qu'est-ce qu'il a dit là-dessus ?

Leaphorn remarqua que le professeur Bourebonette paraissait surprise et impressionnée. Lui n'était ni l'un ni l'autre. McGinnis était un malin. Et quelle autre raison Leaphorn pourrait-il avoir de venir jusqu'ici parler avec lui ? McGinnis versait maintenant de l'eau dans sa cafetière à l'aide d'un bidon de vingt litres. Il gratta une allumette pour allumer sa cuisinière à butane et posa la cafetière dessus.

– A ce que je comprends, il refuse d'en parler, dit Leaphorn.

McGinnis cessa d'ajuster la flamme. Il se redressa et regarda Leaphorn. Il paraissait surpris.

– Il refuse de dire pourquoi il a fait ça ?

– Ou s'il l'a fait. Ou ne l'a pas fait. Il refuse purement et simplement d'en parler.

– Ah, tiens, fit McGinnis. Voilà qui rend les choses intéressantes.

Il fouilla dans les objets de toute sorte entassés sur une étagère au-dessus de la cuisinière, en extirpa deux tasses dont il essuya la poussière.

– Il refuse de parler, dit-il. Et le vieil Ashie a toujours été quelqu'un de communicatif.

– C'est ce que dit le rapport du FBI. Il refuse d'avouer, refuse de nier, refuse d'aborder le sujet.

Le professeur Bourebonette remuait sur son siège.

– Qu'est-ce qu'il fabriquait aussi loin que ça de toute façon ? poursuivit Leaphorn. Sa famille n'était pas au courant ? Mary Keeyani a toujours l'œil sur lui. Il n'y a pas grand-chose qu'il parvienne à faire sans qu'elle le sache.

– Mary ne le sait pas, ça, assura Bourebonette. Quelqu'un est venu le prendre en voiture. Ça a dû se passer comme ça.

– Mais Mary ne sait pas qui ? fit McGinnis en gloussant. Dans ce cas je le sais, moi. Ou je suis prêt à parier que je le sais.

– Qui ? demanda Leaphorn.

Il avait essayé d'adopter un ton désinvolte, résistant au désir de se pencher en avant. Il se souvenait de la façon dont McGinnis adorait faire attendre ses réponses, et plus on les voulait, plus il vous tenait en haleine.

– Enfin, je veux dire, si c'était quelqu'un pour qui il travaillait. Il travaillait pour le professeur Bourebonette que voici (il hocha la tête dans sa direction), et pour quelqu'un de l'université du Nouveau-Mexique. Je crois qu'il s'appelait Tagert. Et pour un ou deux autres de temps en temps. Des gens qui voulaient ses récits populaires comme le professeur, ou qui voulaient garder un enregistrement de ses souvenirs.

McGinnis s'arrêta, toucha du dessus de son doigt la paroi de la cafetière pour en vérifier la température et regarda Leaphorn. Attendant.

– Lequel était-ce ?

McGinnis ignora la question du lieutenant.

– Vous êtes sûre que Mary ne le savait pas ? demanda-t-il à Bourebonette.

– Absolument sûre.

– Alors ça devait être Tagert.

– Pourquoi lui ? demanda Leaphorn

– Tagert lui donnait du whisky. Mary s'en est aperçue. Elle ne voulait plus qu'il travaille pour lui.

Leaphorn réfléchit à la réponse. Cela correspondait à ce que Mme Keeyani lui avait dit. Et cela ne manquait pas de logique, même si d'après la façon dont McGinnis s'était exprimé, ça semblait ne pas être davantage qu'une supposition. Mais McGinnis en savait plus qu'il n'en avait dit. Leaphorn en était sûr. Il était également fatigué, avec des heures de route devant lui. Il n'avait pas envie de rester assis là pendant que McGinnis s'amusait.

– Est-ce que vous avez écrit une lettre pour lui ? Pour Hosteen Pinto ?

McGinnis toucha à nouveau la cafetière pour voir où elle en était, trouva la chaleur à sa convenance, remplit une tasse, la tendit au professeur Bourebonette.

– Si vous aimez y mettre du sucre, je peux vous en proposer. Je suis complètement à court de lait à moins d'avoir du lait condensé dans le magasin.

– Ça me convient très bien, dit-elle. Merci.

– Cela fait longtemps que vous connaissez le lieutenant Leaphorn ? Si je puis me permettre pareille question.

– Vous le pouvez. Nous nous sommes rencontrés ce matin.

– Remarquez la manière dont il va droit au but. C'est inhabituel chez un Navajo. D'habitude ils font preuve de plus de politesse à cet égard.

Il tourna son regard vers Leaphorn.

– Nous avons tout notre temps.

– Pinto a reçu une lettre de Tagert ici, insista Leaphorn. Il se trouve qu'il l'a récupérée lui-même, n'est-ce pas ? Vous la lui avez lue et ensuite vous y avez répondu pour lui. Je me trompe beaucoup ?

McGinnis versa le café de Leaphorn dans une tasse qui arborait l'inscription JUSTIN BOOTS. Ce qui rappela au lieutenant que les bottes qu'Emma lui avait achetées pour son premier anniversaire après leur mariage étaient des Justin. A l'époque ils ne pouvaient pas se permettre cette dépense. Mais il les avait portées pendant presque vingt ans. Emma. La certitude absolue qu'il ne la reverrait jamais plus pesa soudain sur ses épaules, comme cela se produisait parfois. Il ferma les yeux.

Quand il les rouvrit, McGinnis lui tendait sa tasse, l'air interrogateur.

Leaphorn la prit, hocha la tête.

– Vous ne vous trompiez pas de beaucoup, reconnut McGinnis. Il était dans le magasin au moment où le courrier est arrivé, si je me souviens bien. Tagert voulait lui poser des questions sur quelque chose. Il voulait savoir s'il pouvait venir le chercher à une date ou à une autre. Il demandait à Ashie de lui faire savoir si cette date lui allait ou d'en donner une autre si elle n'allait pas.

– Rien d'autre ? interrogea Leaphorn.

Il but son café. Même selon les critères peu exigeants du quartier général de la Police Tribale à Window Rock, c'était du mauvais café. Fait le matin, supposa-t-il, et réchauffé toute la journée.

– C'était une lettre courte. Rien d'autre.

– Quelle était la date en question ?

– Je ne m'en souviens pas. Ça devait être au début du mois d'août.

– Et Pinto a accepté ?

– Ouais.

McGinnis fronça les sourcils pour se souvenir : le visage rond et grassouillet qui, dix ans plus tôt, s'était inscrit dans la mémoire de Leaphorn s'était ratatiné pour devenir un désert de plis et de rides. Puis McGinnis haussa les épaules.

– De toute façon, le résultat c'est qu'il m'a demandé de répondre à Tagert et de lui dire qu'il serait prêt dans l'après-midi.

Le professeur Bourebonette, soit plus polie, soit davantage en manque de caféine que Leaphorn, buvait son café sans répugnance apparente.

– Nous savons donc maintenant comment il est arrivé à Shiprock, dit-elle. Tagert est venu le prendre.

Mais Leaphorn étudiait McGinnis.

– Pinto a fait un commentaire, quelque chose dans ce genre ? Il ne vous a pas simplement dit comme ça tout de suite de lui répondre.

– J'essaye de me souvenir, répondit McGinnis d'un ton impatient. J'essaye de tout me remettre en tête. Nous nous trouvions dans cette pièce, ça je m'en souviens. Ashie se fait beaucoup trop vieux pour être très important, mais je le connais depuis des années et en général quand il vient nous venons ici pour discuter. Vous savez, histoire de savoir ce qui se passe là-bas, du côté du fleuve.

Il se bascula dans son fauteuil, se leva maladroitement. Il ouvrit la vitrine qui se trouvait au-dessus de la cuisinière et en sortit une bouteille. De l'Old Crow.

– Le lieutenant ne boit pas, fit-il en s'adressant au professeur Bourebonette.

Il regarda Leaphorn.

– A moins qu'il n'ait changé ses habitudes. Mais je vais vous offrir une gorgée de bourbon.

– Et je vais l'accepter, déclara-t-elle.

Elle tendit sa tasse de café vide à McGinnis et il y versa le whisky. Puis il farfouilla sur le dessus du comptoir, en retira un verre Coca-Cola et le remplit soigneusement jusqu'à la marque apposée sur le verre. Une fois cela fait il se rassit, posa la bouteille par terre à côté de lui et se balança dans le fauteuil.

– Je n'ai pas offert à boire à Hosteen Pinto. Ça, je m'en souviens. Ce ne serait pas la chose à faire étant donné qu'il est alcoolique. Mais je me suis versé un verre et je me suis assis ici pour le boire.

Il trempa ses lèvres dans son bourbon tout en réfléchissant.

– Je lui ai lu la lettre et il a dit quelque chose de virulent.

Il fouilla dans ses souvenirs, poursuivit :

– Virulent, c'est ça. Je crois qu'il a traité Tagert de coyote, et c'est pratiquement ce qu'il y a de plus virulent pour un Navajo. Et au début il ne voulait pas travailler pour lui. Je m'en souviens. Puis il a dit quelque chose du genre Tagert paie bien. Et c'est ce qui l'avait amené ici à l'origine. L'argent. Vous avez remarqué la ceinture dans la caisse des objets gagés ?

Il s'extirpa du fauteuil à bascule et franchit le seuil pour disparaître dans le magasin.

Leaphorn se tourna vers Bourebonette.

– Je vais mettre le FBI au courant pour Tagert, dit-il.

– Vous croyez qu'ils vont faire quelque chose ?

– Ils devraient.

Mais peut-être ne feraient-ils rien ? Pourquoi le feraient-ils ? Leur enquête était déjà bouclée. Et de toute façon quelle différence cela faisait-il ?

McGinnis réapparut, une ceinture concha à la main. La lumière du plafond se refléta faiblement sur l'argent terni.

– Ça a toujours été l'ultime recours du vieux Pinto. La dernière chose qu'il met en gage quand il n'a plus rien.

De la main il caressait les disques d'argent.

– C'est une merveille, ajouta-t-il.

Il la tendit au professeur Bourebonette.

Leaphorn voyait bien qu'il s'agissait effectivement d'une merveille. Une lourde et vieille ceinture fabriquée à l'aide des pièces de cinq pesos mexicaines en argent du tournant du siècle. Elle valait peut-être deux mille dollars pour un collectionneur. Peut-être quatre cents dollars en argent liquide quand elle était mise en gage.

– L'ennui c'était qu'il l'avait déjà gagée, poursuivit McGinnis. Pas seulement gagée. Il était venu deux fois pour faire grimper la somme prêtée. Il voulait pour cinquante dollars d'articles d'épicerie là-dessus et on discutait de ça depuis un bon moment quand le camion de la poste est arrivé.

Il se balançait sur son siège tout en se remémorant ses souvenirs, le verre Coca-Cola dans la main gauche, et il le penchait d'avant en arrière pour compenser le mouvement de balancier. Exactement comme Leaphorn l'avait vu faire quand il avait vingt ans de moins et qu'il était venu pour apprendre où certaines familles étaient parties, pour prêter l'oreille aux bruits qui couraient et pour bavarder tout simplement. Leaphorn se sentit sujet à une vertigineuse sensation de distorsion du système temporel.

Tout était identique. Comme si vingt années ne s'étaient pas écoulées. La vieille pièce encombrée d'objets, l'odeur de renfermé, la lumière jaune, le vieil homme devenu plus vieux encore comme le temps d'un éclair. Tout à coup, il sut exactement ce que McGinnis allait faire maintenant, et McGinnis le fit.

Il se pencha, prit la bouteille d'Old Crow par le goulot et compléta précautionneusement le liquide dans son verre, faisant couler goutte à goutte à la fin du remplissage jusqu'à ce que le niveau arrive exactement à la marque.

– J'ai déjà vu Pinto pauvre. Des tas de fois. Mais ce jour-là il était complètement fauché. Il m'a dit qu'il n'avait plus ni café, ni flocons d'avoine, ni saindoux et que Mary n'était pas du tout en mesure de l'aider avec toute la troupe qu'elle avait à nourrir.

McGinnis retomba dans le silence, se balançant et conservant le goût du whisky sur sa langue.

– Alors il a accepté ce travail, compléta le professeur Bourebonette.

– Eh oui, confirma McGinnis. Il m'a fait répondre à Tagert sur-le-champ.

Il prit une autre très petite gorgée et la savoura dans un silence qui faisait paraître bruyant le craquement de son fauteuil à bascule.

Une question demeurait en suspens dans l'esprit de Leaphorn : *pourquoi Pinto avait-il taxé Tagert de coyote ?* C'était une insulte sévère, très sévère chez les Navajos... car elle impliquait non seulement la mauvaise conduite mais la malfaisance, le désir de nuire. Mary Keeyani disait que Tagert lui avait donné du whisky. Cela pouvait-il être l'explication ? Leaphorn s'aperçut que l'intérêt qu'il portait à cette affaire allait croissant.

– Mais je sais qu'il n'en avait pas envie, ajouta McGinnis. Je lui ai demandé, qu'est-ce qu'il a de pas correct, ce type ? Moi il me paraît normal. Il paie bien, pas vrai ? C'est juste un professeur comme les autres. Et le vieux Ashie me dit, Tagert veut que je fasse quelque chose que j'ai pas envie de faire. Je lui ai demandé quoi et il m'a répondu, il veut que je lui trouve quelque chose. Et je lui ai dit ben quoi, merde, tu fais ça tout le temps, et il est resté silencieux un moment. Et après il a dit, y a pas besoin de le chercher, Coyote. Coyote est toujours là, dehors, à attendre.

* * *

Le professeur Bourebonette avait proposé de partager le volant pour rentrer et Leaphorn lui avait expliqué que le règlement de la Police Tribale l'interdisait. Et maintenant, alors qu'ils se trouvaient à environ quatre-vingts kilomètres à l'est de Tuba City, il commençait à regretter de l'avoir fait. Il était épuisé. Le fait de discuter avait permis de repousser le sommeil pendant la première heure à peu près. Ils avaient parlé de McGinnis, de ce que Tagert avait pu demander à Hosteen Pinto de trouver, de la répugnance affichée par Pinto. Ils avaient débattu de la relation existant entre la mythologie navajo et l'histoire originelle de l'Ancien Testament ainsi qu'avec les mythes des Indiens des Plaines, des techniques policières appliquées aux enquêtes criminelles, des droits civiques et de la politique universitaire. Elle lui avait parlé du travail qu'elle avait fait quand elle avait étudié la mythologie au Cambodge, en Thaïlande et au Viêt-nam avant que l'intensification de la guerre ne rende impossible. Et maintenant Leaphorn parlait de l'époque où il était en licence à Arizona State, et plus particulièrement d'un professeur qui, ou bien était d'une distraction effrayante, ou bien avait définitivement plongé dans la sénilité.

– L'ennui c'est que je commence à remarquer que moi aussi j'oublie des choses, avait-il conclu.

La bande centrale s'était dédoublée, partant dans deux directions différentes. Il secoua la tête, s'obligeant à se réveiller, jeta un coup d'œil en direction de Bourebonette pour voir si elle s'était rendu compte de quelque chose.

Le menton du professeur était légèrement incliné vers l'avant, sa tête appuyée contre la portière. Le sommeil détendait ses traits.

Leaphorn l'observa. Emma avait dormi de la sorte plusieurs fois quand ils rentraient tard le soir. Détendue. En toute confiance.

6

La Jeepster blanche cabossée se révéla extrêmement facile à localiser. Elle était rangée sur l'aire numéro 17 d'un parking envahi d'herbes défendu par un panneau qui annonçait :

ÉCOLE SECONDAIRE DE SHIPROCK
PARKING STRICTEMENT RÉSERVÉ
ENSEIGNANTS/PERSONNEL

Janet Pete gara sa petite Toyota deux portes à côté de la Jeep. Elle avait troqué sa jupe "visite à un ami à l'hôpital" pour un jean et une chemise bleue à manches longues.

– La voilà, dit-elle. Exactement comme tu l'avais prévu. Tu veux attendre ici que le propriétaire arrive ?

Elle montra du geste le flot de voitures qui sortaient du parking enseignants/personnel, une quantité de véhicules étonnante, sembla-t-il à Chee.

– Ça ne devrait pas être long, ajouta-t-elle.

– Je veux savoir à qui je m'adresse, dit Chee en mettant pied à terre. Je vais aller demander.

La secrétaire du bureau du directeur regarda l'insigne de Chee puis, par la fenêtre, l'endroit qu'il indiquait et dit :

– Laquelle ?

Puis elle fit :

– Oh ! C'est celle de M. Ji. Vous allez l'arrêter ?

Sa voix semblait le souhaiter.

– Gee, répéta Chee. Comment ça s'écrit?

– C'est H-U-A-N J-I. Donc je suppose que si on le prononçait de la façon dont on prononce "na-va-*ho*", ça ferait " M. Hee".

– On m'a dit qu'il était Vietnamien. Ou Cambodgien.

– Vietnamien, confirma la secrétaire. Je crois qu'il était colonel dans leur armée. Il commandait une unité de commando.

– Où pourrais-je le trouver ?

– Sa classe d'algèbre se trouve en bas dans la salle dix-neuf, dit-elle en montrant d'un geste le couloir. Les cours sont terminés mais en général il en garde un certain nombre en retenue. (Elle rit.) M. Ji et les élèves sont en désaccord permanent sur la quantité de mathématiques qu'ils vont faire.

Chee s'arrêta à la porte de la salle dix-neuf qui était ouverte. Quatre garçons et une fille étaient disséminés à leurs tables, la tête penchée sur leurs cahiers. La fille était jolie, avec les cheveux coupés exceptionnellement court pour une jeune navajo. Les garçons étaient deux Navajos, un Blanc solidement bâti à l'air renfrogné et un Hispano-Américain élancé. Mais l'intérêt de Chee était concentré sur le professeur.

M. Huan Ji était debout à côté de son bureau, le dos tourné à la classe, de profil pour Chee, et regardait par la fenêtre de la salle. C'était un petit homme mince qui se tenait très droit, avec des cheveux noirs coupés en brosse et une moustache très courte qui grisonnait. Il portait un pantalon gris, une veste bleue et une chemise blanche avec une cravate bien en place, et il semblait, de ce fait, totalement déplacé dans l'école secondaire de Shiprock. Ses yeux qui ne cillaient jamais fixaient quelque chose sur la ligne d'horizon. Que voyaient-ils ? s'interrogea Chee. Il devait regarder au-delà des trembles qui bordaient la San Juan et en direction du sud vers les contreforts des monts Chuska recouverts de buissons de sauge.

Il devait voir la forme noire de Ship Rock qui se dressait à l'horizon, et peut-être aussi Rol-Hai Rock et Mitten Rock. Non. De l'endroit où se tenait M. Ji ces points de repère géologiques devaient se trouver derrière l'horizon. Chee les réinventait en faisant appel à sa mémoire.

Le visage de monsieur Ji semblait empreint de tristesse. Que voyait-il dans sa mémoire à lui ? Peut-être convertissait-il les montagnes désertiques de Dinetah* d'un bleu tirant sur le gris en ces montagnes vertes et humides de sa terre natale.

Chee s'éclaircit la gorge.

– M. Ji, dit-il.

Cinq élèves levèrent la tête de leur travail, fixant le policier des yeux. Le regard de M. Ji, qui était braqué par la fenêtre, demeura inchangé.

Chee entra dans la classe.

– Monsieur Ji, répéta-t-il.

Celui-ci pivota brusquement sur lui-même, la surprise peinte sur ses traits.

– Ah, dit-il. Excusez-moi. Je pensais à autre chose.

– Je me demande quand je pourrai m'entretenir avec vous. Un petit instant.

– Nous avons pratiquement fini, là, dit Ji.

Il regarda les cinq élèves qui lui rendirent son regard. Il consulta sa montre.

– Vous pouvez partir maintenant, leur dit-il. Si vous avez terminé vous me remettez vos feuilles. Sinon, vous les apportez demain... finies et corrigées.

Il se tourna vers Chee :

– Vous êtes un parent d'élève ?

– Non, monsieur. Je m'appelle Chee. Je suis membre de la Police Tribale Navajo.

En disant cela il s'aperçut que M. Ji notait l'épais bandage qu'il avait au bras, son jean et sa chemise sport à manches longues.

– Je ne suis pas en service, ajouta-t-il.

– Ah, fit M. Ji. Que puis-je vous apprendre ?

Chee entendit des pas hâtifs... Janet Pete venait vers eux dans le couloir. Chee se fit la réflexion que Hosteen Pinto allait être représenté conformément à la loi dans cette conversation. D'ailleurs, pourquoi pas ? Mais ça l'ennuyait. Où l'amie s'arrête-t-elle pour céder la place à l'avocate ?

– Monsieur Ji ? demanda Janet légèrement essoufflée.

– Voici Janet Pete, présenta Chee. Une avocate.

M. Ji fit un petit salut. S'il lui arrivait jamais de laisser son trouble transparaître, ça aurait dû se produire à cet instant.

– C'est au sujet de l'un de mes élèves ? interrogea-t-il.

Le dernier de ses élèves se hâta de passer devant eux, le désir d'être loin l'emportant sur la curiosité.

– Mlle Pete représente Ashie Pinto, expliqua Chee.

Il lui sembla que M. Ji s'était momentanément arrêté de respirer. Il regarda Janet Pete, son visage ne trahissant absolument aucune émotion.

– Y a-t-il un endroit où nous pourrions parler ? demanda Chee.

Il y avait quelqu'un dans la salle des professeurs. Ils sortirent et se dirigèrent vers l'endroit où était garée la Toyota de Janet Pete.

– Est-ce votre voiture, là ? demanda Chee en montrant la Jeep.

– Oui.

– Elle a été vue sur la Route Navajo 33 la nuit où le policier Delbert Nez a été tué.

Ji ne dit rien. Chee attendit.

Le visage de Ji était dépourvu d'expression. (L'Oriental impénétrable, pensa Chee. Où avait-il entendu cette expression ? Mary Landon l'avait utilisée une fois pour le décrire. "Tu l'es, tu sais. Vous autres, vous êtes venus des steppes de Mongolie, du Tibet ou de ces régions-là en franchissant la calotte glacière. Nous, nous sommes originaires des sombres forêts de Norvège.")

– Quelle date était-ce ? demanda Ji.

Chee le lui dit.

– La nuit de la pluie. Une bonne pluie bien drue. Ça devait être entre sept heures trente et huit heures. Mais l'obscurité tombait à cause de l'orage qui approchait.

– Oui, avoua Ji. Je m'en souviens. J'étais là-bas.

– Avez-vous vu quelqu'un ? Quelque chose ? interrogea Janet Pete.

– Où ça ?

Chee retint un froncement de sourcils. La question paraissait stupide.

– Là où vous étiez. Au-delà de Shiprock. A l'est de Red Rock sur la Route 33.

– Je ne me souviens pas d'avoir vu quelque chose.

– Et après que vous ayez pris la Route 63 vers le nord ?

– La Route 63 ?

La surprise de Ji semblait sincère. Ce n'était pas très étonnant. Il n'y avait pas beaucoup de gens, y compris parmi ceux qui utilisaient habituellement cette route défoncée et poussiéreuse, qui en connaissaient le numéro.

– La route gravillonnée près de Red Rock qui part au nord dans la direction de Biklabito et de Shiprock.

– Oh ! fit Ji en hochant la tête. Non. Je n'ai rien vu. Rien dont je me souvienne.

– Vous n'avez pas vu le feu ? La voiture de Nez qui brûlait ?

– Il me semble avoir vu une lueur. J'ai cru que c'était les phares d'une voiture. Je n'en ai vraiment pas gardé grand souvenir.

– Est-ce que vous vous souvenez de ce que vous faisiez de ce côté-là ?

Ji sourit et hocha la tête.

– Ça, oui, je m'en souviens. On avait l'impression qu'il allait pleuvoir. A voir les nuages de pluie là-bas au dessus des montagnes. Il pleut beaucoup dans mon pays et cela me manque ici. J'ai eu envie de prendre la voiture et d'aller en profiter.

– Par où êtes-vous passé ? demanda Chee.

Ji réfléchit.

– J'ai pris l'U.S. 666 en direction du sud vers Gallup, puis j'ai tourné à l'ouest sur cette route asphaltée pour aller jusqu'à Red Rock et j'ai bouclé le tour en empruntant la route de gravier.

– Avez-vous vu une voiture de la Police Tribale ?

– Ah, oui, reconnut-il. Il y en a une qui m'a dépassé.

– Où ça ?

– Sur la route de Red Rock.

Ça devait être la voiture 44 de Delbert Nez.

– L'avez-vous revue ?

– Non.

– Vous avez dû la dépasser, insista Chee. Elle avait quitté la chaussée du côté gauche et avait pris une piste de terre.

– Je ne l'ai pas remarquée. Je crois que ça, je m'en serais souvenu.

– Avez-vous rencontré quelqu'un, je veux dire en rentrant chez vous ?

M. Ji réfléchit.

– Probablement, dit-il. Mais je ne m'en souviens plus.

Et ce fut là absolument tout ce qu'ils apprirent.

En quittant le parking, ils prirent la 666 en direction du sud, traversant le pont sur la San Juan.

– Tu veux venir voir où ça s'est passé ? demanda-t-il à Janet.

Elle le regarda, surprise.

– Et toi ?

– Pas vraiment, dit-il. Mais oui, je suppose que oui.

– Tu n'y es pas retourné ?

– Je suis resté à l'hôpital à Albuquerque pendant des semaines. Et après, je ne sais pas, il n'y avait pas de raison de le faire.

– D'accord, fit-elle. Je crois que je devrais voir cet endroit.

– Tu as une meilleure raison d'y aller que moi, ajouta Chee. Je n'ai plus rien à voir avec ça. Ça dépend du FBI.

Je n'aurai qu'à témoigner en tant que policier ayant procédé à l'arrestation.

Janet acquiesça de la tête. Elle ne voyait aucune raison de faire un commentaire. Chee savait qu'elle n'ignorait rien de tout cela.

– Je n'ai pris aucune part à l'enquête, ajouta-t-il en sachant que cela aussi elle devait le savoir.

– Est-ce que tu penses que le FBI a relevé la déclaration de M. Ji ?

Chee secoua la tête.

– Il nous l'aurait signalé.

– Ça ne te surprend pas qu'ils ne l'aient pas fait ?

Il secoua à nouveau la tête.

– Pas maintenant. Tu te souviens ? Tu me l'as expliqué. Ils ont tout ce qu'ils veulent pour obtenir une condamnation. Pourquoi perdre leur temps ?

Elle avait les sourcils froncés.

– Je sais que j'ai dit ça. Mais ils avaient vu ta déclaration. Ils savaient que tu avais rencontré cette voiture qui venait du lieu où ça s'était passé. Tu l'as décrite comme une Jeepster de couleur blanche, précisant à qui elle appartenait. Il me semble que la simple curiosité...

Elle laissa sa phrase en suspens.

– Ils tenaient leur coupable, et leurs preuves. Pourquoi compliquer les choses ?

Janet réfléchit à ce qu'il venait de dire.

– Pour la justice, dit-elle.

Chee ne releva pas. La justice, pensa-t-il, n'était pas un concept qui s'inscrivait bien dans cette affaire. Qui plus est, le soleil plongeait maintenant derrière les monts Chuska. Sur la vaste prairie ondulante qui depuis la route s'étendait vers la masse noire de Ship Rock, chaque touffe de sauge, chaque genévrier, chaque herbe-aux-serpents, chaque monticule de graminées en touffe jetait sa longue ombre bleue... une infinité de lignes sombres qui ondulaient sur le paysage rougeoyant. Magnifique. Le moral de Chee remonta. Ce n'était pas le moment de penser à la justice. Ni au devoir qu'il n'avait pas accompli.

La Toyota de Janet parvint au sommet de la longue escalade permettant de quitter le bassin de la San Juan, et le sol s'inclina en direction du sud : des terres recouvertes d'une herbe ondulante d'un gris tirant sur le roux avec la ligne noire que faisait la route s'éloignant vers l'horizon comme un trait tracé au tire-ligne. A des kilomètres d'eux vers le sud, le soleil se refléta sur le pare-brise d'un véhicule qui roulait vers le nord : un éclair lumineux. Ship Rock se dressa telle une cathédrale gothique démesurée née des conceptions de l'art moderne, juste sur leur droite, à des kilomètres de distance mais paraissant très proche. A quinze kilomètres devant eux, Table Mesa* naviguait sur sa mer d'herbes-aux-bisons, appelant pour Chee l'image du porte-avions suprême. De l'autre côté de la route, juste en face, les rayons rasants du soleil illuminaient la silhouette noire déchiquetée de Barber Peak, un cône volcanique aux yeux des géologues, un lieu de rendez-vous pour les sorciers selon les traditions locales.

Ils bifurquèrent sur la droite pour quitter la 666 et prendre la Route Navajo 33, roulant face au soleil couchant.

– Il était probablement par ici quand nous sommes entrés en contact radio pour la première fois, dit Chee. Pratiquement ici.

Sa voix paraissait forcée à ses propres oreilles.

Janet hocha la tête.

Il ralentit, tendit le doigt.

– Moi, j'étais tout là-bas, à quarante ou cinquante kilomètres derrière Ship Rock, et je roulais vers le sud en direction de Biklabito. J'étais là-bas derrière le rocher. Un machin comme ça, ça brouille les communications radio. Elles arrêtent pas de s'effacer et de revenir.

Il s'éclaircit la gorge. Abaissa le pare-soleil. D'un geste vif Janet rabattit celui qui se trouvait côté passager, s'aperçut qu'elle était trop petite pour qu'il la protège et sortit ses lunettes de soleil. Elle se disait que Chee n'était pas aussi prêt à en parler qu'il se l'imaginait.

– On va avoir un sacré coucher de soleil, remarqua-t-elle. Regarde au nord.

Au nord, au-dessus de Sleeping Ute Mountain au Colorado, au-dessus des monts Abajo en Utah, d'immenses fronts orageux approchaient de leur point de rupture vespéral. Leurs sommets, qui réfléchissaient directement le soleil, étaient blancs comme la neige et les longues flèches de cristaux de glace qui s'en échappaient semblaient miroiter. Mais aux niveaux inférieurs, la lumière qui les atteignait avait été filtrée par les nuages qui dominaient les Chuskas et parée de teintes rose pâle, rose foncé et rouge. Plus bas encore, l'éclairage insuffisant les pommelait de taches allant du bleu-gris pâle au bleu le plus foncé. Directement au-dessus d'eux, les traînées de cirrus d'altitude étaient enflammées par le coucher du soleil. La voiture s'enfonça dans le crépuscule ardent.

– Voilà où ça s'est passé, annonça Chee avec un mouvement de tête vers la gauche. Il a quitté la chaussée exactement à cet endroit-là, et la voiture était en flammes à côté de ce bouquet de genévriers, là-bas.

Janet hocha la tête. Chee remarqua qu'elle avait le front et les joues colorés de rose par la lumière réfléchie. Sa peau était douce comme la soie. Ses yeux intensément fixés sur quelque chose. Un visage intelligent. Un visage qui avait de la classe. Elle fronça les sourcils.

– Qu'est-ce qu'il y a là-bas sur ces rochers ? s'enquit-elle en les montrant. Ces marques blanches en haut de ce relief, là-bas.

– C'est ça qui énervait Delbert, répondit Chee avec un petit gloussement. C'est l'œuvre d'art de notre vandale fantomatique. Il y a peut-être six semaines, Delbert avait remarqué que quelqu'un peignait ces formations rocheuses. Il voulait coincer le gaillard en question.

– Ça l'énervait ? reprit Janet. Je ne crois pas qu'il y ait une loi qui l'interdise. Rien qui soit très adapté à ça, en tout cas. Mais ça m'énerve, moi aussi. Pourquoi rendre hideux quelque chose de naturel ?

– En ce qui concernait Nez, c'était à mi-chemin entre l'énervement et l'idée que ça avait un côté étrange. Qui s'amuserait à grimper là-haut et à perdre tout ce temps pour peindre en blanc du basalte noir ? Quoi qu'il en soit, Delbert en parlait sans arrêt. Et ce soir-là, à l'entendre, j'ai eu le sentiment qu'il avait vu son type. Il en riait.

– Peut-être l'a-t-il effectivement vu, dit Janet dont le regard était fixé sur la roche. Qu'est-ce qui a causé tout ça ? Je sais que ça doit être volcanique mais ça ne ressemble pas aux trucs normaux. Franchement, on n'apprend rien du tout sur la géologie dans les études de droit.

– Au département d'anthropologie non plus. Mais d'après ce qu'on m'a dit, l'action volcanique qui a entraîné la formation de Ship Rock a duré des dizaines de milliers d'années. La pression a résulté en une quantité de fissures de l'écorce terrestre, et tous les mille ans environ (ou tous les millions d'années peut-être) survenait un nouveau jaillissement de roche en fusion et de nouvelles arêtes rocheuses prenaient naissance. Des fois, juste à côté des anciennes.

– Oh ! fit Janet.

– Ça s'étend sur des kilomètres et des kilomètres, poursuivit-il. Comme parallèlement aux monts Chuska.

– Il y a un nom pour ça ?

Chee le lui dit.

Elle fit la grimace.

– Mes parents voulaient que je maîtrise parfaitement l'anglais. Ils ne parlaient pas beaucoup navajo en ma présence.

– Cela signifie quelque chose comme "Les Longues Crêtes Noires". Quelque chose comme ça.

Il lui décocha un coup d'œil, ne sachant pas quelle était sa position vis-à-vis de la sorcellerie navajo.

– Beaucoup de Navajos traditionalistes refuseraient de s'approcher de ces laves solidifiées... surtout la nuit. Si l'on en croit la mythologie navajo, au moins du côté est de la Réserve, ces coulées de lave représentent le sang séché des monstres tués par les Jumeaux* Héroïques. Je crois que c'est l'une des choses qui a suscité un tel intérêt chez Nez. Tu sais. Qui donc violait ce tabou ?

– Peut-être a-t-il mis la main sur le coupable et le type l'a tué.

– Et il a donné le pistolet à Hosteen Pinto, ajouta Chee. Celle-là, tu vas avoir du mal à la faire admettre.

Elle haussa les épaules.

– C'est bien aussi valable que tout ce à quoi j'ai pu penser. Allons jeter un coup d'œil.

Elle regarda Chee, ses traits reflétant soudain le doute :

– A moins qu'il n'y ait quantité de serpents en cette période de l'année ?

– Il y a toujours des serpents dans des endroits comme celui-là. Mais ce n'est pas un problème si on se sert de sa cervelle.

– Le simple fait de penser aux serpents en est un, de problème.

Mais elle fit quitter l'asphalte à sa Toyota.

Pour parvenir à cette partie de l'arête rocheuse où travaillait le peintre, il fallait faire parcourir à la voiture un kilomètre et demi en dehors de toute piste à travers roche, cactus, chardons russes, herbes-aux-bisons, sauge et herbes-aux-serpents. Après avoir fait plonger une roue dans un petit wash avec une secousse assortie d'un bruit de ferraille, Janet coupa le contact.

– C'est plus facile à pied, dit-elle. Surtout pour ma pauvre voiture.

Ce n'était pas tout à fait aussi facile qu'il le paraissait. Comme pour tout objet de grande taille perçu à travers l'air sec et raréfié des déserts d'altitude, la poussée volcanique était plus imposante et plus lointaine qu'elle ne le semblait. Le soleil avait disparu bien en dessous de l'horizon quand ils escaladèrent l'ultime pente escarpée menant à sa base. Au-dessus d'eux les nuages d'altitude étaient passés du rose au rouge foncé. Loin vers l'ouest au-dessus de l'Arizona, ceux qui dominaient le Kaibito

Plateau étaient d'un bleu-noir frangé d'un jaune ardent.

Janet s'arrêta pour regarder.

– Est-ce que ces couchers de soleil t'ont manqué à Washington ? lui demanda Chee.

– C'est cette voiture, là, que je regarde, dit-elle en la montrant du doigt.

Garée derrière un bouquet de genévriers se trouvait une Ford Bronco II vert foncé, sale, cabossée, âgée de plusieurs années. Ils changèrent de direction pour la contourner. Elle avait une plaque d'immatriculation personnalisée de l'État du Nouveau-Mexique.

– REDDNEK, lut Janet Pete. Tu crois que l'ironie est intentionnelle ?

Chee haussa les épaules. Il ne voyait pas ce qu'il y avait d'ironique. Le véhicule était vide. Que faisait-il là ? Où était le conducteur ?

– Un *redneck* [1] qui ne sait pas comment ça s'écrit, expliqua-t-elle.

– Oh !

Sur la crête, derrière le véhicule, Janet s'arrêta à nouveau. Elle resta sur place, la tête inclinée en arrière, les yeux fixés sur le massif pan de basalte d'un seul tenant auquel ils se trouvaient maintenant confrontés.

– Je ne vois pas la moindre trace de peinture, remarqua-t-elle.

La lumière rouge changeait la couleur de sa chemise, de son jean délavé et de son visage. Ses cheveux étaient décoiffés, son expression résolue et, aux yeux de Chee, elle paraissait d'une beauté totale et sans défaut. Ce serait infiniment préférable, se dit-il, que les amies ne vous fassent pas cet effet-là.

– Allons voir si nous pouvons découvrir par où il est monté, proposa-t-il.

Ce ne fut pas facile. La première possibilité d'ascension se termina en cul-de-sac sur une corniche qui ne

---

1. Redneck : "cou rouge" (ou nuque rouge), sobriquet donné aux fermiers de condition modeste du sud des États-Unis. L'équivalent de notre "péquenaud"

menait absolument nulle part si ce n'est à une paroi rocheuse verticale. La seconde, un passage qui s'ouvrait dans une plaque de basalte, les mena peut-être soixante-quinze mètres plus loin et plus haut avant de se rétrécir pour donner une fissure d'une inaccessible étroitesse. Ils trouvèrent la troisième en haut d'un amoncellement d'éboulis en pente en se courbant pour passer sous un toit incliné constitué par une roche délogée.

– Je n'ai pas soulevé le problème des serpents, dit Janet en époussetant la poussière qui couvrait ses mains et ses jambes de pantalon. Si je le fais, j'espère que tu essaieras de dire quelque chose de constructif.

– D'accord, répondit Chee.

Il réfléchit un instant, reprenant sa respiration.

– Si tu aimes les serpents, voici l'exemple parfait du genre d'endroit où tu peux venir les chercher.

– Je ne les aime pas. Je connais toutes ces imbécillités sur les Navajos et les serpents qui sont amis, mais je ne les aime pas. Ils me font peur.

– Nous ne sommes pas censés être amis. De la façon dont la légende présente les choses, Premier* Homme et Grand Serpent ont appris à se respecter mutuellement. On y parvient en ne mettant pas sa main, son pied ou quelque autre partie de sa personne à un endroit où l'on ne peut pas regarder. De cette manière on ne marche pas sur son petit frère, on ne s'assoit pas sur lui ou on ne lui plante pas le doigt dans l'œil. Et en retour, il déclenche sa sonnette pour te prévenir si tu t'aventures sur un territoire dangereux... Ça fonctionne très bien.

– Je ne les aime quand même pas, répéta-t-elle mais elle avait le regard levé vers la formation rocheuse. Regarde. Je crois que c'est de la peinture.

C'en était bien. Au-dessus d'eux, sur leur gauche, Chee vit qu'un pan de la paroi basaltique renvoyait des reflets blancs. Avant d'y parvenir il fallait escalader une profonde fissure afin d'atteindre une cavité longue et étroite. Mais des millénaires d'érosion l'avaient remplie de roches délogées et de terre apportée par le vent en quantité suffisante pour constituer un sol. Parvenu là, Chee s'appuya contre la pierre, tout essoufflé, le niveau inférieur de la peinture arrivant juste au-dessus de sa tête.

– Regarde ici, dit Janet qui était agenouillée dans la poussière. Tu te rends compte ? Je crois que quelqu'un a monté une échelle jusqu'ici.

Si Janet était essoufflée, cela ne se voyait pas. Mais Chee l'était, lui, et il en était gêné. C'était parce qu'il n'était pas en forme, se dit-il. Trop de temps passé sur son lit d'hôpital. Trop de semaines sans faire d'exercice. Cela n'avait pas été facile d'escalader avec une main bandée. Il allait devoir se remettre à faire de la gymnastique.

Il respira longuement, profondément, puis s'accroupit à côté d'elle. Deux formes rectangulaires de petite dimension s'étaient inscrites dans la terre, séparées de la distance correcte pour avoir été laissées par les pieds d'une échelle.

– Un peintre qui sait ce qu'il veut, commenta Janet. Et qui prévoit son truc à l'avance, visiblement. Sinon, pourquoi monter une échelle jusqu'ici ? Il fallait qu'il sache qu'il lui faudrait atteindre un endroit où il en aurait besoin.

Chee scrutait les trous que l'échelle avait laissés. Il regrettait qu'ils ne soient pas montés en ce lieu quand la lumière était meilleure.

– Je crois que c'est intéressant, ça, dit-elle.

Il se redressa et épousseta son jean avec sa main valide, se demanda si Nez avait réellement attrapé son fumier de peintre. S'était-il lancé à sa poursuite ? Cet inconnu savait-il même que Nez le cherchait ?

– Est-ce que c'est ce cinglé qui peint les rochers qui a tué Nez ? interrogea Janet.

– C'est Ashie Pinto qui a tiré une balle dans la poitrine de Nez, affirma Chee. Mais ce peintre dérangé a-t-il joué un rôle là-dedans ? A-t-il vu ce qui se passait ?

– Pour être dérangé, il a l'air de l'être.

Elle avait continué à monter et était à moitié sortie de la cavité, le regard rivé sur le jaillissement sauvage de pans rocheux, d'escarpements, d'énormes blocs et de falaises.

– On distingue plusieurs endroits qui ont été peints de ce côté-là. Un gros endroit de forme carrée, une bande verticale étroite et d'autres emplacements de petite taille.

Il grimpa pour venir se placer à côté d'elle.

– S'il a vu ce qui se passait, et si je peux le retrouver, tu pourras te contenter de plaider coupable pour Pinto, dit Chee. Pas la peine d'aller devant le tribunal. Pour lui ça ne ferait qu'une épreuve supplémentaire.

Janet laissa passer cette remarque, le regard fixé sur les reliefs basaltiques.

– Bizarre, dit-elle.

– Ça ne donne pas l'impression de répondre à un schéma quelconque, acquiesça Chee. Ni de communiquer quoi que ce soit ou d'avoir la moindre signification.

Avec son couteau, il gratta la pierre peinte là où il se tenait, prélevant un échantillon à la limite inférieure atteinte par le pinceau. Puis il se pencha, l'examinant dans la lueur rouge faiblissante du crépuscule.

– Il envoie je ne sais quel message à des soucoupes volantes, dit Janet. Ou alors quand le vol régulier de la ligne Mesa passe au-dessus en allant sur Gallup, cela indique "TU T'ES PAUMÉ" au pilote. Ou encore le gars qui fait ça, ils ont perdu ses valises, et quand on regarde de l'avion, ça donne je ne sais quelle insulte d'une obscénité épouvantable.

– Regarde ça.

Janet se pencha plus près.

– Quoi ?

– Ça a coulé un peu, dit Chee en indiquant la traînée avec son doigt.

– Et alors ?

– Alors je pense que la peinture était fraîche lorsqu'il s'est mis à pleuvoir. Il peignait encore quand la pluie a commencé.

– Ah ! fit Janet Pete. Alors peut-être y a-t-il eu un témoin. Peut-être...

Sa voix se perdit dans un petit cri de peur. Elle s'écarta de la grosse plaque rocheuse sur laquelle elle était appuyée, s'éloignant d'une sorte de bourdonnement.

– Jim, murmura-t-elle. Ne me dis pas que c'est ce que je pense.

– Sauf si tu penses que ce n'est pas un serpent à sonnettes. Recule vers moi. Il est sous le rebord de ce gros rocher. Tu le vois ?

Elle ne fit aucun effort pour le voir.

– Allons-nous en, dit-elle.

Ils partirent et il faisait encore suffisamment clair pour voir que la vieille Bronco II verte n'était plus garée derrière les genévriers.

* * *

Janet vint immobiliser sa Toyota sous le tremble d'Amérique qui ombrageait la maison de Jim Chee : une caravane en aluminium sérieusement rayée et bosselée garée sur un léger promontoire au nord de la San Juan. Chee ne fit pas un geste pour descendre. Il attendait qu'elle coupe le contact. Elle laissa le moteur tourner, phares allumés.

– La seule autre fois où je suis venue ici, tu avais une chatte qui était enceinte. Tu t'en souviens ? Il me semble que c'était il y a longtemps.

– Elle n'était pas à moi. Elle vivait juste dans le coin.

– Tu te préoccupais d'elle, dit-elle en lui faisant un grand sourire. Tu te souviens ? Tu craignais qu'un coyote soit sur le point de l'attraper. Et j'avais pensé que tu pouvais te procurer l'une de ces cages dans lesquelles on fait voyager les animaux dans les avions pour en faire une maison pour la chatte. Rigoureusement à l'épreuve des coyotes. Et tu en avais acheté une à Farmington. Qu'est-il arrivé ?

– Tu es partie. Tu as suivi ton petit ami à Washington, tu as travaillé pour son cabinet juridique, tu as fait fortune et tu es revenue au pays.

– Je voulais dire, qu'est-il arrivé à la chatte ?

– Je ne pouvais pas la prendre en charge. C'était une chatte *biligaana*. Je suppose qu'elle appartenait à des touristes et qu'elle s'était enfuie. Et je m'étais dit qu'elle pourrait peut-être devenir une chatte ordinaire et typique de la Réserve Navajo, et qu'elle survivrait par ses propres moyens. Mais ça ne marchait pas.

– Mais qu'est-il arrivé ?

– Je l'ai mise dans la cage d'expédition et je l'ai envoyée à Mary Landon.

– Ton institutrice blanche.

– Institutrice blanche, oui, mais pas la mienne. Elle est retournée dans le Wisconsin. Elle va à l'université pour suivre une spécialisation.

– Elle n'est plus à toi ?

– Je suppose qu'elle ne l'a jamais été.

Ils restèrent assis dans la Toyota à réfléchir tout en écoutant le moteur qui tournait.

Janet le regarda.

– Ça va maintenant ?

– Plus ou moins, dit-il. Je suppose.

Ils restèrent plongés dans leurs réflexions.

– Et toi ? interrogea-t-il. Où en est ton ambitieux homme de loi ? Je ne me souviens plus de son nom. Et tes ambitions à toi ?

– Il est là-bas à Washington. Occupé à faire fortune, je suppose. Et moi je suis là, et j'essaye de défendre un ivrogne indigent qui ne veut même pas me dire que ce n'est pas lui qui a fait ça.

Chee, qui l'avait écoutée d'une oreille très, très attentive, ne perçut pas grand-chose dans sa voix. Rien d'autre que cette déclaration neutre.

– Tu vas bien maintenant ? C'est ça le message que tu m'envoies ?

– Nous ne nous écrivons pas, dit-elle d'une voix toujours neutre. Oui, je pense. Sauf qu'on se sent un peu idiote. Utilisée. Et paumée.

– Je vais faire du café.

Pas de réponse. Janet Pete se contentait de regarder par le pare-brise comme si elle voyait quelque chose dans les ténèbres sous les trembles.

– Quelqu'un t'a peut-être mise en garde contre mon café, insista-t-il. Mais je ne le fais plus bouillir. Maintenant j'ai un de ces trucs où on met un petit récipient au-dessus de la tasse, du café moulu dans le récipient et on verse de l'eau bouillante dessus. C'est bien meilleur.

Il rit et coupa le contact.

Son café était, en fait, excellent. Chaud avec un arôme frais. Elle était fatiguée et le but avec reconnaissance, inspectant du regard le domicile exigu. Impeccable, remarqua-t-elle, ce qui la surprit. Chaque chose à sa place. Elle posa un regard sur le lit : un lit de camp recouvert d'une couverture, accroché au mur. Monastique était le mot qui convenait. Et au-dessus, une étagère débordant de livres. Elle reconnut *The Power of Myth*, de Joseph Campbell, *The Shining Season,* de Buchanan, *The Way to Rainy Mountain,* de Momaday, et *Dine Bahane*, de Zolbrod, qui lui avait semblé être la meilleure traduction de l'histoire des origines* des Navajos. Curieux que Chee lise une version pour hommes blancs de la Bible Navajo.

– Tu as toujours l'intention de devenir medecine-man ? demanda-t-elle.

– Un jour. Si je vis suffisamment longtemps.

Elle posa sa tasse.

– La journée a été longue, dit-elle. Je ne crois pas que j'aie appris grand-chose d'intéressant. Je ne crois pas que j'aie répondu à une seule question concernant Ashie Pinto. Comme par exemple comment il est arrivé là. Ou pourquoi. Ou encore qui a tué le policier Delbert Nez ?

– C'est la seule à laquelle je puisse répondre, dit Chee. C'est ton client qui l'a fait. Je ne sais pas pourquoi. Lui non plus, pas exactement. Mais la raison trouve sa source dans le whisky. L'Eau Sombre. C'est ce que le mot navajo donne en anglais.

Janet ne releva rien de tout cela.

– Et toi ? s'enquit-elle. Tu penses avoir résolu des mystères ?

Chee était appuyé contre la cuisinière, tenant sa tasse dans sa main gauche de manière maladroite. Il but une gorgée.

– Je crois que nous en avons ajouté un nouveau. La raison pour laquelle M. Ji nous a menti.

– Comment ça ?

– Il nous a dit qu'il n'avait rencontré personne sur le trajet de retour. Il a dû me voir, moi, qui venais vers lui, au moment précis où il quittait la Route 33 pour s'engager sur la chaussée de gravier.

– Peut-être qu'il a oublié. Ça fait des semaines.

– J'avais ma sirène qui hurlait et mes avertisseurs lumineux qui clignotaient.

Janet enregistra ces précisions.

– Oh ! fit-elle. On s'attendrait à ce qu'il se souvienne de ça.

– Il venait de dépasser un feu. Un gros feu, pas très loin de la route. Puis arrive une voiture de police avec sa sirène qui hurle. Nous ne sommes pas à Chicago. Il ne se passe pas grand-chose par ici. Il s'en serait souvenu.

Elle fronça les sourcils.

– Alors qu'est-ce que ça veut dire... qu'il a dit qu'il y était alors qu'en réalité il n'y était pas ? Ou qu'il a prétendu ne pas avoir vu ta voiture de police ? Cela n'aurait aucun sens. A moins encore que quelqu'un d'autre n'ait conduit sa voiture et qu'il n'ait essayé de le protéger. Ou alors... quoi ?

Elle se passa le dos de la main sur le front, reprit sa tasse et la vida avant d'ajouter :

– Je suis bien trop crevée pour réfléchir à tout ça. Et il faut que j'y aille. Il faut que j'aille jusqu'à Window Rock ce soir.

– C'est trop loin, dit Chee. Deux rudes heures. Reste donc ici. (Il se tut, esquissa un mouvement.) Je déroulerai mon sac de couchage par terre.

Ils se regardèrent. Janet poussa un soupir.

– Merci, dit-elle. Mais Emily m'attend.

Emily. Chee se souvenait vaguement de ce nom-là. Quelqu'un avec qui Janet avait partagé un appartement quand elle travaillait à Window Rock.

Il se tint sur le seuil, regardant la Toyota qui remontait la pente pour rejoindre la route, puis s'assit sur sa couchette et ôta ses chaussures. Il était fatigué, mais le café allait l'empêcher de dormir. Il déboutonna sa chemise et l'enleva en la faisant glisser sur son pansement, bâilla.

Trois nouvelles questions supplémentaires pour aujourd'hui, pensa-t-il. Pas seulement pourquoi M. Ji avait menti. Il y avait également la démence méthodique du peintre sur laquelle il devait se pencher. Et plus important que tout le reste, il y avait Janet Pete.

7

La voix d'Ashie Pinto prenait de curieux accents chantants dans les écouteurs que Chee avait sur les oreilles. Elle montait et descendait, relatant le moment du mythe où Femme-qui-Change* avait eu ses secondes menstrues.

– On raconte que beaucoup de temps s'était écoulé mais je ne sais pas combien cela fait en jours tels que nous les comptons maintenant. Les anciens parlaient de cela avec une grande attention. Ils le racontaient, attentifs à ne faire aucune erreur, mais s'ils spécifiaient le nombre de jours, je ne m'en souviens plus maintenant. Ils racontaient comment Premier Homme avait fait l'éducation de Femme-qui-Change, et comment Première Femme avait veillé sur elle, et je crois qu'ils avaient dit à Femme-qui-Change de leur signaler quand ses secondes règles commenceraient. Et quand le moment est arrivé, Dieu-qui-Parle* s'est rendu à cet endroit où vivaient ceux du

Peuple* Sacré, près de Huerfano Mesa, il s'est rendu au hogan que Premier Homme avait bâti à l'est de la Mesa. On raconte que Dieu-qui-Appelle l'accompagnait, mais on raconte que c'était Dieu-qui-Parle qui commandait.

La voix de Pinto perdit ses accents chantants pour entonner une mélopée psalmodiée d'une voix grinçante. Chee reconnut l'un des chants de Dieu-qui-Parle dans la Voie de la Bénédiction. Il avait lui-même appris par cœur cette cérémonie et l'avait exécutée à deux reprises quand ses ambitions de futur medecine-man étaient là et bien là.

– *E ne ya !* Maintenant je suis l'enfant de Femme-qui-Change. Mes mocassins sont de coquillage blanc...

L'écouteur du magnétophone meurtrissait le lobe de son oreille. Il écouta deux minutes de bande supplémentaires, remarquant que la version de Pinto était dans les termes employés très légèrement différente du chant que Frank Sam Nakai lui avait appris. Son oncle maternel était Hosteen Nakai, et c'était un medecine-man de bonne renommée. Chee avait tendance à considérer que la version de Nakai était la version correcte et à désapprouver les variantes. Il appuya sur le bouton avance rapide et regarda autour de lui.

La salle de lecture de la réserve de la Bibliothèque de l'université du Nouveau-Mexique était presque déserte. La rangée de tables était vide à l'exception de lui-même et d'un personnage maigre entre deux âges qui progressait méthodiquement dans des boîtes qui semblaient remplies de vieilles cartes postales et de vieilles lettres. Dans le silence, le bruit que faisait la bande en s'enroulant à toute vitesse paraissait fort. Chee l'arrêta plus tôt qu'il n'en avait eu l'intention et écouta à nouveau.

– ... par là-bas, au nord de Ladron Butte. C'est ce que mon grand-père me disait. Il me racontait que les Utes* traversaient la San Juan en amont de l'endroit où se trouve maintenant le village de Montezuma Creek, et ils descendaient le long de Tsitah Wash. C'est le trajet qu'ils aimaient emprunter à l'époque. Ils suivaient le wash à cheval et débouchaient là où se trouve maintenant l'école de Red Mesa, puis ils prenaient à l'est de Tohatin Mesa et essayaient d'attraper les gens qui habitaient du côté de Sweetwater. Il disait que beaucoup de gens du Clan de la Boue cultivaient le maïs*, le haricot et récoltaient les pêches là-bas à cette époque, et les Utes essayaient de tuer les hommes et de voler les chevaux, les femmes et les enfants. Il disait qu'à cette époque, quand son père était jeune, les Mexicains payaient parfois jusqu'à cent dollars pour un enfant navajo à Santa Fe où ils étaient vendus. Et ensuite quand les *biligaana* sont arrivés les prix ont monté et...

Chee enleva le casque et appuya sur le bouton de rembobinage. Il perdait son temps. Tout ce qu'il avait accompli en venant ici avait été d'obtenir la confirmation de ce que Janet Pete lui avait dit. Il y avait très longtemps qu'Ashie Pinto avait été découvert par le monde universitaire comme étant une source de ces choses auxquelles les universitaires attachent une grande importance. Il connaissait les histoires d'autrefois qui englobent l'histoire du Dinee. Et il connaissait l'histoire qui relatait la façon dont le Peuple Sacré avait créé les êtres humains qui devaient constituer les clans navajo. C'était merveilleux. Mais quel rapport cela avait-il avec le meurtre de Delbert Nez ?

Il changea de position sur sa chaise, étira ses jambes et réfléchit à la chose suivante : la remise en question de la réflexion qui l'avait mené en ce lieu. La question qui le gênait le plus n'était pas celle du mobile du meurtre. Le mobile, il le connaissait. C'était le whisky. *Todilhil*, tel était le nom que lui donnaient les Navajos. L'Eau des Ténèbres si l'on traduisait ce mot dans la langue des *biligaana*. Mais les Navajos parfois le prononçaient mal. *Todilhaal*, disaient-ils. Ce qui lui donnait la signification de "sucer dans les ténèbres" et leur permettait d'apprécier l'ironie désabusée de ce calembour. La sauvagerie que le whisky libérait anéantissait le besoin d'un mobile. Aucun policier navajo (aucun policier tout court) n'avait à réapprendre ce message. La mort dormait dans la bouteille, n'attendant que d'être libérée, et tous les policiers le savaient. La question qui tarabustait Chee était autre. Qu'est-ce qui avait poussé le vieil homme à traverser la moitié de l'Arizona et à pénétrer au Nouveau-Mexique jusqu'à un endroit désertique à côté d'une route perdue ? Il devait y avoir une raison à cela. Et comment avait-il bien pu faire pour s'y rendre ? Pinto enregistrait des bandes pour les érudits. Peut-être avait-il travaillé pour l'un d'entre eux ce jour-là. Peut-être qu'en vérifiant quels chercheurs moissonnaient la vaste mémoire d'Ashie Pinto cela lui fournirait une liste de noms. Des pistes. Peut-être qu'en écoutant les bandes magnétiques que ces moissonneurs de mémoire recueillaient, cela lui apprendrait ce qui avait attiré Pinto dans la région de Ship Rock. Mais peut-être pas. Quelle que soit la part de vérité présente dans cette idée, il avait maintenant la liste de ceux qui avaient fait ces bandes.

Il consulta son calepin.

Professeur Christopher Tagert, université du Nouveau-Mexique, département d'histoire.

Professeur Roger Davenport, université d'Utah, département d'anthropologie.

Professeur Louisa Bourebonette, université d'Arizona Nord, département d'études américaines.

Professeur Alfonso Villareal, université du Nouveau-Mexique, langages et linguistique.

Peut-être y en avait-il d'autres. Ces noms représentaient uniquement les bandes de souvenirs de Pinto qui étaient disponibles dans cette bibliothèque. Si d'autres existaient dans une bibliothèque quelconque, elles pouvaient être retrouvées, copiées et envoyées sur place. La femme très agréable qui tenait le bureau des Collections Spéciales l'en avait assuré. Il décida de ne pas prendre cette peine. La seule chose qui semblait, ne serait-ce que vaguement, prometteuse était l'une des bandes de Tagert. Dessus, Pinto se souvenait de ce que son grand-père lui avait raconté sur deux hommes blancs qui avaient été tués quelque part au sud de la San Juan et à l'est des Chuskas. Le contre-interrogatoire mené par Tagert s'était concentré sur l'endroit d'où étaient venus ces deux hommes, l'époque où ça s'était passé et le lieu où ils étaient morts. Les réponses de Pinto avaient paru vagues mais Tagert n'avait pas poussé plus avant.

Peut-être y avait-il une bande postérieure. Il allait chercher Tagert dans le répertoire de la faculté, l'appeler et lui poser la question.

Il rendit les bandes et le magnétophone au bureau de prêt.

– J'ai remarqué que vous n'aviez pas signé le registre, lui dit la préposée. Nous demandons aux gens de le faire.

Elle désigna du doigt le grand livre qui était ouvert sur la table à côté de la porte.

Chee inscrivit son nom et son adresse, laissa en blanc l'espace réservé au "département d'enseignement" et nota "enregistrements d'Ashie Pinto" à l'endroit intitulé "documents requis", puis écrivit la date et l'heure auxquels il les avait sortis puis rendus. Le nom sur la ligne précédente était John Todman. Chee remarqua que les vieilles photographies que Todman étudiait étaient mentionnées sous l'appellation "photographies du camp de mineurs de Golightly".

Qui d'autre, s'interrogea-t-il, pourrait s'intéresser aux vieux enregistrements d'Ashie Pinto ? Probablement personne. Il tourna la page, la parcourut du regard. Il en tourna une autre, puis une autre et encore une autre. Six pages avant, sur un feuillet où les premières dates correspondaient à la mi-juillet, il trouva l'inscription : "Enregistrements de la langue navajo. Pinto."

La personne qui avait signé pour les sortir était William Redd.

Chee fit la moue. Il tourna cette page aussi. William Redd avait également demandé les mêmes bandes le jour précédent, le jour d'avant et celui d'encore avant. Il coucha le nom et l'adresse dans son calepin et jeta un coup d'œil à sa montre.

Il était encore tôt. Il allait passer devant cette adresse et voir si une vieille Bronco II de couleur verte s'y trouverait garée avec des plaques d'immatriculation personnalisées REDDNEK.

8

Jim Chee à Albuquerque c'était Jim Chee séparé de son véhicule : un canard sorti de l'eau. Il avait laissé son pick-up truck la veille à l'aéroport de Farmington, avait pris le vol Mesa pour Albuquerque et emprunté un taxi pour aller à son motel. Ce matin, il avait à nouveau appelé un taxi pour se rendre au Centre de Soins de l'Université pour son rendez-vous au service des brûlures et traumatismes afférents. Son assurance médicale paierait pour tout cela. Mais les taxis coûtaient cher et, comme toutes les villes de l'Ouest une fois le Mississippi franchi, Albuquerque s'était agrandie en se basant sur la supposition suivante : tout être humain âgé de plus de quatorze ans se déplace d'un endroit à un autre en utilisant sa propre voiture. Il y avait quelques services de bus à condition de comprendre comment ils fonctionnaient. Chee n'y parvenait pas et il ne se sentait pas à son aise en taxi.

Pour l'heure il était à pied, à la bibliothèque de l'université, et il fit quelque chose qui était typique des habitants de l'ouest du pays. Il appela quelqu'un qu'il connaissait pour lui demander de le véhiculer.

– Je suis censée travailler en ce moment, protesta Janet Pete.

– Ça va être du travail. Prends-moi sur le parking qui est derrière la bibliothèque Zimmerman et nous progresserons sur cette histoire Ashie Pinto.

– Mais encore ? demanda-t-elle d'un ton soupçonneux.

– Tu te souviens avoir remarqué les plaques personnalisées REDDNEK sur la Bronco garée à côté de la coulée de lave ? Eh bien j'étais dans la salle des archives où j'écoutais les bandes enregistrées par Ashie Pinto et j'ai noté qu'un type nommé Redd les avait demandées. R-E-D-D. Comme sur la plaque. Il les a sorties trois jours de suite, environ une semaine avant le meurtre.

Au moment où il prononça ces mots, ils lui semblèrent d'une insignifiance monumentale. Il s'attendait à ce que Janet Pete dise quelque chose comme "Et alors ?" Mais au lieu de cela elle ne dit rien du tout.

– Alors ? demanda Chee. Est-ce un prétexte suffisant ?

– Tout de suite, ça m'est impossible, Jim. Je suis lancée dans quelque chose que je suis en train de terminer. Avec des gens qui attendent. Est-ce que je peux te prendre dans une heure ? Une heure et demie ?

– Ça ira.

Il avait répondu cela en essayant de réfréner sa mauvaise humeur et de se dire qu'elle faisait quelque chose d'important pendant que lui tuait le temps qu'il avait en trop, mais aussi en se demandant ce qu'elle pensait. Il ajouta :

– Je vais marcher jusqu'au centre culturel et boire un café.

Tout en traversant l'esplanade pavée de briques une autre idée lui vint. Puisqu'il ne pouvait pas aller voir du côté de Redd maintenant, il allait, pendant qu'il attendait, trouver le professeur Tagert et voir si celui-ci pouvait lui apprendre quelque chose.

Le département d'histoire avait changé d'emplacement depuis l'époque où lui-même était sur le campus. Il le trouva dans un beau bâtiment ancien qui, dans sa mémoire, abritait des chambres d'étudiants.

La femme qui se trouvait dans le bureau du département le regarda d'un œil curieux, remarquant d'abord le bandage de sa main puis son origine navajo.

– Le docteur Tagert ? fit-elle avec un petit rire.

Elle fouilla rapidement dans les papiers sur sa table et en ressortit ce qui ressemblait à une liste :

– Il a des heures de bureau cet après-midi. En ce moment d'ailleurs. Et son bureau est la salle 217.

Elle lui indiqua le couloir en riant à nouveau puis ajouta :

– Je vous souhaite bonne chance.

La porte de la 217 était ouverte.

Chee plongea le regard dans une pièce encombrée, éclairée par deux fenêtres poussiéreuses, divisée par deux longues tables de travail placées l'une contre l'autre en son centre. Il y avait des livres partout, débordant des meubles de rangement qui occupaient les murs, empilés sur des chaises, disséminés sur les tables où les piles s'étaient écroulées. Installée à la table la plus proche de Chee, le dos tourné, une femme tapait à la machine.

Il frappa à la porte.

– Il n'est toujours pas là, dit-elle sans se retourner pour le regarder. Nous n'avons pas de nouvelles de lui.

– Je cherche le professeur Tagert, insista Chee. Avez-vous une idée de l'endroit où je pourrais le trouver ?

– Aucune.

Elle se tourna, contempla Chee au-dessus de ses lunettes de lecture.

– Dans quelle classe êtes-vous ?

– Je suis policier, déclara-t-il.

Il sortit ses papiers officiels qu'il lui tendit. Pas la moindre importance si le FBI faisait des histoires parce qu'il avait mis son nez dans une de leurs affaires. De toute façon il allait démissionner.

Elle regarda ses papiers, puis lui, et sa main bandée. C'était une femme bien en chair qui approchait de la trentaine, estima-t-il, avec un visage arrondi et ouvert et des cheveux châtain coupés court.

– En service ?

Pas bête, pensa Chee.

– Plus ou moins. Je travaille sur une affaire à laquelle se trouve mêlé un homme avec qui le docteur Tagert a eu des relations de travail. Je voulais voir ce qu'il pouvait me dire sur cet individu.

– De qui s'agit-il ? demanda-t-elle avant de sourire et de hausser les épaules. Ça ne me regarde pas, peut-être.

Mais je suis l'assistante de Tagert chargée des travaux dirigés. Je pourrais peut-être vous aider.

– Où pourrait-il être, à cette heure de la journée ?

Elle rit.

– Pour ça, je ne peux pas vous aider. Il est censé être assis pas plus loin que là (elle pointa le doigt au-dessus du bureau), à faire ses heures de bureau. Et il était censé être là toute la semaine dernière et donner ses cours. Et la semaine d'avant pour être présent aux réunions de préparation du semestre universitaire. Personne ne sait où il peut bien se trouver.

Elle désigna du doigt, au-dessus de sa table, un tas d'enveloppes qui débordaient d'un panier à ossature métallique sur le bureau voisin du sien :

– Son courrier en attente, précisa-t-elle.

Chee regarda le tas. Beaucoup de courrier.

– Depuis quand ? Cela fait combien de temps qu'il est parti ?

– Je l'ai vu à la fin de la session d'été.

Elle rit à nouveau mais il n'y avait pas trace d'amusement dans son rire.

– Enfin, presque à la fin. D'habitude il se débrouille pour s'en aller légèrement en avance. Il m'a fait corriger ses copies à sa place et rendre ses notes. Il m'a dit qu'il fallait qu'il se secoue pour je ne sais quelle recherche.

Chee se sentit beaucoup plus intéressé.

– Je m'appelle Jim Chee, dit-il.

– Oh ! fit-elle. Moi, c'est Jean Jacobs.

Elle lui tendit la main.

Il la serra.

– Puis-je m'asseoir ?

Elle désigna une chaise d'un geste.

– Enlevez les livres.

Il s'assit.

– Alors personne ne sait où il est ? Et Mme Tagert ?

– Ils sont séparés. Je l'ai appelée quand le chef du département a commencé à s'agiter pour le retrouver. Elle a dit qu'elle n'en savait rien, qu'elle ne voulait pas le savoir, et que si je le trouvais, elle me priait de ne pas la tenir au courant.

– C'est étrange, commenta Chee.

– Pas vraiment, fit Jean Jacobs. Le docteur Tagert n'est pas quelqu'un avec qui il serait agréable de vivre. A dire vrai...

Elle laissa sa phrase en suspens, inachevée.

– Je voulais dire, étrange que personne ne sache où il est. On pourrait penser qu'il tiendrait le département au courant.

– Eh bien non. Pas si vous le connaissiez.

Chee se souvenait du temps où il était lui-même étudiant de premier cycle. En général, les choses étaient alors assez bien organisées, mais pas toujours. Et il lui avait semblé que le système de la liberté universitaire associée à la fonction de titulaire d'un poste faisait que les membres de l'université jouissaient d'une indépendance quasiment totale.

– Qu'est-ce que le président d'université fait contre ça ?

– Il est furieux. Il m'a fait démarrer le cours de Tagert sur l'Ouest par-delà le Mississippi. Et j'ai vu ses étudiants en séminaire de maîtrise juste pour leur dire, les pauvres, ce qu'il va attendre d'eux, pour leur donner la liste de lecture et tout ça. Ensuite le doyen a appelé et il voulait savoir quand Tagert allait revenir et ce qu'il fabriquait... comme si c'était de ma faute.

Le visage de Jean Jacobs exprima désillusion et colère à ce souvenir.

– J'espère que les Navajos l'ont chopé, ajouta-t-elle.

– C'est là qu'il allait ? Sur la réserve navajo ?

– Qui sait ? Qui en a quelque chose à fiche, d'ailleurs ? Mais c'est là qu'il travaillait.

– Vous savez sur quoi il travaillait ?

– Vaguement. C'était forcément une histoire de gendarmes et de voleurs. C'est son domaine. "La Loi et l'Ordre dans le Vieil Ouest." Il fait autorité sur ce point précis.

Elle se tut un instant, ajouta :

– Du moins c'est ce qu'il répète à tout le monde.

– Est-ce que vous savez s'il continuait à travailler avec un Navajo appelé Ashie Pinto ?

– Bien sûr. Pinto était l'un de ses informateurs cet été. Pour les histoires d'autrefois, tout ce genre de choses.

Ses yeux quittèrent la main de Chee pour son visage.

– Chee, dit-elle tandis que le souvenir se faisait jour en elle. C'est vous qui avez arrêté M. Pinto. Vous vous êtes brûlé en essayant de sortir l'autre policier de la voiture.

Il était clair que Jean Jacobs était impressionnée.

– Je suis en congé, précisa Chee en désignant sa main d'un air gêné. Mais j'essaye de découvrir ce que Pinto faisait là-bas. A l'endroit où le crime a été commis. Comment il y est allé. Etc... Et Pinto refuse d'en parler.

Jean Jacobs avait une autre question à poser.

– Pourquoi a-t-il tué ce policier ?

– Il avait bu.

Cela l'agaçait que ce mobile ne paraisse pas convaincant.

– Enormément bu.

Elle le regardait. En souriant. L'air approbateur.

– Je m'étais dit que le professeur Tagert pourrait peut-être m'apprendre quelque chose d'utile. Peut-être Pinto faisait-il quelque chose pour lui, travaillait-il avec lui sur quelque chose.

– Ça pourrait être noté dans son agenda. On regarde ?

L'agenda de bureau de Tagert était ouvert à la seconde semaine d'août. Les espaces réservés allant du lundi au jeudi étaient pour l'essentiel couverts de notations... le vendredi, le samedi et le dimanche suivant étaient vierges à l'exception d'une ligne tracée en travers et de la légende "A la chasse". Juste au-dessus de l'espace consacré au mercredi, les mots "passer prendre vieux schnoque" étaient inscrits d'une écriture nette et précise.

Chee les montra du doigt.

– Je ne sais pas de qui il s'agit, expliqua Jean Jacobs. Ce n'est pas parce que je l'apprécie que je suis son assistante. C'est lui qui est président de mon jury de thèse. J'essaye de décrocher un doctorat d'histoire. Je travaille sur les retombées du système des comptoirs d'échanges sur les tribus de l'Ouest. Cela s'inscrit dans le domaine du docteur Tagert, ce qui fait qu'il est le président de mon jury... que ça me plaise ou non.

– Il était ici quand j'étais étudiant. Ça me revient maintenant. Un de mes amis m'avait dit d'éviter le professeur Tagert.

– Bien vu. Excellent avis.

– Sauf pour aujourd'hui. On dirait qu'il avait organisé son temps pour passer prendre quelqu'un, peut-être M. Pinto, le jour qui a précédé celui où M. Pinto a tué un policier. Maintenant je pense que Tagert pourrait m'apprendre beaucoup de choses.

– Bon, fit-elle. J'aimerais pouvoir vous aider à le trouver.

Elle fouilla sans but particulier dans les papiers qui encombraient le bureau, comme si un indice concernant l'endroit où était Tagert pouvait se trouver parmi eux. Chee tourna les pages de l'agenda correspondant aux jours à venir. La page suivante était couverte d'inscriptions relatives à des réunions de jurys de thèse, des rendez-vous à déjeuner, des numéros à rappeler.

– On dirait qu'il avait l'intention de revenir avant le début des cours, commenta-t-il.

– Ça, je l'avais remarqué.

Il tourna les pages pour revenir en arrière, repassa en août, quittant la période correspondant à la mort de Nez pour remonter au jour où, parce que Chee n'avait pas fait son travail, Nez avait trouvé la mort. Cette page-là était blanche.

Jean Jacobs devait scruter son visage.

– Qu'est-ce qu'il y a ?

– Rien, répondit-il. Des souvenirs.

Il tourna les pages pour revenir à la date où Tagert avait laissé l'agenda ouvert puis revint d'une page encore pour s'arrêter à une semaine où Chee était un homme heureux. Cette semaine-là aussi était remplie de ces notes qui indiquaient l'activité de Tagert.

Parmi celles-ci, près du bas, dans l'espace réservé au vendredi, Tagert avait écrit : "Trouver ce que Redd veut". Ça, et un numéro de téléphone.

9

Redd décrocha le téléphone.

– Jim Chee ? dit-il. Chee. C'est vous le policier qui avez arrêté Grand-Père Pinto ?

– C'est cela, répondit Chee.

Il était surpris. Mais après tout, il en avait beaucoup été question dans les journaux. Et d'une manière ou d'une autre, Redd semblait jouer un rôle dans cette étrange affaire.

– C'est de cela que j'aimerais vous parler. De ce que vous savez sur Pinto.

– Pas grand-chose, on peut le dire. Mais allez-y, posez vos questions. Qu'est-ce que vous voulez savoir ?

– Que diriez-vous si je venais vous voir ? Je déteste parler au téléphone.

– Bien sûr, acquiesça Redd qui donna son adresse à Chee.

Janet Pete attendait sur le parking derrière la bibliothèque Zimmerman avec l'expression ennuyée et inquiète qu'ont les gens quand ils sont garés sur une zone de mise en fourrière immédiate.

– Tu es en retard, l'accueillit-elle. Tu avais dit une heure. Les flics m'ont déjà fait partir à deux reprises.

– C'est toi qui as fixé l'heure et tu avais dit une heure et demie à peu près. Selon l'heure* navajo, on a à peine dépassé cet "à peu près" dont tu as parlé.

Elle fit entendre un grognement.

109

– Monte, dit-elle. On peut dire que ta main abîmée te fait bénéficier d'un bon paquet de kilomètres.

L'adresse de Redd se trouvait dans le ghetto estudiantin d'Albuquerque : un quartier de petits pavillons de bois et de torchis rescapés des années quarante avec des cours envahies de mauvaises herbes et des clôtures affaissées. Le domicile de Redd se trouvait derrière l'un de ces pavillons dans ce qui avait été autrefois un garage pouvant abriter deux véhicules. La Bronco II rouillée aux plaques d'immatriculation REDDNEK stationnait à côté et Redd lui-même se tenait sur le seuil et les regardait lorsque Janet Pete vint se ranger.

C'était un grand gaillard aux épaules d'athlète, mais la première chose que Chee remarqua fut ses cheveux roux, sa moustache rousse et son long visage mince piqueté de taches de rousseur.

– *Yaa eh t'eeh*, fit-il en maîtrisant parfaitement les sonorités laryngées de la langue navajo.

Il tendit la main à Janet Pete :

– Odell Redd, se présenta-t-il, mais les gens m'appellent Odell. Et vous êtes ?

– Janet Pete, et voici Jim Chee.

Odell Redd adressait un large sourire à Chee.

– C'est la main que vous vous êtes brûlée. J'ai lu ça dans le journal. Mais entrez. Vous voulez boire quelque chose ?

L'intérieur de l'appartement de Redd était encombré d'objets mais bien rangé. Sauf pour les livres. La plupart d'entre eux concernaient la linguistique. Il y avait des dictionnaires partout, anglais et étrangers, allant du français au quechua. Un dictionnaire cherokee et, à côté de lui, la *Syntaxe tonale navajo*. Des livres empilés sur toutes les surfaces planes. Et même un dictionnaire sur la table abîmée, au centre de ce qui servait à la fois de chambre et de salon à Redd. Mais c'était un *Dictionnaire des timbres* incongru en ce lieu. D'autres livres qui encombraient le dessus de la table portaient sur les pièces de monnaie. Le *Dictionnaire encyclopédique de numis-*

matique Macmillan était ouvert, entouré de rangées de pièces alignées en bon ordre. D'autres pièces étaient entassées dans des boîtes à cigares.

– Prenez celui-là, là-bas, dit Redd à Janet en désignant un fauteuil rembourré dans un angle.

Le fardeau de livres qu'il avait précédemment accueilli était posé à côté de lui en une pile régulière sur le linoléum du plancher... enlevé, supposa Chee, dans le but de faire de la place pour sa venue. "Je vais dégager un endroit ici pour que M. Chee s'assoie."

Redd souleva un énorme dictionnaire espagnol-anglais et deux autres plus petits qui se trouvaient sur une chaise de cuisine, et écarta suffisamment de pièces pour leur faire un coin sur la table. Puis il s'assit lui-même, à l'envers, sur une chaise, s'appuyant sur son dossier en bois, regardant d'abord Janet Pete puis Chee.

– Est-ce que je ne vous ai pas vus tous les deux l'autre soir au sud de Shiprock ? Là-bas au sud de la Route 33 ?

– Effectivement, dit Chee.

– Une région intéressante, poursuivit Redd. Vous en savez probablement plus que moi là-dessus, étant Navajos. Tous ces reliefs dûs aux coulées de lave, ces jaillissements de roches et tout ça. Il est censé y avoir un endroit quelque part là-dedans où les sorciers se réunissent. Ils initient les gens pour qu'ils deviennent des porteurs-de-peau. Ce genre de choses.

– Vous avez une idée de ce que Pinto faisait là-bas ? demanda Janet.

Redd lui sourit.

– Je parierais que vous faites partie de sa famille, dit-il. Pinto, il est du Clan de la Boue. Vous êtes parents ?

– Je suis son avocate.

– Il ne veut pas vous le dire, alors ? Je veux parler de ce qu'il fabriquait là-bas cette nuit-là. Quand il a tué le policier.

Janet hésita. Elle jeta un regard à Chee, indécise.

Chee dit :

– Pinto refuse d'en parler.

– C'est plus ou moins l'impression que m'a donné le journal : l'article disait qu'il était soûl. Le double du seuil légal. Peut-être qu'il ne s'en souvient pas, tout simplement.

– Peut-être, acquiesça Chee. Avez-vous la moindre idée de la façon dont il a pu arriver là-bas ?

Redd repoussa cette question d'un geste de la tête.

– Mais ce vieil homme a bien dû y aller d'une façon ou d'une autre. Trois cents kilomètres, un peu plus ou un peu moins, c'est trop à parcourir à pied. Même pour un Navajo. On ne peut pas imaginer que quelqu'un se soit contenté de l'amener là-bas pour le laisser comme ça. Et si c'était ça, on pourrait imaginer que les flics auraient vu ce quelqu'un repartir.

– Personne n'a rien vu pour autant que nous le sachions, intervint Janet. Jim est arrivé sur place juste après l'événement et il n'a vu personne. Et M. Ji est passé par là pratiquement juste avant et il n'a vu personne non plus.

Redd paraissait désorienté.

– M. Gee ?

– M. Ji, répéta Janet. J-I, mais ça se prononce comme "Gee". C'est vietnamien. C'est un professeur de Shiprock.

– Oh, fit Redd. Enfin, le mieux que je puisse faire en ce qui concerne ce que Pinto faisait là-bas c'est d'essayer de deviner. Je crois qu'il travaillait pour le professeur Tagert.

Chee attendit qu'il développe un peu cette déclaration. Rien ne vint.

– Mais encore ? demanda-t-il avant de lever la main. Mais d'abord donnez-moi une réponse à cette autre question : qu'est-ce que vous faisiez là-bas quand vous nous avez vus, Janet et moi ?

Redd rit.

– Je donnais libre cours à ma curiosité. Je continuais à être persuadé qu'il allait y avoir d'autres précisions dans les journaux. Vous savez, quand la police aurait achevé

112

son enquête, pour expliquer ce qui pouvait bien se passer. Et il n'y avait rien. J'ai continué à y réfléchir et j'ai abouti à une théorie. Alors je suis allé regarder sur place et ça n'a rien donné.

– Quelle était cette théorie ?

– J'avais le sentiment que Pinto avait trouvé Butch Cassidy pour le compte de Tagert, dit-il.

Il leur sourit, attendant leur réaction.

Finalement, Janet dit :

– Butch Cassidy ?

Redd acquiesça de la tête.

– Que savez-vous sur l'histoire de l'Ouest ? interrogeat-il. Je veux dire, sur la politique universitaire en matière d'histoire de l'Ouest ?

– Je connais un petit peu l'histoire. La politique pas du tout, avoua Chee.

– Eh bien, pendant des années, le gourou en ce domaine a été Frederick Jackson Turner. Il est mort dans les années trente, je crois. Il enseignait à Harvard et, ça remonte bien à la fin du dix-neuvième siècle, il a dégagé une théorie selon laquelle la vaste frontière de l'Ouest qui était ouverte à tous offrait la terre, l'or, l'argent, les pâturages accessibles à qui pouvait les prendre...

Redd s'interrompit, l'expression légèrement confuse.

– ... les prendre aux Indiens, je veux dire... Enfin, il pensait que cela a rendu différents les immigrants européens pour donner un peuple d'un autre genre. Ça a fait que la démocratie a marché. Turner et ses disciples ont dominé l'histoire de l'Ouest au sein de l'université pendant toute la durée de ce siècle. L'homme anglo-saxon de race blanche était le héros, et on ne prêtait guère attention aux Espagnols, aux Français ou aux Indiens. Mais aujourd'hui il y a une nouvelle vague. Donald Worster de l'université du Kansas, Patricia Limerick de l'université du Colorado, Tagert ici, un type appelé Henderson à U.C. Berkeley, et quelques autres en sont les chefs de file. Disons, en tout cas, que Tagert aimerait être l'un d'eux.

Redd s'arrêta un moment, les regardant tour à tour.

– Cela demande un peu de temps pour expliquer tout ça.

– Nous ne sommes pas pressés, affirma Janet.

– Bon, si je comprends bien comment cette querelle intestine a commencé, le docteur Henderson en question a écrit un manuel et Tagert a fait un article qui en critiquait une partie, alors dans la revue trimestrielle *Western History*, Henderson s'en est pris violemment à un article que Tagert avait écrit sur le gang de Hole-in-the-Wall [1]. (Redd se tut à nouveau un instant.) J'aurais dû vous expliquer que Tagert et Henderson sont tous les deux spécialistes de la loi et de l'ordre (ou de l'absence de loi et d'ordre) sur la frontière. Pour en venir à l'essentiel, ils se détestent mutuellement. Et Tagert pense qu'il est sur la piste de quelque chose qui va démolir Henderson. C'est lié à quelque chose que Pinto lui a appris.

– Vous êtes l'un des étudiants de Tagert ? demanda Janet.

Chee sentit sa mâchoire se contracter. L'interruption coupait le fil de ce que Redd essayait de leur dire. Et, selon les critères de jugement des Navajos, une telle interruption était impolie. On laisse finir celui qui parle, après quoi on attend pour s'assurer qu'il a effectivement fini, avant de parler soi-même. Mais il était vrai que Janet Pete n'était Navajo que par la naissance et le sang. Elle n'avait pas été élevée sur la Réserve selon la Voie Navajo. Elle n'avait jamais eu de *kinaalda** pour célébrer sa puberté, n'avait jamais appris...

– Hors de question, répondit Redd. J'ai étudié ça à l'université du Texas à El Paso. Mais on ne peut pas gagner sa vie avec ça. Maintenant je travaille à un doctorat de linguistique. Il y a davantage de chances d'obtenir un poste

1. Hole-in-the-Wall : nom d'une localité située aux confins du Wyoming et de l'Utah où certains des membres de la future Horde sauvage (The Wild Bunch, 1894-1909) s'étaient réfugiés après divers vols de bétail en 1892.

d'enseignant et si on n'en obtient pas on peut devenir traducteur. Beaucoup de gens réclament des traducteurs. Les compagnies pétrolières. Les services import-export. Les cabinets juridiques. Beaucoup de débouchés.

– Mais vous en savez beaucoup sur l'histoire, et sur Tagert, insista Janet.

– J'en sais beaucoup sur Tagert. Je suis très ami avec une personne qui travaille pour lui.

– Jean Jacobs ? s'enquit Janet Pete. Jim m'a dit qu'il l'a rencontrée aujourd'hui dans le bureau de Tagert. Elle l'a beaucoup aidé.

– C'est une fille sympa, dit Redd avec une expression signifiant qu'il le pensait. Nous nous connaissons depuis très longtemps.

Chee s'aperçut qu'il était en proie à l'impatience... un sentiment rare chez lui. Il regrettait d'avoir amené Janet. Il voulait pousser plus avant.

– Est-ce que vous en savez assez sur Tagert pour avoir une idée de l'endroit où il pourrait être ?

Il se rendit compte que le ton qu'il avait employé était malvenu. Redd s'en aperçut aussi. De même que Janet Pete.

– Non, dit Redd. Aucune idée, vraiment.

Il se leva, fit pivoter sa chaise et se rassit.

L'entretien avait pris une tournure formelle. Ah, zut, pensa Chee, j'ai fait une connerie. Il sentit les yeux de Janet Pete fixés sur lui. C'était le moment de sortir un lapin de son chapeau. Mais il n'avait pas de lapin à sortir. Il était écœuré par sa propre attitude.

– Vous avez dit que vous nous aviez vus près de l'endroit où Pinto a tué Delbert Nez. Vous nous avez dit que vous vérifiez une théorie.

– Simple curiosité. Je connais un peu M. Pinto. Je me suis demandé ce qu'il pouvait bien faire là-bas.

– Vous aviez commencé à nous dire que Pinto travaillait pour le docteur Tagert. A nous dire ce qu'il faisait. Il était question de l'histoire de l'Ouest, d'un professeur du nom de Henderson et...

– Oh ! Ouais. Je me suis laissé entraîner loin de là où je voulais en venir. Bon, ce Henderson sort un nouveau livre sur le banditisme, les gangs organisés, tout ça, mais c'est avant tout sur l'agence Pinkerton.

Redd se tut un instant, les regarda :

– Vous avez entendu parler des Pinkerton ?

Chee fit oui de la tête.

– Eh bien, ils sont censés avoir traqué Butch Cassidy et lui avoir fait quitter le pays. Vers 1901. Il serait descendu vers l'Argentine puis serait passé en Bolivie. Eh bien, Henderson s'y est rendu et il a fouillé dans les archives de La Paz, les vieux registres militaires, et il a déterminé d'après les rapports officiels tous les détails de la manière dont cette patrouille de soldats à cheval les a coincés tous les deux dans un village et les a abattus. Rien de bien nouveau là-dedans, à part les détails. Le problème c'est que Tagert ne croit pas que ça se soit déroulé de cette manière.

Il s'interrompit, attendant une réaction. Au bout d'une seconde ou deux il en eut une.

– C'est comme ça que ça se passait dans le film, fit Janet.

Redd parut surpris.

– Quel film ?

– *Butch Cassidy et le Kid*, je crois que ça s'appelait. Robert Redford et je ne sais plus qui. Et l'armée bolivienne les tue. (Janet frémit.) Elle les taille en pièces à coups de fusils. Horrible.

Ce n'était pas la réaction à laquelle Redd s'était attendu, mais il poursuivit. Chee se dit avec amertume qu'il se repaissait de cette attention mais sa mauvaise humeur l'écœura aussitôt. Redd pouvait difficilement se montrer plus coopératif. On aurait dit l'un de ces étudiants en licence à vie qui demeurent aux franges de toute université... mais c'était quelqu'un de bien.

Il leur racontait que Tagert ne croyait pas que Cassidy avait été tué en Bolivie. Tagert croyait une partie du récit que faisaient les proches de Cassidy. La famille prétendait qu'il s'était réintroduit aux États-Unis en 1909, qu'il avait acheté une ferme sous un nom d'emprunt, qu'il avait vécu sa vie en bon citoyen respectueux des lois et qu'il était finalement mort vieux, très vieux aux alentours de 1932. Tagert y croyait en partie. Mais il ne croyait pas à ce qui concernait le côté respectueux des lois.

– Il y a une dizaine d'années, poursuivit Redd, il a publié un article dans les *Western Archives* qui établissait un lien entre Cassidy et un vol de banque commis en Utah en 1909. Dans les vieilles universités d'histoire poussiéreuses cela a déclenché une controverse et Henderson l'a descendu en flammes. Il avait découvert que Tagert s'était basé sur un témoignage enregistré lors d'un lointain procès et qui avait depuis été jugé mensonger. Cela a rendu Tagert fou furieux. Et ce nouveau livre... (Redd eut un large sourire.) Jean m'a dit que Tagert était absolument livide. Dans une rage folle. Qu'il trépignait d'un bout à l'autre de la pièce, piquant une véritable crise.

Il rit, secoua la tête, savourant ce souvenir.

– J'ai l'impression que Jean Jacobs n'apprécie pas beaucoup le professeur, avança Janet Pete.

La joie de Redd disparut.

– Est-ce qu'une esclave vénère son maître ? Nous ne sommes pas autre chose. Lincoln n'a pas mentionné les étudiants détenteurs d'une licence dans sa proclamation d'affranchissement. Nous sommes l'ultime vestige du labeur synallagmatique au sein de la Grande République. Nous faisons la recherche de notre maître à sa place, faute de quoi notre thèse ne reçoit pas son approbation. Moyennant quoi on n'a pas droit à la carte de membre du club.

Chee avala sa salive. Quel rapport y avait-il entre cette histoire de Cassidy et Ashie Pinto ? Comment était-ce possible ? Mais il n'allait pas une nouvelle fois montrer son impatience. Il allait se comporter en Navajo. Il allait résister et attendre.

– Je me souviens de comment c'était à la fac de droit, dit Janet. Ceux qui travaillaient pour payer leurs études.

– En tout cas, reprit Redd, le vieux Tagert a déniché un vieux compte rendu de journal relatant un vol de train en Utah. Je crois qu'il s'agissait du journal de Blanding. Trois hommes, dont l'un avait été tué tandis que les deux autres avaient pris la fuite. Et certains des gens qui se trouvaient dans le train avaient déclaré que l'un des bandits était Cassidy. Il avait trouvé un compte rendu postérieur disant que les deux *bandidos* avaient été vus à Cortez, qu'ils s'étaient à nouveau échappés, et que la patrouille lancée à leur poursuite les avait suivis vers le sud avant de perdre leur trace au sud-ouest de Sleeping Ute Mountain. Là encore, l'un des policiers avait déclaré que le bandit aux cheveux blonds était Butch Cassidy. Il avait déclaré qu'il le connaissait depuis l'époque lointaine où Cassidy faisait partie du gang de Hole-in-the-Wall.

Redd se tut. Secoua la tête. Reprit :

– Une preuve plutôt mince, mais c'était tout ce que Tagert avait et il s'en est servi dans son article en même temps qu'il s'est servi de ce qu'avaient dit les membres de la famille de Cassidy et, comme je l'ai dit, il s'est fait descendre en flammes par les trucs boliviens de Henderson.

Il secoua à nouveau la tête avec une grimace ironique et désabusée.

Ayant été élevé chez les Navajos, Chee comprenait comment la nature humaine pouvait jouer sur le comportement de ceux qui relatent des histoires et la façon dont ils manipulent leur auditoire. Maintenant, enfin, Redd allait leur dire quelque chose de pertinent :

– Il n'avait que ça.

Il regarda Chee. L'effet dramatique.

– Et, acheva-t-il, c'est à ce moment-là qu'Ashie Pinto a retrouvé la trace de Butch Cassidy sur la Grande Réserve.

10

Joe Leaphorn, qui avait le sens pratique, régla ce problème par téléphone. Les renseignements lui donnèrent le numéro personnel du professeur Tagert à Albuquerque. Personne ne répondit. Il appela le standard de l'université pour avoir le numéro du bureau de Tagert. Là, une femme lui répondit. Elle lui dit qu'elle s'appelait Jean Jacobs et était chargée de cours pour Tagert. Par elle, il apprit deux faits intéressants.

D'abord, Tagert avait deux semaines de retard pour la reprise de ses tâches universitaires et, si Jean Jacobs savait de quoi elle parlait, personne ne semblait savoir où il pouvait bien se trouver.

Ensuite, le policier qui avait procédé à l'arrestation dans l'affaire Pinto, Jim Chee, qui n'était pas en service mais en congé de convalescence, agissait ainsi qu'il le faisait beaucoup trop souvent, bien en marge des voies de la légalité. Il s'était présenté au bureau du professeur pour poser des questions. Comment Chee avait-il pu faire pour apprendre l'existence de Tagert ?

Avec ces pensées en tête, Leaphorn se surprit à transgresser l'une de ses propres règles de conduite. Il laissait son esprit osciller entre deux problèmes (Tagert et Chee) et par conséquent ne progressait ni par rapport à l'un ni par rapport à l'autre. Chee pouvait attendre. Il lui fallait d'abord voir s'il parvenait à insérer dans ce puzzle l'absence de Tagert à ses cours de l'université.

Il fit pivoter son fauteuil pour se retrouver face à la carte qui dominait le mur derrière sa table de travail. C'était un agrandissement de la carte représentant le "Pays Indien" éditée par l'Automobile Club de Californie du Sud. Des exemplaires de taille plus réduite étaient utilisés dans toute la région des Four* Corners en raison de ses détails et de sa précision. Leaphorn avait engagé un photographe afin qu'il en effectue une copie et lui en fournisse un exemplaire de format double sur papier mat. Emma la lui avait collée sur un tableau de liège. Depuis des années, il la piquetait d'aiguilles de couleur répondant à un code, l'utilisant, disait-il, pour soutenir sa mémoire. En réalité, sa mémoire était remarquable et n'avait nul besoin de soutien. Il utilisait la carte dans sa recherche jamais interrompue de schémas directeurs, d'enchaînements, d'ordre... de quelque chose qui apporterait un sentiment de *hohzho** navajo au chaos que représentaient le crime et la violence. De son bureau il sortit une boîte contenant des épingles, de ce genre que fournissent les fabricants de cartes. Il en sélectionna trois qui étaient pourvues de larges têtes jaunes, le jaune étant le code qu'il associait aux problèmes n'ayant d'autre priorité que leur curiosité propre. Il en planta une dans la carte entre Bekahatso Wash et la montagne Yon Dot, à peu près à l'endroit où se dressait le hogan d'Ashie Pinto. Il en mit une autre entre le comptoir d'échanges de Birdsprings et Jadito Wash. C'était là que Nez avait vécu. Il plaça la troisième au sud de la Route Navajo 33 sur une ligne située entre Shiprock et Beautiful Mountain, le lieu où Ashie Pinto avait tiré sur Delbert Nez. Puis il s'appuya à son dossier et contempla son travail.

Le triangle formé par les épingles était immense. Il mettait en valeur deux points dans l'esprit de Leaphorn. La maison de Nez était à près de deux cent cinquante kilomètres au sud de chez Pinto, dans une partie de la Réserve où les relations aussi bien avec les Hopis qu'avec le monde agité des *biligaana* étaient faciles, voire inévitables. Pinto vivait dans un monde différent de culture navajo traditionnelle pure. Tout les séparait. La distance. L'âge. La culture. Et pourtant ils s'étaient retrouvés sous le signe de la violence à la pointe du triangle, à trois cent vingt kilomètres de leurs lieux d'habitation respectifs. Le devoir avait conduit Nez à ce rendez-vous. Mais qu'est-ce qui y avait conduit Pinto ?

C'était là le point numéro deux. Les épingles indiquaient clairement qu'il était fort improbable qu'il s'y fût trouvé par hasard. On ne pouvait pas aller de l'épingle A située au hogan de Pinto à l'épingle C à côté de la Route Navajo 33 sans changer de routes une demi-douzaine de fois. Pinto ne pouvait pas s'être trouvé à passer par là en se rendant ailleurs. Il y était allé dans un but précis. Et le raisonnement de Leaphorn lui disait que ce but devait être lié à ce qui l'avait poussé à tuer Delbert Nez.

Mais trois épingles n'étaient pas suffisantes pour lui apprendre quoi que ce soit. Et c'est pourquoi, étant ce qu'il était, il étudia la carte pour voir si elles pouvaient s'inscrire dans un autre schéma.

Il ne remarqua qu'une seule chose qui l'intéressât. Même s'il rejetait les croyances traditionnelles navajo en la sorcellerie et s'il les haïssait, elles s'inscrivaient dans son travail. La croyance aux sorciers ainsi que la peur qu'ils inspiraient était à l'origine de bien des conflits, de bien des tragédies qui l'occupaient en tant que policier.

L'épingle C, plantée là où Delbert Nez était mort, était très proche d'un jaillissement volcanique déchiqueté, dépourvu de nom sur la carte, mais que les familles locales appelaient Tse A'Digash. Le Rocher de la Sorcellerie. Autour de cette longue crête irrégulière se concentrait une éruption de taches rouges constituée d'épingles affublées de la lettre a. Ce "a" représentait A'Digash. La sorcellerie. Chacune d'elles, au cours du quart de siècle où elles s'étaient accumulées, signalait des troubles, agressions, menaces ou infractions d'un genre ou d'un autre dans lesquels la peur des soi-disant porteurs-de-peau avait joué un rôle.

Les yeux de Leaphorn étaient fixés sur la carte mais il voyait Tse A'Digash dans sa mémoire, un affreux relief noir constitué de lave recouverte de vieux lichens, qui avait cinq ou six kilomètres de long et se trouvait au sud de la Route 33. Maintenant une épingle jaune ressortait dans l'amas d'épingles rouges. Une coïncidence ? Peut-être. Leaphorn avait appris à faire preuve de scepticisme à l'égard des coïncidences. Peut-être cette épingle devrait-elle, elle aussi, être rouge avec un "a" en son centre.

En fait, c'était de manière générale que Leaphorn avait appris à faire preuve de scepticisme. Il sortit une nouvelle épingle jaune du tiroir de son bureau et l'enfonça juste au sud de Flagstaff. Le professeur Bourebonette lui avait dit qu'elle habitait au sud de la ville. Ses motivations, affirmait-elle, n'étaient dictées que par l'amitié. Il n'avait absolument aucun moyen d'évaluer de quelle manière exacte elle s'inscrivait dans tout cela.

Puis il s'empara du téléphone, composa le numéro du bureau des archives, en bas, et demanda le dossier relatif à l'homicide de Delbert Nez.

Pendant qu'il l'attendait, il tripota les brochures sur la Chine que l'agence de voyages Bolack Travel lui avait envoyées. L'une d'elle concernait un circuit du pays, parrainé par l'Audubon Society [1], qui s'organiserait autour de visites de refuges d'oiseaux. Il en relut plusieurs passages. Emma avait été une ornithologue amateur qui garnissait régulièrement trois mangeoires dans leur cour de derrière. Les autres participants au voyage seraient probablement des gens intéressants. Mais il n'aurait aucun sujet de conversation à aborder avec eux. Rien en commun. Un autre circuit concernait seulement la visite des villes. Cela le laissait froid. La meilleure solution pour lui semblait d'y partir seul. Il verrait s'il restait encore l'un de ses professeurs d'autrefois à la faculté d'anthropologie d'Arizona State. Sinon, peut-être quelqu'un d'autre l'aiderait-il là-bas. Il expliquerait qu'il était un ancien étudiant qui avait dans sa poche, depuis cette époque lointaine, leur diplôme de docteur ès sciences en anthropologie, et qu'il voulait se rendre en Asie pour voir s'il pouvait trouver les racines de ses origines athabascan*. Cela faisait des années qu'il voulait le faire, depuis le jour où il avait pris conscience, alors qu'il était étudiant en anthropologie, que ses ascendants étaient probablement venus de Mongolie. Cela s'était effacé dans son

1. John James Audubon (1785-1851) a décrit et peint la faune et la flore d'Amérique du Nord.

subconscient après sa rencontre avec Emma. Emma n'était pas une voyageuse. Trois jours à Albuquerque entraînaient chez elle un vague malaise, un profond désir d'être de retour dans sa maison. Trois jours à New York la rendaient malheureuse. Elle serait partie avec lui sans un murmure de protestation. Mais il aurait été cruel de l'emmener.

Quand le dossier Nez arriva, il étudiait une photographie représentant une rue de Shangai et se représentait au cœur de ce fourmillement désordonné de bicyclettes. Il en était déprimé.

Il passa presque une heure à relire les documents et à reporter des aide-mémoire dans le calepin plat qu'il portait toujours dans sa poche d'uniforme.

Chee croise une voiture. Celle du professeur ? Qu'a-t-il vu ?

Du whisky cher ? Cher comment ? Acheté où ?

Pistolet. Où l'a-t-il eu ?

Deux billets de cinquante dollars ? McGinnis disait qu'il était raide.

Pinto avait-il sa *jish* sur lui ? Où est-elle ?

Puis il appela le bureau du FBI à Gallup, obtint Jay Kennedy et l'invita à déjeuner.

– Qu'est-ce que vous voulez, cette fois ? lui demanda Kennedy.

– Minute. Souvenez-vous. La dernière fois que quelqu'un a voulu quelque chose, c'était vous. Vous vouliez que j'aille sur le lieu d'un crime pour découvrir des traces.

– Que vous n'avez pas trouvées, ajouta Kennedy.

– Parce qu'il n'y en avait pas. Qui plus est, c'est moi qui paye.

– Il va falloir que j'annule quelque chose. C'est important ?

Leaphorn réfléchit. Puis réfléchit à nouveau.

– Alors ?

– Non, dit-il.

Il réfléchit encore :

– Probablement pas.

Il entendit Kennedy pousser un soupir.

– Alors de quoi parlons-nous ? Juste au cas où j'aurais besoin de vérifier quelque chose. Ou de fouiller dans quelque chose de si confidentiel que ça pourrait me coûter mon travail.

– Delbert Nez.

– Oh, merde. Evidemment.

– Comment ça ?

– Du travail salopé. Encore plus que d'habitude.

Ils se retrouvèrent à l'International Pancake House sur la vieille US 66 et restèrent assis un moment à boire leur café. Le soleil d'automne chauffait les épaules de Leaphorn à travers sa veste d'uniforme, et la circulation défilait sur l'Interstate 40. Il remarqua à quel point Kennedy était devenu grisonnant, à quel point (ce qui était ô combien atypique pour un agent du FBI et le Kennedy qu'il connaissait) il avait besoin d'une coupe de cheveux. Deux vieux flics, se dit Leaphorn. Deux vieux chiens qui commencent à se lasser de veiller sur les moutons. Deux vieux amis. Il y en a si peu. Le FBI serait heureux de dire adieu à Kennedy... lui qui avait été exilé ici des années auparavant pour avoir transgressé l'interdiction imposée par le vieux J. Edgar Hoover [1] contre la mauvaise publicité, le libéralisme ou tout type de réflexion innovatrice. La réalité c'était que l'ex-femme de Kennedy avait tenu un rôle actif dans l'American Civil Liberties Union [2]. Elle l'avait quitté pour épouser un agent immobilier mais la tare était restée.

---

1. John Edgar Hoover, né en 1895, a dirigé le FBI de 1924 jusqu'à sa mort, en 1972.
2. Le Mouvement de Défense des Libertés Civiles en Amérique : organisation qui lutte contre toutes les menaces portant atteinte à la liberté individuelle ou d'association, son libéralisme exacerbé n'allant pas sans certaines perversions.

Au demeurant, Leaphorn soupçonnait que dans la hiérarchie qui était la sienne au sein de la Police Tribale Navajo il y en avait qui seraient heureux de fêter sa propre retraite. Il ne les ferait plus attendre bien longtemps.

Kennedy venait de disserter sur l'une de ces interminables luttes du genre ôte-toi-de-là-que-je-m'y-mette entre agences, en l'occurrence une tentative menée par le Bureau de l'Exploitation des Terres, le Service des Forêts et le Bureau des Affaires Indiennes d'une part, "Le Bureau" de l'autre, pour se rejeter mutuellement la responsabilité de la protection des ruines anasazi* en accord avec la Loi sur la Préservation des Monuments Anciens. Leaphorn en avait déjà beaucoup entendu parler.

Kennedy cessa de discourir :

– Je n'ai pas toute votre attention, constata-t-il.

– Vous êtes déjà allé en Chine ?

Kennedy rit.

– Pas encore, dit-il. Si le Bureau ouvre une agence là-bas... disons dans le nord de la Mandchourie... c'est moi qui décrocherai le poste.

– Vous croyez que vous aimeriez y aller ?

Kennedy rit à nouveau.

– C'est sur ma liste de vœux, dit-il. Juste après l'Angola, l'Antarctique, le Bangla Desh, Lubbock, dans le Texas, et l'outback australien. Pourquoi ? Vous prévoyez d'y aller ?

– Je suppose que non. J'en ai toujours eu plus ou moins envie. Je voulais faire un tour dans les régions des steppes. La Mongolie-Extérieure. La partie du monde d'où on pense que les Athabascans sont originaires.

– Moi, à une époque, je voulais retourner en Irlande. C'est de là que mon arrière-grand-père venait. L'idée s'en est allée avec l'âge.

– Ouais, fit Leaphorn. Est-ce que vous savez si quelqu'un a fait une recherche sur ce pistolet dont Pinto s'est servi ?

125

– Quelqu'un l'a fait. C'était une arme courante, mais je ne me souviens plus de la marque. Fabriqué aux États-Unis, je crois bien, et un modèle qui coûte cher. Il avait été utilisé peu de temps auparavant. La balle retrouvée dans le corps de Nez en provenait. Une vérification faite sur les mains de Pinto a montré qu'il avait utilisé une arme à feu peu de temps auparavant.

– Quelle en était la provenance ?

– Aucune idée. Le vieil homme ne veut pas le dire. Totalement muré dans le silence d'après ce qu'on m'a dit. Je suppose qu'il l'a acheté chez un prêteur sur gages quelconque.

– Je ne crois pas, dit Leaphorn.

Kennedy le fixa du regard, narquois.

– Vous posez des questions à droite et à gauche, dit-il. Il y a une raison particulière ?

Leaphorn fit la grimace.

– Il se trouve qu'Ashie Pinto est un peu un parent éloigné, nous sommes liés par des relations claniques. Par l'intermédiaire du clan d'Emma.

– Vous le connaissez ?

– Jamais entendu parler de lui.

– Mais vous vous êtes fait embringuer là-dedans.

– Exactement. Je ne crois pas qu'il ait acheté le pistolet, parce qu'il était fauché. Il n'avait même pas assez d'argent pour se nourrir. Qu'est-ce que vous savez sur ces deux billets de cinquante qu'il avait en sa possession ?

– Rien.

– Où a-t-il mis la main dessus ?

– Aucune idée, répondit Kennedy qui paraissait irrité. Comment pourrait-on savoir quelque chose comme ça ?

– Quelqu'un s'est-il livré à une recherche sur le conducteur de la voiture que Chee a vue en allant vers le feu ?

Kennedy secoua la tête.

– Je vous ai dit que c'était du travail bâclé. Mais Bon Dieu, Joe, pourquoi iraient-ils vérifier ça ? Regardez ce qu'on avait. Pas un mystère insondable. Un ivrogne se fait arrêter et tue le policier. Il ne le nie même pas. Est-ce qu'il y a là sujet à enquête ? Je sais que vous pensez que nous passons beaucoup de temps à nous tourner les pouces, mais nous avons quand même des choses à faire.

– Est-ce que Pinto avait sa *jish* avec lui ? Vous savez ce que c'est ?

– Sa *jish* ? fit Kennedy. Sa bourse à médecine ? Je ne sais pas.

– Il était shaman. Homme-qui-lit-dans-le-cristal. S'il était sur un travail, il avait ses cristaux avec lui, et sa *jish*.

– Je vais m'en assurer. Probablement qu'il ne travaillait pas. Qu'il l'a laissée chez lui.

– Nous ne l'avons pas trouvée chez lui.

Kennedy le regarda :

– Vous êtes allé jusque là-bas, alors.

La serveuse leur apporta leurs gaufres dont l'odeur était appétissante. Leaphorn ajouta du beurre, versa du sirop. Il avait faim et cela ne lui était guère arrivé ces derniers temps. Cette affaire Ashie Pinto devait être une bonne chose pour lui.

Kennedy avait à peine regardé sa gaufre. Il avait toujours les yeux posés sur Leaphorn.

– Nous ? reprit-il. Vous êtes allés fouiller le hogan de Pinto ? Qui ça, nous ?

– La nièce de Pinto. Et une femme qui s'appelle Bourebonette. Elle est professeur à l'université d'Arizona Nord. Vous avez découvert quelque chose sur elle, vous autres ?

– Sur Bourebonette ? Non. Pourquoi on ferait ça ? Quel rôle elle viendrait jouer là-dedans ?

– C'est bien ce qui m'intrigue, dit Leaphorn. Elle dit que Pinto était l'une de ses sources pour les mythes, les légendes et compagnie. C'est son domaine. La mythologie. Elle dit qu'elle est mêlée à tout ça parce qu'il est son ami. Un point c'est tout.

Kennedy le dévisagea.

– A vous entendre, vous éprouvez des difficultés à le croire.

Leaphorn haussa les épaules.

– Un professeur d'université, courtoise et raffinée. Un vieux Navajo illettré. Et elle se donne un mal du tonnerre.

– Vous devenez de pire en pire avec l'âge. Emma arrivait à vous rendre un peu plus humain. (Il tartina sa gaufre de beurre.) Bon, d'accord. Quelles sont les motivations de cette femme à votre avis ?

Leaphorn haussa à nouveau les épaules.

– Peut-être qu'elle travaille sur un livre. Qu'il faut qu'elle tire davantage de choses de lui pour le terminer.

– Elle pourrait aller le voir en prison. Ils ne vont pas mettre quelqu'un comme lui au secret. Même s'il a tué un policier.

– Alors je ne sais pas. Qu'en pensez-vous ?

– Pourquoi ne pas se dire qu'elle est toquée ? Qu'elle aime bien ce vieux saligaud. Qu'elle fait ça pour des raisons humanitaires. Vous avez vraiment fait toute la route pour aller jusque là-bas, et fouillé le hogan du vieux ?

– Je ne l'ai pas fouillé. Pas de mandat.

– Vous prenez ça très au sérieux, pas vrai ? Vous pensez qu'il y a plus là-dessous qu'un truc tout simple du genre, Pinto était ivre et il a tué votre collègue ?

– Non, répondit Leaphorn. Simple curiosité.

La gaufre était délicieuse. Il mâcha sa seconde bouchée, l'avala, but son café puis dit :

– Est-ce que vous l'avez trouvée, cette voiture que Chee a vue ? La vieille Jeepster blanche ?

– On a pas déjà parlé de ça ? Vous m'avez demandé pour le conducteur.

– Et j'ai remarqué la manière dont vous vous y êtes pris pour ne pas me répondre vraiment. Vous avez plus ou moins hoché la tête et vous avez dit que c'était du travail bâclé et après vous m'avez fait votre petit sermon style, pourquoi perdre son temps sur une affaire réglée d'avance. (Leaphorn lui souriait.) Quand le Bureau se débarrassera de vous, j'espère que vous ne choisirez pas le poker comme profession.

Kennedy fit la grimace. Il mastiqua un moment.

– Il vous a fallu plus longtemps que je ne m'y attendais pour y arriver, reconnut-il. Mais vous y arrivez immanquablement. En plein à l'endroit sensible.

– Sensible ?

– Qu'est-ce que vous savez sur la voiture ?

– Rien, avoua Leaphorn. Juste ce qui se trouvait dans le rapport. Chee a vu une vieille Jeepster blanche qui venait de la direction du crime et qui a tourné sur une route de gravier en direction de Shiprock. Il a pensé qu'elle appartenait à un Oriental qui enseigne à l'école secondaire. Il n'y avait rien dans le rapport concernant une vérification sur cette voiture.

– Ils l'ont trouvée, dit Kennedy en posant le regard sur Leaphorn. C'est l'un de ces trucs du genre "impossible de me rappeler où j'ai entendu ça".

– Bien sûr, affirma Leaphorn.

– La voiture appartenait à un homme qui s'appelle Huan Ji. Il enseigne les maths à l'école secondaire de Shiprock. Cela fait juste quatre ans qu'il y est. En aucun cas il ne peut s'être trouvé mêlé à ce crime. Il ne pouvait connaître ni Pinto, ni Nez.

Leaphorn attendit la suite. Kennedy finit d'avaler son café, adressa un signe à la jolie Zuni qui était leur serveuse.

– Prêt pour le second, fit-il en montrant sa tasse.

Il avait dit tout ce qu'il acceptait de dire sur Juan Gee et la voiture. Pourquoi ?

– Qu'est-ce que ce Gee fabriquait par là-bas sous la pluie ? insista Leaphorn. Qu'a-t-il vu ? Que vous a-t-il dit ?

Kennedy fit la grimace et fixa Leaphorn par-dessus sa tasse de café.

– Vous vous souvenez de l'affaire Howard à Santa Fe. L'agent de la CIA défroqué qui travaillait pour l'État du Nouveau-Mexique, quand la CIA a cru qu'il avait vendu ce qu'il savait aux Russes et que nous l'avons fait surveiller sans interruption jusqu'à ce que quelqu'un puisse enfin trouver le moyen de le faire inculper. Vous vous en souvenez.

— Je m'en souviens, répondit Leaphorn avec un grand sourire. Ce dont je me souviens le mieux, c'est la façon dont il vous a glissé entre les doigts. En faisant conduire sa voiture par sa femme.

Kennedy sourit, lui aussi, encore plus largement que Leaphorn.

— La situation embarrassante au carré. La situation embarrassante à la puissance trois.

Le sourire se mua en un ricanement.

— Pouvez-vous vous imaginer l'atmosphère qui régnait dans le bureau d'Albuquerque quand les gros pontes ont découvert que Howard était en sécurité derrière le Rideau de Fer ? Ça a bardé dans tous les coins. Il y en a qui ont piqué leur crise. Et il y a eu des rapports rédigés avec beaucoup de précautions qui ont été envoyés pour expliquer pourquoi il n'était pas venu à l'idée du Bureau que Howard puisse faire conduire sa voiture par sa femme pour prendre la fuite.

— J'imagine que ceux de la CIA ont dû insister lourdement.

— Je crois que vous pouvez en être assuré, renchérit Kennedy.

— Est-ce que je peux être assuré que tout cela a une incidence sur la raison pour laquelle personne n'a parlé avec ce Juan Gee ?

— Absolument. Il semble que le Bureau ait eu connaissance du fait qu'il était un ami de l'Agence. Huan Ji était colonel dans l'armée sud-vietnamienne. Il faisait partie des services secrets et travaillait pour Washington en même temps que pour Saïgon. Nous avons la vague impression, basée sur des bruits de couloir, qu'il faisait partie des durs, qu'il jouait un rôle dans ce genre de trucs sur lesquels circulaient des histoires épouvantables.

– Comme de pousser un Viet-cong d'un hélicoptère en vol pour que celui qu'on ne poussait pas accepte de parler ?

– Je ne sais pas. C'étaient juste des bruits qui couraient. Mais en tout état de cause c'était pour ainsi dire un client de la CIA et par conséquent, quand ça a été le début de la fin là-bas en 1975 et que le gouvernement de Saigon est tombé, ils l'ont évacué et l'ont aidé à prendre un nouveau départ aux États-Unis.

– Un Vietnamien qui s'appelle Juan ? interrogea Leaphorn.

– C'est H-U-A-N et J-I. Ça se prononce comme "Gee".

– Alors pourquoi le FBI ne l'a-t-il pas interrogé ? voulut savoir Leaphorn en se disant qu'il connaissait déjà la réponse.

Kennedy semblait légèrement sur la défensive.

– Pourquoi l'interroger ? L'affaire était totalement bouclée. L'arrestation avait été opérée. Nous avions le pistolet tout fumant. Aucun mystère. Rien à résoudre. Nous n'avions pas véritablement besoin d'un autre témoin.

Il se tut.

– Et le fait d'aller embêter ce type aurait déplu à la CIA. Ça l'aurait peut-être fichue en rogne alors qu'elle nous tourne déjà en ridicule pour avoir laissé Howard s'en aller tranquillement.

– C'est à peu près ce que je dirais, admit Kennedy. Je ne suis pas dans la confidence de ce qui se dit dans les hautes sphères, mais je dirais que c'est une supposition très raisonnable.

Leaphorn mordit à nouveau dans sa gaufre.

– Et bon sang, reprit Kennedy, qu'est-ce qu'il peut bien y avoir de mal à ça ? Pourquoi faire perdre son temps à tout le monde ? Pourquoi foutre l'Agence en rogne ? Pourquoi embêter M. Ji ?

– Je me demande seulement ce qu'il faisait là-bas, répondit Leaphorn. C'est tout.

Kennedy finit sa gaufre.

– Il faut que j'aille à Farmington, dit-il. Cent cinquante kilomètres de cahots sur la Route 666. Et ensuite une nuit au Holyday Inn.

– Vous êtes sûr de ne pas vouloir aller en Chine ?

– A peu près autant que d'aller à Farmington. Et n'oubliez pas de laisser un pourboire généreux.

Leaphorn le regarda partir. Il vit sa voiture sortir du parking de la Pancake House et s'engager sur la vieille 666, attaquant le long trajet vers le nord en direction de Farmington. Il se demandait toujours ce que le colonel Ji faisait sous la pluie du côté du rocher où se réunissent les sorciers.

11

La réputation du spécialiste des mains était ce qui se fait de mieux en médecine moderne. Il s'était présenté comme étant "Indien Indien", souriant tout en prononçant ces mots et donnant à Chee un nom que celui-ci oublia aussitôt. Sa voix légèrement mélodieuse possédait un soupçon d'accent britannique, et il posait ses questions d'une voix douce et aimable sans regarder Chee, ne quittant jamais des yeux l'horrible cavité boursouflée causée par la brûlure dans la paume gauche du policier. Avec le Docteur des Brûlures, une femme nommée Johns, le Spécialiste des Mains parlait traumatismes ligamentaires, traumatismes tendineux, régénération des tissus, "pronostic concernant l'usage" et "viabilité des techniques chirurgicales".

– Vous avez empoigné la poignée d'une portière de voiture ? C'est bien ce que je comprends ? Et la voiture était en flammes ?

Il porta son regard sur la main droite de Chee :

– Mais vous êtes droitier, je me trompe ? Pourquoi vous êtes-vous servi de votre main gauche ?

– Parce que c'est naturel, je suppose, d'ouvrir la portière du conducteur de cette façon-là. Si j'ai eu une autre raison, je ne m'en souviens plus.

– C'est presque comme si votre subconscient avait senti les traumatismes qui allaient s'ensuivre et protégé la main qui vous était la plus utile.

Le Spécialiste des Mains s'était exprimé d'un ton sec, didactique, le regard toujours fixé sur la masse rouge enflammée en cours de cicatrisation dans la paume de Chee, sans jamais relever les yeux.

– Vous seriez d'accord avec ça ?

– J'en doute, répondit Chee. Je dirais que c'était aussi parce que je m'apprêtais à tirer Delbert de là avec ma main droite. Mais pour dire la vérité, tout ça c'est un peu vague.

– Ah ! bon, dit le Spécialiste des Mains que cela n'intéressait plus.

Et ce fut tout. Le Docteur des Brulûres fit un nouveau pansement, utilisant une technique de bandage différente. Elle donna à Chee une ordonnance et des instructions puis lui annonça qu'elle le reverrait dans une semaine.

– Alors, qu'en pensez-vous ? lui demanda-t-il.

– De quoi ?

– D'une intervention chirurgicale. Du pourcentage d'usage de mes doigts que je vais retrouver. Ce genre de choses ?

– Il nous faudra en décider, répondit-elle. Vous serez tenu informé.

– Vous m'en voyez heureux, dit-il mais le Docteur des Brûlures ne remarqua pas l'ironie.

Il se servit à nouveau du téléphone payant. Cette fois, Janet Pete n'était pas là. Elle était à Santa Fe, lui apprit la réceptionniste du bureau du Service Fédéral de Défense des Droits du Public. Elle devait participer au choix d'un jury pour un procès à venir. Serait-elle de retour ce soir ? La réceptionniste n'en avait aucune idée.

Il appela le bureau du docteur Tagert. Jean Jacobs répondit. Non, Tagert ne s'était toujours pas présenté.

– Est-ce que je peux venir ? Avez-vous le temps de discuter ?

– Bien sûr, répondit-elle. De quoi ?

– M. Redd nous a parlé de l'intérêt que Tagert porte à Butch Cassidy. Il nous a dit qu'Ashie Pinto avait aidé Tagert à trouver ce qui pourrait être la piste de Cassidy. Sur le territoire de la Réserve.

– D'accord. Je sais qu'il est obsédé par Cassidy mais je ne suis pas bien au courant de tout ça.

Chee s'y rendit à pied. Il était de mauvaise humeur. Janet Pete savait qu'il serait de retour à Albuquerque aujourd'hui. Il lui avait écrit un mot le lui indiquant. Alors, peut-être qu'elle ne pouvait pas couper à cette tâche de Santa Fe. D'un autre côté, peut-être qu'elle aurait pu. Chee était dans le métier depuis assez longtemps pour savoir comment s'organisent les priorités lorsqu'il y a conflit entre devoir et désir.

Il traversa l'esplanade. Les feuilles tombées des sycomores volaient autour de ses pieds. Sa main lui faisait mal. Ses doigts refusaient de répondre normalement. Il se sentait découragé. Déprimé. Abattu. En proie au doute. Il trouva la porte du bureau de Tagert ouverte. Jean Jacobs était assise, les coudes posés sur la table, le menton dans les mains, le regard fixé sur l'extérieur. Elle semblait déprimée, abattue et en proie au doute.

– Je suis contente de vous voir, dit-elle. J'ai des millions de choses à faire.

D'un geste de colère elle plaqua sa main sur une pile de papiers en attente et poursuivit :

– Toute cette saloperie de travail pour Tagert, plus tout mon travail à moi et... oh, et puis j'en ai rien à foutre à la fin.

– Ouais, acquiesça Chee. Des fois on en arrive à peu près à ce point-là.

– Alors à dégager. J'espère que vous êtes venu avec quelque chose qui ne sert pas qu'à faire perdre du temps mais qui est mystérieux. Nous allons découvrir comment retrouver le professeur d'histoire disparu. (Elle se tut un instant.) Encore mieux, nous allons découvrir où ils ont dissimulé le cadavre de ce salopard.

– Je suppose qu'il n'est pas revenu, alors, dit Chee.

Il eut le sentiment qu'elle n'allait pas lui demander de s'asseoir même si elle avait visiblement envie qu'il reste. Il enleva donc un tas de dossiers qui était sur une chaise et s'assit.

– Je crois qu'il est mort, affirma-t-elle. Je parierais que votre M. Pinto l'a abattu en même temps qu'il a abattu le policier.

– Je crois que c'est possible, reconnut Chee. Mais dans ce cas, qu'est-il advenu de son corps ?

Jacobs eut un geste signifiant "qui sait ?"

– Odell vous a-t-il dit quelque chose d'intéressant ? Ou d'utile ?

– Je ne suis pas bien sûr de l'utilité. Il nous a tout dit sur la dispute qui l'oppose à cet autre universitaire au sujet de Butch Cassidy. Et il nous a raconté que Pinto connaissait une vieille histoire qui disait que Cassidy, ou un autre *bandido*, avait traversé la Réserve après un hold-up perpétré en Utah, et qu'il avait été tué par nous autres Navajos. Tagert croyait pouvoir peut-être en trouver une preuve. Et il avait abandonné sa tentative de prouver que Cassidy était mort de vieillesse.

– J'ai un peu entendu parler de cette histoire, répondit Jacobs. Pas beaucoup. Mais j'ai l'impression que Tagert y croyait dur comme fer. C'était l'été dernier.

Elle se tut, regarda Chee ; un regard gêné.

– Qu'avez-vous pensé de lui ?

– De Redd ? Il m'a donné l'impression d'être quelqu'un de bien. Il a dit que vous étiez une amie.

– Hum, fit-elle. Une amie.

Son expression était si triste, si voisine de l'humeur qui était celle de Chee, qu'il s'enquit :

– Vous avez des ennuis ?

Et elle perçut la commisération présente dans sa voix.

– Je n'ai pas le moral aujourd'hui, c'est tout, dit-elle.

Elle eut un petit rire mal assuré :

.

– Vous non plus, on dirait. En tout cas vous n'aviez pas l'air particulièrement joyeux quand vous êtes entré.

– Ouais, confirma Chee. J'ai connu des jours meilleurs.

– Mal à la main ?

– Un peu.

– Vous n'avez pas l'air d'avoir le moral. Des ennuis ?

– Pas vraiment, répondit-il en haussant les épaules. J'espérais voir une amie. Elle a été obligée d'aller à Santa Fe. (Il réfléchit à ce qu'il venait de dire.) En tout cas elle a dit qu'elle était obligée d'aller à Santa Fe.

Jacobs avait les sourcils froncés.

– Et elle n'y est pas allée ?

– Oh, sans doute que si. Je voulais dire qu'elle n'était peut-être pas *obligée* d'y aller.

– Oh, fit Jacobs avec une grimace. Je vois exactement ce que vous voulez dire.

– Je n'en suis pas sûr, avança Chee.

– Ce n'était qu'une supposition de ma part. En ce qui me concerne, je crois qu'il est plus important pour moi d'être avec Odell que ça ne l'est pour lui d'être avec moi.

– D'accord, reconnut-il en riant. Nous sommes sur la même longueur d'onde.

– Vous avez la main abîmée. Vous faites tout le voyage depuis Farmington ou ailleurs et votre petite amie considère qu'aller à Santa Fe, c'est plus important.

– Peut-être qu'elle ne pouvait pas se libérer. Et elle n'est pas vraiment ma petite amie. Nous sommes plutôt amis, sans plus.

– Ah-ah, fit Jacobs. Odell m'a dit pareil.

Chee voulait changer de sujet.

– Vous travaillez pour Tagert. Partiellement en tout cas. Avez-vous jamais remarqué quelque chose dans les documents écrits, qui pourrait vous donner une idée de ce que Pinto et lui fabriquaient par là-bas ?

– Pour vous dire la vérité ça ne m'intéressait pas à ce point. Vous savez, je trouve ça drôlement mesquin qu'ils continuent à vous faire travailler là-dessus alors que votre main est dans cet état-là. Vous devriez être en congé de maladie.

– Je le suis, en fait. Je fais ça sur mon temps à moi.

Elle baissa le menton et le dévisagea au-dessus de ses lunettes de lecture, son visage arrondi et lisse creusé d'un froncement de sourcils.

– Pourquoi ? Pourquoi le faites-vous ?

– Par curiosité. Je veux juste trouver comment Hosteen Pinto a fait pour se rendre sur place, et ce qu'il fabriquait. Ce genre de choses. Ce n'est pas vraiment nécessaire de le faire. Pas pour le procès. Pinto ne nie même pas avoir tué Delbert. Je le fais simplement parce que je n'ai rien d'autre à faire. Et personne d'autre n'en a rien à fiche.

– Il y a quelqu'un d'autre qui le fait aussi, dit Jacobs.

– Quoi ? Qui ça ?

– J'ai reçu un coup de téléphone il y a deux jours. C'était un membre de la Police Tribale Navajo à Window Rock. Il voulait parler à Tagert. Il voulait savoir où il pourrait le trouver.

– Qui était-ce ? Vous êtes sûre que c'était quelqu'un de la Police Tribale ? Pas le FBI ? Ou peut-être un enquêteur travaillant pour le compte du bureau du Service Fédéral de Défense des Droits du Public ?

– Ça venait de Window Rock. Il a dit Police Tribale Navajo.

– Quel nom était-ce ?

– Un drôle de nom. Je ne me souviens plus. Je me souviens que c'était un lieutenant.

– Leaphorn !

– C'est ça. Le lieutenant Leaphorn. Vous le connaissez ?

Chee réfléchissait. Il parvint à la seule conclusion possible.

– Le fumier, dit-il.

Jacobs parut effrayée de cette violence verbale. Elle détourna le regard, s'empara d'un stylo. Le reposa.

– Excusez-moi, dit Chee.

– On dirait que vous le connaissez. C'est votre chef ?

– Je le connais. Non, ce n'est pas mon chef.

– Il a juste demandé si Tagert était là. Si je savais où le trouver. (Elle observa Chee.) C'est grave ?

– Non, dit Chee. Je ne sais pas. C'est seulement...

Il poussa un soupir :

– Vous n'avez pas envie de m'entendre parler de tout ça.

– Si, dit-elle. Absolument.

– C'est plus que de la curiosité de ma part, commença-t-il.

Et il lui raconta sa conversation radio avec Nez, les ruptures de son, le cinglé qui peignait son basalte, le rire qui l'avait conduit à abandonner son ami à son sort. Il lui parla de l'arrestation de Pinto. Il lui raconta que Janet Pete, de retour de Washington, avait pris le poste du Service Fédéral de Défense du Public et représentait Pinto.

– Je sais qu'elle a été désignée pour le faire. C'est son travail. Mais Janet me laisse entendre qu'elle croit à moitié que ce n'est pas lui qui a fait ça. Elle voit quantité de questions sans réponses. Quel mobile avait-il, elle me dit. Il était ivre et il avait déjà tué quelqu'un en état d'ébriété, et il a fait de la prison pour ça. Et il a été pris la main dans le sac et il ne le nie même pas. Mais pour elle, ça ne suffit pas.

Il secoua la tête.

– Et vous, dit Jacobs, vous trouvez que ça serait plutôt bien que ce soit suffisant ne serait-ce que parce que c'est vous qui l'avez coincé. Mais vous devez tenir compte du fait qu'elle est l'avocat chargé de sa défense. Et qu'elle est une femme qui se trouve dans un domaine dominé par les hommes. Et par conséquent elle a le sentiment qu'elle a quelque chose à prouver. En tout cas, ce serait valable pour moi. Peut-être a-t-elle également le sentiment qu'elle a quelque chose à vous prouver à vous aussi. (Elle eut une grimace.) Vous savez, ça fait pas mal de temps que vous êtes dans la police. Que vous faites appliquer la loi. Elle est toute nouvelle dans la partie. (Elle haussa les épaules.) Je ne sais pas. Je n'y connais rien.

– Vous ne voyez pas du tout ce que ça implique, dit Chee.

Il se leva. Le ton de sa voix avait été abrupt, mais il s'en moquait. Cette femme avait envie de l'écouter. Lui, il avait envie d'extérioriser un peu de cette colère.

– Vous comprenez, j'ai fait une sacrée connerie ce jour-là. Si je n'avais pas fait le con j'aurais été là quand Nez a procédé à son arrestation (si c'est bien ça qu'il faisait), et il n'aurait pas été tué. Mais j'étais bien loin à Red Rock en train de me boire un café en me disant que tout allait bien parce que j'avais entendu Delbert rire.

Il était debout, les bras ballant le long du corps. Cela lui fit mal à la main. Il croisa les bras.

– Mais j'y suis allé quand même. Trop tard pour aider Delbert, mais j'y suis arrivé à temps pour attraper le type qui l'a tué. Je me suis montré assez bon flic pour ça.

Jacobs garda un moment le silence, réfléchissant, les traits pleins de compassion. Elle savait très bien écouter les autres. Il l'avait déjà remarqué. Quand on parlait à cette femme, elle vous prêtait attention. Toutes ses antennes étaient déployées, braquées sur celui qui s'exprimait. Elle se fermait au monde. Rien d'autre n'avait d'importance que les mots qu'elle entendait. Ecouter était enraciné dans la culture navajo. On n'interrompait pas les autres. On attendait que celui qui parle eût terminé, on lui donnait une minute ou deux pour qu'il envisage ajouts, précisions ou modifications, avant de faire état de sa réaction. Mais les Navajos eux-mêmes écoutent trop souvent avec impatience. Ils n'écoutent pas vraiment, ils formulent leur réponse. Jean Jacobs *écoutait vraiment*. C'était de la flatterie, et Chee ne l'ignorait pas, mais cela avait son effet.

– Je vois pourquoi vous aimeriez trouver Tagert. Je vois pourquoi vous aimeriez être sûr.

– Sûr ! s'exclama Chee d'une voix plus forte qu'il n'en avait eu l'intention. Mais je le suis. Qu'est-ce qu'il me faut de plus pour l'être ? L'assassin sur les lieux, ivre, avec l'arme qui fume encore. Il ne nie même pas. Bordel, qu'est-ce qu'il faut de plus pour être sûr ?

– Pour moi, c'est sûr, affirma-t-elle.

– Et le FBI est content. Ils ont présenté l'affaire devant la chambre de mise en accusation et ils ont obtenu le droit d'entamer des poursuites judiciaires. Ils sont prêts pour le procès.

– Ce lieutenant Leaphorn, c'est lui...

– Un désaveu.

– La police tribale pense que vous n'avez pas arrêté le vrai meurtrier.

– Peut-être. Plus vraisemblablement Leaphorn fait ça pour son compte personnel. Ça lui arrive assez souvent. C'est un peu notre superflic. Vieux comme la terre. Il connaît tout le monde. Se souvient de tout. N'oublie rien. J'ai travaillé avec lui, une ou deux fois. Tôt ou tard ça arrive à tout le monde parce que c'est lui qui se charge des enquêtes difficiles en quelque endroit qu'elles se produisent.

– Vous ne vous êtes pas entendus ?

– Je n'ai pas l'impression qu'il me tenait en très haute estime. Mais nous nous entendions correctement. Si on regarde honnêtement les choses. Il m'a même engagé pour lui exécuter une Voie de la Bénédiction.

Il vit la question peinte sur les traits de Jean Jacobs.

– C'est un rite* guérisseur, expliqua-t-il. Je suis soi-disant un shaman. Un chanteur. Un homme-médecine. *Hataalii* est le mot navajo pour ça. J'allais être l'un de ceux qui dirigent les cérémonies curatives destinées à rendre l'harmonie aux gens. Ou tout au moins j'essayais de le devenir. Personne n'a semblé vouloir de mes services.

Il émit un petit rire dépourvu de joie et ajouta :

– Et le lieutenant Leaphorn a été mon unique patient authentique. Le seul à ne pas avoir été de ma famille.

– Vous faites des peintures de sables. C'est ça ? C'est à peu près tout ce que j'en sais.

Alors même qu'il parlait, Chee avait l'impression de se tenir à l'écart, de se regarder et de s'entendre. Il vit et entendit quelqu'un qui s'apitoyait sur lui-même. De la colère, il y en avait, oui. Mais avant tout il vit un homme qui se plaignait de son propre sort. Il détestait ça chez les autres, le détestait plus encore chez lui. Il fut pris de honte. Et au-delà de sa colère, il eut soudain conscience des implications de l'intervention de Leaphorn. Elle ne pouvait être purement fortuite. Comment le lieutenant avait-il découvert le rôle de Tagert ? Cela avait dû exiger pas mal de recherches. Chee sentit la colère le quitter, remplacée par un sentiment d'urgence.

– Désolé d'avoir étalé mes ennuis, dit-il. Je n'étais pas venu ici pour ça. J'étais venu voir si je pouvais jeter un coup d'œil à certains documents. Voir s'ils pourraient nous apprendre ce sur quoi Tagert et Pinto travaillaient. Nous apprendre si Tagert était avec lui ce jour-là.

– On peut regarder. Mais je ne crois pas que cela va nous aider beaucoup.

De fait ils regardèrent. Mais Jean Jacobs commença par fermer la porte. Et par tourner le verrou.

– Ça me donne l'impression de fouiner, dit-elle, de mettre mon nez dans les affaires de ce vieux salopard. Même si je travaille avec beaucoup de ces documents tous les jours.

– Tâchez de ne pas oublier que c'est moi qui procède aux arrestations, dit Chee qui sentait son humeur s'améliorer.

La corbeille destinée au courrier en partance était vide. Ils vérifièrent celle qui était réservée aux choses en souffrance.

Le courrier, notes et circulaires, datait d'un mois et, pour autant que Chee pût en juger, était sans rapport.

– Comment archive-t-il ? demanda-t-il.

– En général, par sujet. Des fois le courrier est archivé d'après le nom du correspondant. Mais surtout par sujet.

– Voyons s'il a un dossier Pinto.

Pas de dossier Pinto.

– Et un dossier Cassidy ?

Les dossiers Cassidy occupaient un demi-tiroir de l'armoire de rangement de Tagert. Chee et Jacobs les empilèrent sur le dessus de la table et commencèrent à les trier.

– Qu'est-ce que je cherche ? s'enquit-elle.

– Bonne question. Tout ce qui a un rapport avec Pinto, je dirais, pour commencer. Tout ce qui se rapporte à ce hold-up qui a eu lieu en Utah et à la poursuite. Des trucs comme...

– Voilà des trucs sur le hold-up en Utah, intervint-elle. Des photocopies d'articles de journaux.

Le titre du *Blanding Defender* couvrait nombre de lignes comme le faisaient les journalistes au tournant du siècle :

LE VIEUX GANG DE

HOLE-IN-THE-WALL

IMPLIQUÉ DANS

LE VOL DU TRAIN

UN TÉMOIN AURAIT VU

BUTCH CASSIDY PARMI

LES BANDITS QUI SONT

MONTÉS À BORD DU

COLORADO & SOUTHERN

A FLY CREEK

UN BANDIT BLESSÉ CONFIRME

UN BANDIT TUÉ EST

IDENTIFIÉ COMME ÉTANT

RUDOLPH "RED" WAGONSTAFF

SES AMIS DISENT QU'IL VOLAIT

DU BÉTAIL AVEC CASSIDY ET

LA HORDE SAUVAGE DU WYOMING

Le récit qui suivait répétait tout cela avec davantage de détails et une énième reprise de ce qui s'était passé au moment du vol. Trois hommes étaient montés dans le train quand il avait fait halte à Fly Creek pour y prendre du courrier. Ils s'étaient introduits dans le wagon postal et avaient échangé des coups de feu avec les deux agents des postes. L'un de ceux-ci avait été tué, l'autre blessé dans le haut de la poitrine. Le bandit maintenant identifié comme étant Wagonstaff avait reçu une balle dans le cou et était mort le lendemain à l'hôpital de Blanding.

Les voleurs avaient arrêté le train au nord de Blanding à l'endroit où un complice les attendait avec des chevaux. Un adjoint au shérif du comté de Garfield qui n'était pas en service avait tiré depuis la fenêtre du train sur les bandits qui prenaient la fuite. Sa balle en avait touché un dans le dos, causant sa chute de cheval.

Le compte rendu du journal poursuivait :

Leur malchance voulut que cet individu fut celui qui portait les sacs contenant la majeure partie du butin qui avait attiré les gredins. Il se trouve maintenant ici, à l'hôpital de Blanding, mais le docteur n'a guère d'espoir pour lui. L'homme a déclaré au shérif Lester Ludlow que son nom est Davis et que Butch Cassidy est à la tête du groupe.

Le shérif Ludlow a déclaré que la majeure partie du butin dérobé au cours du vol a été récupérée dans les sacs que Davis portait ; il s'agissait là de l'argent de la paye destiné à la mine Parker. Il a précisé que les bandits ne s'étaient probablement pas enfuis avec plus de trois ou quatre cents dollars, surtout en billets de banque, timbres et autres approvisionnements qui étaient acheminés vers les bureaux de poste situés le long du trajet au sud de Salt Lake City.

Le reste de l'article se composait essentiellement d'informations relatives aux agents des postes, l'un tué et l'autre blessé, et au groupe de poursuite constitué pour donner la chasse aux bandits. Chee le parcourut hâtivement et passa à l'article suivant. Il était daté d'une semaine plus tard. Davis était mort. Les poursuivants avaient chevauché vers le sud sur les traces des deux survivants. Ils avaient été aperçus par un fermier mormon près de Montezuma Creek : deux hommes avec quatre chevaux. Le shérif Ludlow avait exprimé son optimisme. "Dans son télégramme à notre journal, le shérif a affirmé : 'Ils ne s'échapperont pas'."

Une semaine plus tard, Ludlow ne faisait pas de déclarations aussi optimistes. "Ils se sont échappés en s'introduisant dans la Réserve Navajo. Nous avons télégraphié à toutes les autorités du Nouveau-Mexique et de l'Arizona pour qu'ils les recherchent."

La semaine suivante, la seule mention relative au vol concernait l'agent des postes qui avait été blessé. Il était sorti de l'hôpital.

– Vous trouvez quelque chose ? demanda Jacobs. Lire ces vieux journaux c'est comme manger des cacahuètes. On ne peut pas s'arrêter. Ici il y a un truc sur un vol de diligence. Vous vous rendez compte !

– Je me demande pourquoi il a conservé ça ?

Chee pensait aux motivations de ce méfait.

– L'un des passagers a déclaré que c'était Butch Cassidy.

Chee pensait toujours aux motivations, se souvenant que les bandits avaient pris la fuite en emportant très peu d'argent. Ce qui suscitait une pensée pour les livres de collectionneur de pièces chez Redd, pour les pièces de monnaie sur sa table. Si des pièces avaient fait partie du butin, elles étaient devenues des antiquités. Et elles avaient pris de la valeur.

– Redd avait un bon million de pièces quand nous sommes allés chez lui, dit-il. Vous savez ce qu'il en fait ?

– Il en fait ce qui lui permet à lui, étudiant titulaire d'une licence, de rester en vie. De payer son loyer. Quand Odell reçoit son salaire, il va le toucher à la banque et achète toutes les pièces de monnaie qu'il peut. Après il les trie à la recherche de trucs à garder. Certaines ont de la valeur pour les collectionneurs. Certaines dates, certaines frappes. Par exemple, vous trouverez peut-être une pièce de un cent frappée à Baltimore en 1947 qui pourrait valoir dix cents, ou une de 54, frappée à Denver, qui pourrait valoir vingt cents. Celles-là il les met de côté et les vend aux boutiques de pièces de collection, les autres il les ramène et il en achète un nouveau lot.

– Hé, fit Chee. C'est pas idiot, ça. Combien il se fait ?

Elle rit.

– Ce n'est pas ça qui rend riche. Une semaine il a trouvé une tête d'Indien qui valait presque quatre dollars. Cette semaine-là, le temps qu'il y a passé lui a rapporté environ cinq dollars l'heure.

– Et si on trouvait des pièces dérobées pendant ce vol de train ? Est-ce que ce serait la fortune ?

– Pas vraiment, répondit-elle. Odell m'a parlé de ça... que ce serait génial de trouver toutes ces vieilles pièces. Mais il a regardé dans les livres et c'est une mauvaise période pour les pièces. Ils ont fabriqué des tonnes de dollars en argent et de pièces d'or de cinq dollars pendant ces années-là. La rareté c'est ce qui donne de la valeur aux pièces.

– Ce qui fait qu'un dollar d'argent des années mille neuf cent vaudrait combien ?

– Peut-être vingt dollars chez un vendeur spécialisé, s'il était en parfaite condition. Et le journal disait que la majeure partie de l'argent était en billets de banque.

Autant pour cette idée. Et au moment où cette pensée lui venait, il trouva ce qu'il cherchait sans savoir qu'il le cherchait.

Le dossier en papier kraft était étiqueté PINTO/CASSIDY. A l'intérieur il y avait une épaisse liasse de papiers tapés à la machine avec double interligne.

"On m'a raconté que c'était l'été où mon frère est né. C'est le moment où on m'a dit que c'est arrivé."

Au crayon dans la marge l'inscription "1909/10 ?"

On raconte que les Utes s'étaient vraiment montrés très agressifs dans leurs raids cette année-là. Ils descendaient par la piste qui passe devant Thieving Rock et Blue Hill et la nuit ils volaient les chevaux et les moutons aux gens qui vivaient autour de Teec Nos Pos sur les terres plates proches de la San Juan, et même jusqu'à Cineza Mesa. On raconte que ça s'est produit à plusieurs reprises, et qu'une fois les Utes ont tiré sur un Navajo là-bas. Il était parti de ce côté-là avec ses moutons et ces Utes lui ont tiré dessus et il s'est enfui. On raconte que c'était un homme du Clan Paiute* appelé Main Gauche.

Main Gauche, lui, il avait un fils appelé Delbito Willie qui s'était marié avec une femme du Clan du Fruit du Yucca* et qui vivait avec elle de l'autre côté des monts Carrizo. Mais il était venu là du côté de Teec Nos Pos pour voir comment allaient ses frères et ses sœurs et tout le monde lui a raconté que les Utes avaient tiré sur son père.

On raconte que ce Delbito Willie, il a parlé à deux des frères de sa femme et à d'autres jeunes hommes de son Clan Paiute à lui, et qu'il leur a dit qu'ils devraient monter vers le nord, monter là-haut du côté de Sleeping Ute Mountain et qu'ils devraient voler des chevaux ute et récupérer toutes leurs chèvres et leurs moutons.

Le chef du Clan Paiute là-bas à cette époque c'était un vieux personnage qu'on appelait Talonne Son Cheval et ils ont parlé de leur idée avec lui et il a dit qu'ils devraient attendre. On raconte qu'il a dit ça parce que c'était une saison *Yaiisjaastsoh*, ce qui dans la langue *biligaana* correspond à la Saison où on Plante les Récoltes Tardives. Ils appellent ça juillet. A cette époque-là il y a les éclairs et les serpents sont sortis pour se nourrir et alors on ne peut pas avoir le genre de rite guérisseur qu'il leur aurait fallu avant de se lancer dans ce genre de raid. Et quand ils seraient revenus il leur aurait fallu une Voie de l'Ennemi pour être guéris, et elle n'aurait pas pu être exécutée non plus parce qu'on ne peut pas exécuter ces rites-là avant la Saison où Dort le Tonnerre. On ne peut pas les exécuter avant que la terre soit gelée et que les serpents soient dans la terre.

Mais on raconte que Delbito Willie il était furieux que les Utes aient tiré sur son père et qu'il voulait y aller quand même. Il se fichait de ce que les autres disaient. On raconte que les hommes du Clan Paiute ont écouté leur chef et ont refusé de partir, alors Delbito Willie est retourné voir ceux du Clan du Fruit du Yucca de sa femme et il leur a parlé de ça. Il a réussi à se faire écouter de sept d'entre eux, surtout des jeunes à ce qu'on raconte, mais l'un d'eux était Grand-Père Joseph. Et alors il ont pris leurs meilleurs chevaux et ils sont partis vers le nord en direction de Sleeping Ute Mountain. On raconte qu'il ont traversé la San Juan au gué de...

– Vous trouvez quelque chose d'intéressant ?

Jean Jacobs était penchée au-dessus de son épaule.

– Je crois que c'est ce dont Redd nous parlait. L'histoire de Pinto qui situe Cassidy sur la Réserve Navajo. En tout cas, il s'agit d'un raid destiné à voler des chevaux ute. Et les dates correspondraient à peu près.

Il tourna les pages, lut l'épisode où Grand-Père Joseph se faisait jeter à bas de son cheval. Tourna à nouveau les pages, lut l'épisode où Delbito Willie décidait qu'ils ne devaient prendre que mules et chevaux dans les pâturages à l'ouest de Sleeping Ute Mountain et ne pas essayer de ramener les chèvres parce que les Utes allaient les prendre en chasse. Il tourna d'autres pages, lut l'épisode où les deux hommes se séparaient de la troupe pour prendre la direction de Teec Nos Pos à l'ouest en emmenant onze des chevaux ute. L'un des hommes du Clan Paiute avait reçu une balle dans la jambe quelque part avant dans l'une des pages que Chee avait sautées. Mais un combat avec les Utes n'était pas ce qu'il cherchait. Il tourna d'autres pages, les parcourant rapidement. Puis il s'arrêta.

On raconte qu'il y avait Hosteen Joseph, Delbito Willie et les jeunes hommes du Fruit du Yucca qui étaient encore sur le chemin du retour à ce moment-là, et qu'ils avaient installé leur camp pour la nuit quelque part entre Rol Hai Rock et Littlewater Wash. On raconte que Delbito Willie il était parti chercher du bois pour le feu parce qu'ils faisaient cuire deux lapins qu'ils avaient tués. Il a vu de la poussière au nord-est. Ils ont éteint leur feu et ils ont regardé. Il y avait ces deux hommes qui se dirigeaient vers Beautiful Mountain et ils traînaient une mule derrière eux. On raconte que eux c'étaient des hommes blancs. Ils virent l'endroit où Delbito Willie avait laissé les poneys des Utes avec leurs entraves, au pied des falaises qu'il y avait là-bas. Ces deux hommes blancs se sont mis à reconnaître les alentours, cherchant les gens qui possédaient ces poneys, mais ils ne sont jamais parvenus à voir Delbito Willie ou ceux du Fruit du Yucca qui étaient avec lui. Alors ils ont commencé à voler les chevaux. Ils en étaient à couper les entraves quand Hosteen Joseph en a blessé un et les deux hommes sont remontés sur leurs chevaux et partis au galop. Delbito Willie et les hommes du Clan du Fruit du Yucca les poursuivaient. Ils leur tiraient dessus et les deux hommes tiraient et l'un d'eux, l'homme blanc aux moustaches jaunes à ce qu'on raconte, il a tué Hosteen Joseph. La balle a atteint Grand-Père Joseph à la poitrine, juste en dessous du sein à ce qu'on raconte, et ça l'a tué.

Après ça ils ont pris les deux hommes blancs en chasse. A un moment ils ont presque réussi à s'échapper mais celui que Hosteen Joseph avait blessé est tombé de cheval et l'autre a été obligé de s'arrêter et de l'aider à remonter dessus. Après ça on raconte que Delbito Willie a touché l'autre homme mais qu'il ne l'a pas tué. Et ensuite les deux hommes blancs ont dirigé leurs chevaux dans un endroit où il y a une coulée de lave. Où il est dangereux de monter sur un cheval même en plein jour. Les hommes du Fruit du Yucca les ont suivis lentement, restant loin derrière, là où ils ne pouvaient pas être touchés parce que cet homme aux moustaches jaunes, on raconte qu'il était bon tireur même à cheval. Finalement

148

ils ont découvert l'endroit où les hommes blancs avaient laissé leurs chevaux et étaient montés dans les rochers.

Chee parcourut rapidement le reste du récit. Le lendemain matin, l'un des hommes blancs avait tenté une sortie et l'un de ceux du Fruit du Yucca l'avait à nouveau blessé (au bras, cette fois, pensaient-ils), et il était remonté dans les rochers. Les Navajos avaient attendu toute la journée, et le jour suivant. Ils avaient bu leur eau à eux et les bidons d'eau que les hommes blancs avaient laissés sur leurs chevaux, et finalement, le matin du quatrième jour, Delbito Willie avait grimpé dans les rochers. Il avait suivi les traces de sang à l'intérieur de la formation rocheuse jusqu'à ce qu'il voie les corps des deux hommes. Puis le groupe avait pris les chevaux et ils étaient retournés chez eux de l'autre côté des monts Carrizo. Une Voie de l'Ennemi avait été exécutée pour eux tous à cause de la contamination subie au contact des Utes et des hommes blancs.

Chee s'attarda sur la partie dans laquelle Ashie Pinto avait décrit le rite guérisseur : une Voie de l'Ennemi plus une partie de la Voie du Fantôme exécutée, apparemment, pour Delbito Willie uniquement. Cela réactiva le souvenir qu'il gardait d'une Voie de l'Ennemi à laquelle, enfant, il avait assisté. La cérémonie avait été dirigée par un *hataalii* qui était très grand et qui lui avait alors semblé incroyablement âgé. Le patient était la grand-mère paternelle de Chee, une femme qu'il avait aimée avec toute l'ardeur d'un enfant unique, et cet événement avait constitué l'un de ses premiers souvenirs vraiment vivants. Le vent froid, la lumière des étoiles, le parfum du pin pignon et du genévrier qui brûlaient dans les grands feux illuminant l'aire de danse. Aujourd'hui encore il revoyait tout intégralement et l'arôme qui lui revenait prenait le dessus sur l'odeur de moisi de ce bureau. Par-dessus tout il se souvenait du *hataalii* qui se dressait, gris et maigre, au-dessus de sa grand-mère, tenant à la main un hochet en carapace de tortue et un bâton de prière fait de plumes d'aigle, psalmodiant la poésie de l'histoire des origines, faisant de Grand-Mère Mules Nombreuses une seule et même personne avec Fille Coquillage Blanc, lui redonnant la beauté et l'harmonie.

Et de fait il les lui avait redonnées. Chee se souvenait d'être resté chez la vieille dame, avoir joué avec ses cousins et leurs chiens de berger, avoir vu sa grand-mère heureuse à nouveau, l'avoir entendue rire. Elle était morte, bien sûr. Elle souffrait d'un cancer du poumon, ou peut-être de tuberculose, et les gens qui avaient ce genre de maladie mouraient... comme meurt tout être humain. Mais ça avait été ce rite guérisseur qui l'avait amené à penser qu'il voulait apprendre les grands rites guérisseurs, les chants et les peintures de sables, et devenir *hataalii* pour son peuple. Malheureusement, son peuple ne manifestait pas le désir de vouloir de lui au nombre de ses shamans. Il avait dû rire parce que Jacobs lui demanda :

– Quelque chose de drôle ? Vous trouvez quelque chose de drôle ?

– Je réfléchissais, c'est tout.

– A quoi ? Vous n'êtes pas censé me cacher quelque chose.

– Je lisais ce qu'Ashie Pinto a raconté à Tagert sur ces voleurs de chevaux. Ils ont fait exécuter un rite guérisseur pour eux quand ils sont revenus chez eux et je me souvenais des rêves que je faisais, moi, quand j'étais gamin et que je voulais devenir homme-médecine.

Jacobs le regardait d'un œil curieux. Ou peut-être compatissant. Peut-être les deux. Ils restèrent à se regarder. Chee eut une moue désabusée. Jacobs baissa les yeux.

– Il y a quelque chose là-dedans qui peut aider Tagert à rentrer afin que moi je puisse arrêter de faire tout ce travail ? demanda-t-elle.

Il haussa les épaules.

– Non, dit-il. Ou si ça s'y trouve, je ne vois pas quoi.

Mais il pensait à la Voie du Fantôme. Il ne la connaissait pas. Frank Sam Nakai, qui était un *hataalii* respecté en plus de l'oncle maternel et du mentor de Chee pour tout ce qui était métaphysique, ne la connaissait pas non plus. Pourquoi une partie de cette cérémonie aurait-elle été exécutée pour Delbito Willie et pour personne d'autre au sein du groupe ayant participé au raid ? Et pourquoi Ashie Pinto, avec sa prédilection de conteur d'histoires navajo pour tout raconter dans le détail, était-il passé aussi vite à autre chose ?

Peut-être Pinto accepterait-il de le lui dire, quand bien même il refusait de lui dire autre chose.

12

Ainsi qu'il avait pour habitude de le faire (sauf lorsque cela était en contradiction avec son sens de l'ordre), Leaphorn utilisa les canaux officiels. L'ancien colonel vietnamien nommé Huan Ji habitait à Shiprock, qui se trouvait sous la juridiction de la sous-agence de Shiprock de la Police Tribale Navajo. Leaphorn composa le numéro du bureau de la Police Tribale de Shiprock et demanda le capitaine Largo.

– J'ai entendu parler de lui, répondit Largo. Il enseigne à l'école secondaire de Shiprock. Les maths, je crois que c'est, ou peut-être une des matières scientifiques. Mais nous n'avons jamais eu affaire avec lui. Qu'est-ce qu'il fabrique ?

Leaphorn le mit au courant de sa conversation avec Kennedy.

– Je m'en souviens maintenant. C'est sa voiture que Jim Chee a vue en se rendant à l'endroit où Nez a été tué. Le Bureau nous a demandé de la leur retrouver. Qu'est-ce qu'il leur a dit ?

– Ils ne lui ont pas parlé.

– Non ? fit Largo, surpris.

Puis il dit :

– Oh, ouais.

Il rit... ce qui chez Largo donnait un grondement grave, puis ajouta :

– D'après ce que j'ai entendu dire, il est plus ou moins intouchable. Il est censé avoir travaillé pour la CIA au Viêt-nam.

– Je crois que quelqu'un devrait parler avec lui, insista Leaphorn. Je crois que je vais venir m'en charger.

– Vous voulez que je vous évite de faire la route ?

– Je ne vois pas l'intérêt de vous foutre le Bureau à dos. Je vais le faire.

– A vous entendre on dirait que vous envisagez toujours la retraite, remarqua Largo qui rit à nouveau.

– Pour un de ces jours. Quoi qu'il en soit, j'en suis au point où si un concours de hurlements se déclenchait avec les fédéraux, celui qui déciderait de me mettre à la porte devrait agir vite.

Largo ne fit pas de commentaires là-dessus. Il dit :

– Faites-moi savoir quand vous arrivez et si vous avez besoin d'aide. Pour le moment je vais me contenter de vous chercher l'adresse en question.

– Je vais probablement venir cet après-midi. Juste le temps que j'en finisse avec mes paperasses.

Mais juste au moment où il transférait l'avant-dernier rapport de la corbeille des arrivées dans celle des départs, le téléphone sonna.

– Une femme ici en bas qui veut vous voir, l'avertit le préposé. Un certain professeur Bourebonette.

– Ah ! fit-il.

Il réfléchit un instant.

– Demandez-lui de monter.

Il reposa le téléphone, sortit l'ultime rapport de la corbeille, l'ouvrit sur son bureau puis fixa par la fenêtre le soleil et les ombres sur Window Rock Ridge. Encore une question de motivation. Qu'est-ce qui amenait le professeur ici ? La route était longue depuis Flagstaff. Soit elle s'était levée dans l'obscurité précédant l'aube soit elle avait passé la nuit quelque part. Au motel de Window

Rock, peut-être, ou à Gallup. Une motivation puissante. L'amitié, avait-elle dit. L'amitié pouvait bien y être pour partie. Mais quoi d'autre ?

Lorsque le professeur Bourebonette franchit la porte, les mots qu'elle employa furent pour s'excuser. Mais l'expression de son visage les démentait.

– Je me rends compte que nous abusons de votre temps. Hosteen Pinto n'est pas sous votre responsabilité. Mais je me demandais si vous pourriez me tenir au courant. Avez-vous appris quelque chose ?

Leaphorn était debout.

– Je vous en prie, dit-il en lui désignant un siège.

Il s'assit, lui aussi, referma le dossier en attente.

– Je n'ai rien appris de très utile.

– Qu'a dit le professeur Tagert ? J'ai appelé son bureau et ils m'ont répondu qu'il n'était pas là. Ils ignoraient quand il serait de retour. Je trouve ça extrêmement bizarre. Leur semestre a débuté il y a deux ou trois semaines. Il devrait être tenu d'assurer des heures de permanence dans son bureau.

– Le professeur Tagert semble avoir déserté le navire. J'ai obtenu la même information que vous.

– Il a disparu ? demanda-t-elle d'une voix incrédule. La police le recherche ?

C'était là un point qu'il fallait toujours expliquer. Leaphorn s'en acquitta avec patience.

– Ça ne marche pas comme ça pour les adultes. On a le droit de disparaître si on le souhaite. Cela ne regarde que la personne en question. La police ne "recherche" quelqu'un que s'il y a un crime associé à la disparition. Ou une raison de soupçonner quelque chose de louche.

Le professeur Bourebonette le regardait en fronçant les sourcils.

– En l'occurrence il y a assurément un crime associé à la disparition. Et n'est-il pas ce que vous appelez un témoin de fait ?

– C'est possible. Si c'est le cas, personne ne le sait. Le crime est le meurtre commis sur la personne de Nez. Il

153

n'y a rien qui établisse un lien entre lui et ça. Absolument rien.

Elle assimila cette déclaration, les yeux dirigés sur Leaphorn mais les pensées, visiblement, ailleurs. Elle hocha la tête, approuvant quelque opinion inexprimée. Leaphorn la considéra. Que pensait-elle ? C'était forcément quelque chose d'intelligent, cela il en était sûr. Il souhaita que cette pensée, quelle qu'elle soit, provoque une remarque qui lui fournirait un indice sur ce qu'elle fabriquait ici.

– Avez-vous envisagé que Tagert puisse être mort ? interrogea-t-elle. Avez-vous envisagé que la personne qui a tué votre policier puisse aussi avoir tué Tagert ? Y avez-vous pensé ?

Leaphorn hocha la tête.

– Oui.

Bourebonette garda à nouveau le silence, réfléchissant. Les silences prolongés ne semblaient pas la déranger. Inhabituel chez les Blancs. Leaphorn entendait un téléphone sonner en bas. Il sentit l'odeur du café qui passe. Le professeur Bourebonette avait mis une eau de Cologne quelconque. Le parfum en était très, très faible. Si faible que ça pouvait venir de son imagination.

– Le procès devrait être reporté, dit-elle soudain. Jusqu'à ce qu'ils trouvent le professeur Tagert.

Elle fixa sur Leaphorn un regard d'exigence.

– Comment peut-on arranger ça ? Ils ne peuvent quand même pas juger M. Pinto en ignorant ce qui se passe. Personne ne sait ce qui s'est vraiment passé là-bas.

Leaphorn haussa les épaules. Mais ce haussement d'épaules ne fut pas suffisant.

– Je crois que nous avons le droit de compter sur un minimum d'efforts allant dans le sens de la justice la plus élémentaire, dit-elle d'un ton ferme. M. Pinto a le droit de l'exiger.

– Je reconnais que j'aurais souhaité une enquête un peu plus sérieuse, avoua Leaphorn. Mais cela ne dépend pas de moi. C'est une affaire fédérale et les fédéraux ont tout ce dont ils ont besoin pour convaincre les membres du jury de sa culpabilité, en leur âme et conscience. La partie se déroule de façon légèrement...

– La partie !

Leaphorn l'interrompit en levant la main. Lui aussi pouvait se montrer agressif.

– ... de façon légèrement différente quand l'accusé ne nie pas le crime, poursuivit-il. En premier lieu, cela réduit toute inquiétude que l'on pourrait avoir sur l'éventuelle arrestation d'un faux coupable. En second lieu, cela vous laisse sans récit de l'accusé à vérifier. Le service ayant procédé à l'arrestation dispose donc de beaucoup moins d'options possibles, même s'il est animé des meilleures intentions.

Bourebonette l'étudiait.

– Et vous pensez qu'ils ont fait tout ce qui était nécessaire ?

Il hésita.

– Eh bien, j'aimerais parler avec Tagert, et il reste un ou deux autres points à éclaircir.

– Quoi par exemple ? L'absence de mobile ?

Leaphorn ferma les yeux. La mémoire ne connaît pas de limite temporelle. Quand il les rouvrit, deux secondes plus tard, la sienne lui avait présenté une vingtaine de scènes sanglantes.

– Le whisky constitue le mobile parfait, affirma-t-il.

– Quoi d'autre ?

Il voulait retourner la question, demander à cette femme de lui dire en quoi ce meurtre commis sous l'emprise de l'alcool justifiait qu'elle lui consacre autant de temps. C'était probablement à cause du livre. L'amitié et le livre. Il fallait que Pinto soit libre pour qu'elle puisse le finir. Mais peut-être y avait-il quelque chose de plus profond. S'il le lui demandait, elle se contenterait de répéter que Pinto était innocent, qu'il était un de ses amis.

– Eh bien, Chee, le policier qui se dirigeait vers le lieu du crime, a vu une voiture. Il est possible que cette voiture soit passée devant l'endroit en question. Peut-être pas, mais il y a de grandes chances que ce soit le cas. Peut-être le conducteur a-t-il vu quelque chose. Probablement pas, mais je l'aurais trouvé et je le lui aurais demandé.

– Bien sûr, dit Bourebonette. Vous voulez dire que personne ne l'a fait.

– A ce qu'on m'a dit.

– Mais pourquoi ?

– Pourquoi pas ? Parce que leur affaire était bouclée. Le pistolet encore fumant. Le mobile. Pas de dénégation. Ils ont d'autres tâches à remplir qui s'empilent sur leurs bureaux.

Il eut un geste vers sa table de travail pour illustrer ce qu'il disait. A l'exception de l'unique dossier, elle était d'une netteté exceptionnelle qui contredisait ses propos.

– Trop dur de le rechercher, dit-elle d'une voix amère. Trop dur de retrouver la voiture. Quand un vieil homme passe en procès pour meurtre.

– Nous l'avons retrouvée, la voiture. Elle appartient à un enseignant de Shiprock. Je vais aller lui parler aujourd'hui.

– Je viens avec vous, décréta Bourebonette.

– J'ai peur que...

Puis il s'arrêta. Pourquoi pas ? Il n'y avait rien qui pût en souffrir. Ce n'était pas son enquête, de toute façon. Si le Bureau piquait sa crise, il ne la piquerait pas davantage parce que cette femme l'accompagnait. Et il voulait savoir ce qu'elle cherchait. Cette affaire l'intéressait de plus en plus.

Ils prirent la route qui serpente pour franchir le col Washington, passant par Red Lake, Crystal et Sheep Springs. Dans les virages du versant est des Chuskas, Leaphorn fit halte à un point de vue. Il montra l'est et balaya l'espace vers le nord avec sa main, incluant d'immenses étendues couvertes d'herbes ondoyantes, grises et fauves. Les monts Zuni au sud, les monts Jemez à l'est et, loin au nord, les San Juan couverte de neige au Colorado.

– *Dinetah*, dit-il.

Elle ne pouvait manquer de connaître le sens de ce mot : "Parmi le Peuple". La terre chère au cœur des Navajos. Le lieu de leur mythologie, la Terre Sacrée du Dinee. Comment allait-elle réagir ?

Le professeur Bourebonette ne dit rien pendant un moment. Puis :

– J'ai gagné un pari avec moi-même. En partie en tout cas. J'avais parié que vous vous arrêteriez ici pour apprécier la vue. Et j'avais parié que vous diriez quelque chose sur la raison pour laquelle on a donné le nom de Washington à ce col.

Ce n'était pas ce à quoi Leaphorn s'était attendu.

– Et qu'est-ce que j'aurais dit ?

– Je n'en étais pas sûre. Peut-être quelque chose qui aurait exprimé votre colère. Si j'étais Navajo je prendrais ça mal que l'on donne le nom de John Macrae Washington à quoi que ce soit à l'intérieur de mon territoire. C'est comme si l'on donnait le nom d'Adolf Hitler à un col de montagne israélien.

– Le colonel était un beau gredin, acquiesça Leaphorn. Mais je ne me laisse pas embêter par le dix-neuvième siècle.

Bourebonette rit.

– Si je peux me permettre de m'exprimer ainsi, c'est typiquement navajo. Vous restez en harmonie avec la réalité. Ce n'est pas sain de ressentir de l'amertume à l'égard du passé.

– Non, renchérit Leaphorn. Ça ne l'est pas.

Il pensa : le professeur Bourebonette me flatte. Pourquoi ? Qu'est-ce qu'elle a à y gagner ?

– Moi je n'arrêterais pas de penser à cette insulte, reprit-elle. Chaque fois que je prendrais cette route je l'aurais sur le cœur. Je me dirais, pourquoi l'homme blanc a-t-il agi de la sorte ? Pourquoi honore-t-il l'homme qui a été notre pire ennemi et nous met-il cela en plein sous le nez ? Le colonel qui a assassiné Narbona*, cet homme honorable et épris de paix. Le colonel qui a rompu traité après traité, qui a protégé les gens qui volaient vos enfants pour les vendre comme esclaves au Nouveau-Mexique, qui soutenait la politique d'extermination pure et simple de votre tribu et qui a fait tout ce qu'il a pu pour la mettre en pratique. Pourquoi prendre un tel salaud et donner son nom à un col dans une montagne qui se trouve juste au milieu de vos terres ? N'est-ce là que le fruit de l'ignorance ? Ou est-ce l'expression du mépris ?

La colère était présente dans sa voix et sur ses traits. Ce n'était pas non plus ce à quoi Leaphorn s'était attendu.

– Moi je dirais que c'est de l'ignorance, répondit-il. Il n'y a pas de malveillance là-dedans. (Il rit.) L'un de mes neveux était boy-scout. Dans la troupe Kit Carson*. Carson était pire en un sens, parce qu'il faisait semblant d'être l'ami des Navajos.

Il se tut un instant et la regarda :

– Washington ne faisait pas semblant, lui. C'était un ennemi honnête.

Le professeur Louisa Bourebonette ne fit absolument pas mine d'avoir saisi l'ironie subtile que Leaphorn avait mis dans cette déclaration.

Le soleil était à mi-chemin de sa descente dans le ciel quand ils s'engagèrent sur la longue dénivellation qui plonge vers le bassin de la San Juan et la ville de Shiprock. Ils avaient parlé de l'université d'Arizona State où il y avait longtemps Leaphorn avait été étudiant, de la question de savoir si la maladie qu'était l'alcoolisme avait des racines raciales et génétiques ou non, de la biographie-mémoires-autobiographie de Hosteen Ashie Pinto que le professeur accumulait depuis vingt ans, du cycle des sécheresses, de l'application des lois. Leaphorn avait prêté une oreille attentive quand ils avaient parlé du livre de Pinto, orientant leur conversation, obtenant confirmation de son idée selon laquelle le projet Pinto constituait la priorité numéro un dans la vie de cette femme, mais n'apprenant rien de plus. Il avait remarqué qu'elle était aux aguets de tout ce que lui remarquait et que les longs silences ne la gênaient pas. Ils jouissaient précisément de l'un de ces silences tandis qu'ils descendaient la rampe de quinze kilomètres qui conduit à la ville. Les trembles, le long de la rivière, dessinaient une ligne brisée d'un jaune d'or éblouissant au travers de ce vaste paysage de tons gris et fauves. Et, plus loin, les montagnes d'un bleu sombre fermaient l'horizon, les Abajos, Sleeping Ute et les San Juan, déjà coiffées d'une neige précoce. C'était l'une de ces journées d'automne paisibles et dorées des hauts plateaux désertiques.

Puis Leaphorn rompit le charme.

– J'ai dit au capitaine qui dirige la sous-agence de Shiprock que je lui ferais savoir quand j'arrivais.

Et il s'empara du microphone.

Le radiotélégraphiste lui annonça que le capitaine Largo n'était pas là.

– Il doit revenir bientôt ?

– Je ne sais pas. Nous avons eu des coups de feu. Il est parti pour ça il y a une heure environ. Je pense qu'il sera de retour rapidement.

– Un homicide ?

– Peut-être. Nous avons envoyé une ambulance. Vous voulez que je contacte le capitaine ?

– Ne le dérangez pas. Quand il rentrera, dites-lui que je me suis rendu directement à la résidence de Huan Ji. Dites-lui que je le tiendrai au courant si j'apprends quelque chose.

– Huan Ji, répéta le radiotélégraphiste. C'est là qu'on nous a signalé les coups de feu. C'est là qu'on a envoyé l'ambulance.

13

Ils croisèrent l'ambulance qui retournait vers l'Hôpital du Service de la Santé Publique de Shiprock lorsqu'ils tournèrent pour s'engager dans la rue de Huan Ji. Ses feux d'urgence clignotaient et la sirène rugissait. Leaphorn côtoyait la violence depuis trop longtemps pour se laisser abuser. Le conducteur avait le temps. Il reconnut le lieutenant lorsqu'ils se croisèrent et leva la main en guise de salut. La personne qui avait été prise pour cible chez Huan Ji était soit hors de danger, soit déjà morte.

La maison de Ji était un petit pavillon de bois et de torchis dans un pâté d'habitations bâties sur le même modèle. Elles avaient été conçues il y avait longtemps par un rond-de-cuir du Bureau des Affaires Indiennes afin de loger les employés de cette agence. Comme elles avaient subi le poids des ans, elles ne relevaient plus de cette condition et étaient devenues propriété de la tribu, occupées désormais par des enseignants, des personnels hospitaliers, des niveleurs de routes, des gens de ce genre. La maison de Ji était immédiatement reconnaissable. Elle avait attiré une concentration de voitures de police et un petit nombre de voisins qui regardaient de leurs jardins. Même sans le magnétisme exercé par cette tragédie temporaire, elle se serait détachée du lot.

Elle était entourée d'une clôture grillagée impeccable et flanquée d'une allée de gravier irréprochable menant à un auvent à voiture qui était vide. En deçà de la clôture il y avait un parterre de fleurs, délimité avec précision par une rangée de briques parfaitement alignées. Six buissons de roses se succédaient à intervalles réguliers de part et d'autre de l'allée piétonne bétonnée. L'automne avait rendu grise la pelouse d'herbe des Bermudes, mais elle était bien entretenue et prête pour le printemps.

La maison elle-même était un clone des habitations voisines et on l'aurait crue transférée d'une autre planète. Dans une rangée de maisons flétries, fanées et fatiguées, sa peinture d'un blanc étincelant aux finitions bleu vif faisait l'effet d'un reproche adressé à la rue poussiéreuse.

Le capitaine Largo, aussi irréprochable que la maison quoique sensiblement plus petit qu'elle, était debout sur la véranda. Il parlait avec un membre de la police tribale décharné et un jeune homme soigné en feutre et costume de ville gris sombre... ce qui, dans la région des Four Corners, signifiait qu'il s'agissait soit d'un agent du FBI soit d'un jeune homme qui faisait du prosélytisme pour le compte de l'Eglise de Jésus-Christ des saints du dernier jour [1]. La masse de Largo les faisait tous deux paraître anormalement petits. Il reconnut Leaphorn et lui adressa un geste de la main.

Celui-ci jeta un regard sur Bourebonette en se demandant comment il allait formuler sa demande.

Elle prit les devants.

– Je vous attends dans la voiture.

– Je n'en ai pas pour longtemps, assura-t-il.

Sur la véranda, Largo fit les présentations. Le policier décharné était Eldon Roanhorse, dont Leaphorn se souvenait vaguement à la suite d'une enquête qui remontait à fort loin, et Costume Gris était Theodore Rostik, qui était rattaché à l'agence du FBI de Farmington.

– M. Rostik a eu sa mutation ici cet été, ajouta Largo. Le lieutenant Leaphorn fait partie de notre service chargé des enquêtes criminelles. Il vient de Window Rock.

Si Rostik était impressionné par Leaphorn ou par sa fonction, il le cacha. Il adressa un signe de tête au lieutenant, se retourna vers Largo.

– Window Rock, dit-il. Comment a-t-il su ce qui s'était passé ? Comment a-t-il fait pour venir aussi vite ?

Autrefois, cette impolitesse aurait irrité Leaphorn. Il y avait longtemps de cela. Il dit :

– Il se trouve que j'étais ici pour une autre raison. Qu'est-ce que vous avez, là ?

– Un homicide, répondit Largo. Quelqu'un a tiré sur le propriétaire des lieux. Deux fois. Pas de témoins. Le facteur l'a entendu gémir. Il a regardé à l'intérieur, il l'a vu par terre et nous a prévenus.

---

1. Autre nom de l'Eglise mormone.

– Des suspects ?

– Nous interrogeons les voisins mais il n'y a pas grand-monde qui semble s'être trouvé dans le coin quand ça s'est produit, répondit Largo.

– Ça va être une enquête fédérale, intervint Rostik. Un crime commis sur une réserve fédérale.

– Bien sûr, acquiesça Leaphorn. Nous vous aiderons dans la mesure de nos possibilités. En traduisant, ce genre de choses. Où est sa femme ?

– Les voisins disent qu'il était veuf, répondit Roanhorse. Il était enseignant à l'école secondaire. Il habitait ici avec son garçon. Un adolescent.

– Si nous avons besoin d'aide..., commença Rostik.

Mais Leaphorn leva la main.

– Une petite seconde, dit-il. Où est sa voiture ?

– Sa voiture ? fit Rostik.

– Nous avons lancé un avis de recherche, dit Largo en regardant Leaphorn avec solennité. Il paraît que c'est une vieille Jeepster de couleur blanche.

– Le fils n'était pas là ?

– A moins que ce soit lui qui ait tiré, répondit Rostik. Quand le facteur est arrivé il y avait juste M. Ji.

– Monsieur Rostik, dit Leaphorn, si vous n'y voyez pas d'objection, j'aimerais jeter un coup d'œil à l'intérieur. Rien ne sera touché.

– Euh, eh bien, commença Rostik avant de s'éclaircir la gorge. Je ne vois pas ce que...

Le capitaine Largo, qui n'interrompait pratiquement jamais personne, le fit pourtant.

– Le lieutenant se charge en général de nos liaisons avec le FBI dans ce genre d'affaires. Il serait préférable qu'il voie ce que vous avez là.

Il les précéda à l'intérieur.

L'équipe travaillant sur les homicides avait tracé à la craie les contours de l'endroit où le corps du colonel Huan Ji était tombé contre le mur de façade de la pièce. Une grande tache de sang qui séchait sur le plancher en bois dur rendait la craie superflue. A l'exception de cela

162

et d'une série de marques de griffures rougeâtres sur le papier mural brun-roux, la pièce était aussi impeccable que le devant de la maison. Immaculée. Et aussi fraîche que l'après-midi d'automne au-dehors.

Leaphorn évita le sang et s'accroupit à côté du papier mural souillé.

– Il a laissé un message ?

– Il en a laissé deux, répondit Rostik.

– "Sauvez Taka", lut Leaphorn. C'est ça qui est écrit ?

– Le nom de son fils c'est Taka, confirma Rostik. D'après les voisins.

Leaphorn était bien plus intéressé par l'autre message. Ji les avait apparemment écrits avec son propre sang en passant un doigt tremblant sur le mur. SAUVEZ TAKA en haut et, en dessous : MENTI A CHEE.

– Vous avez des théories pour celle-ci, en dessous de l'autre ? demanda Leaphorn.

– Pas encore, avoua Rostik.

Leaphorn se remit debout avec difficulté en lâchant un grognement. Il se faisait vieux pour la position accroupie. Il regarda le capitaine Largo. Celui-ci, impassible, lui rendit son regard.

– Malheureusement, Chee est un nom répandu chez les Navajos, dit-il. C'est comme Smith à Chicago, ou Martinez à Albuquerque.

Leaphorn se glissa dans la cuisine, contemplant rangement et propreté, ne touchant rien. La chambre de Huan Ji était assez grande mais suggérait l'image d'une cellule de monastère : un lit étroit bordé serré, une chaise, un petit bureau, une coiffeuse, une commode avec ce qui ressemblait à un sac photo posé dessus. Tout bien rangé. Rien qui indiquât que quelqu'un vivait là. Il s'arrêta devant le bureau, le regard posé sur le buvard, la petite tasse qui contenait des trombones, le stylo dans son étui.

Derrière lui Rostik s'éclaircit la gorge :

– Ne touchez à rien. Nous étudierons tout cela en détail plus tard. Tout ce qu'il y a dans cette pièce. Tout ce qu'il y a dans la maison. Avec des gens formés pour ça.

– Bien sûr.

La chambre de Taka était bien rangée selon les critères de Leaphorn, sinon selon ceux de Huan Ji. Un lit étroit identique, couvertures bien tirées. Mobilier semblable. Mais le bureau du garçon était encombré de livres et de papiers et sa coiffeuse servait d'exposition de photographies. Leaphorn, les mains dans ses poches de veste, examina ces clichés. La plupart représentaient une jeune fille, une Navajo moyennement jolie qui pouvait avoir seize ans. L'un d'eux semblait être un portrait réalisé pour l'almanach de l'école, rephotographié et agrandi au format 24 x 36. Les autres étaient des clichés non posés, apparemment pris quand le sujet ne regardait pas. Certains incluaient deux ou trois autres adolescents, mais toujours avec la jeune fille. Beaucoup avaient été pris, à en juger d'après l'arrière-plan écrasé, à l'aide d'un téléobjectif.

La véranda de derrière était fermée aux regards de l'extérieur : c'était un entrepôt destiné aux objets en réserve. Une porte s'ouvrait sur une pièce latérale dont Leaphorn supposa qu'elle avait été ajoutée pour tenir lieu de troisième chambre. Sur la porte figurait une inscription au pochoir. CHAMBRE NOIRE : FRAPPER AVANT D'OUVRIR. Il posa un regard sur Rostik, lui adressa un signe de tête affirmatif et tourna le bouton. A l'intérieur régnait l'obscurité, les fenêtres étaient recouvertes de plastique opaque, l'air avait la lourdeur que confère l'odeur des acides. Leaphorn alluma la lampe du plafond. C'était une petite pièce, meublée avec parcimonie. Le long d'un mur, une table servait à poser un petit agrandisseur, un jeu de cuvettes pour le développement et l'inévitable collection de récipients contenant les produits chimiques. A côté se trouvait une autre table et sur celle-là un meuble de rangement qui ne fermait pas abritait des boîtes qui, supposa Leaphorn, renfermaient du papier photographique. Son regard parcourut l'ensemble puis revint se poser sur les paniers de développement et le séchoir d'épreuves électrique qui se trouvait à côté d'eux. Des tirages 20 x 25 étaient entassés dans le panier placé en dessous du séchoir.

Il préleva celui du dessus en le tenant par les bords. C'était une photographie en noir et blanc qui semblait représenter une saillie rocheuse irrégulière et déchiquetée. Il reposa le tirage et prit celui d'en dessous. Au début, il le crut identique. Puis il vit qu'il s'agissait apparemment d'une autre portion de la même saillie rocheuse et que les deux clichés se chevauchaient un peu. Il le remit en place et tendit la main vers un troisième tirage.

Rostik lui toucha le coude.

– Je ne veux pas que quoi que ce soit soit touché, dit-il. Les experts voudront peut-être faire cette pièce.

– Dans ce cas je vais la laisser aux experts.

Une fois revenu sur la véranda, Leaphorn se souvint soudain du professeur qui attendait dans la voiture. Il voulait parler de Chee à Largo, mais il ne tenait pas à laver le linge sale de la Police Tribale en présence de l'agent Rostik du FBI. Il allait d'abord expliquer à Bourebonette où en étaient les choses. Il allait lui dire de faire démarrer le moteur et de mettre le chauffage. Il allait lui dire qu'il n'en avait plus pour très longtemps. Au moment où il commençait à traverser la chaussée, il vit la vieille Jeepster blanche tourner le coin de la rue. Elle poursuivit sa route sur la moitié du pâté de maisons, s'arrêta, commença à reculer pour s'éloigner de la concentration de voitures de police devant la maison de Huan Ji. Puis elle s'arrêta à nouveau, demeurant sur place dans la rue. Le remords, pensa Leaphorn. Ou peut-être la peur le disputant à la curiosité. Quelles qu'aient pu être les motivations du conducteur, la Jeepster recommença à avancer. Leaphorn traversa la rue à petites foulées devant elle pour rejoindre sa propre voiture. Bourebonette avait descendu la vitre. Elle l'observait.

– C'est à peu près ce que nous pensions, dit-il. Quelqu'un a tiré deux balles sur M. Ji. L'atteignant mortellement. Personne n'a rien vu ni entendu. Pas de suspects. Et ça...

Il désigna d'un geste du cou la Jeepster qui s'engageait maintenant sur l'allée de gravier de la résidence des Ji.

– ... ça va probablement être Taka, qui est le fils de M. Ji.

Le professeur Bourebonette regardait la voiture, derrière Leaphorn.

– Il sait ?

– Probablement pas. A moins que ce soit lui qui l'ait fait.

Bourebonette baissa les yeux.

– Quelle tristesse, dit-elle. Quelle horreur. Est-ce que sa mère est à la maison ? Vous pensez que cela pourrait...

Elle s'interrompit.

– Etre lié au meurtre de Nez ? acheva Leaphorn. Qui sait ? Il n'y a rien de visible en surface mais...

Il haussa les épaules.

De l'autre côté de la rue, Rostik et Largo parlaient avec un garçon élancé portant jean et blouson de cuir noir. La grosse main de Largo était posée sur l'épaule du garçon. Ils franchirent la porte d'entrée et disparurent dans la maison.

– Je crois que je vais retourner là-bas, dit Leaphorn.

– Ont-ils besoin de votre aide ?

Il gloussa.

– Celui qui dirige les opérations est le jeune au costume gris. S'il souhaite mon aide, il n'a absolument rien fait pour le montrer. Ça va aller vite cette fois.

Roanhorse attendait sur la véranda.

– C'était le fils de Ji ?

– Exact, fit Roanhorse. Son nom, c'est Taka. Quelque chose comme ça.

– Il a pris ça comment ?

– Quand Rostik le lui a dit, on aurait dit que quelqu'un lui avait asséné un coup de massue.

Taka Ji était assis au bord d'un siège à dossier réglable. Tout raide. Rostik se tenait en face de lui, perché sur le bras du canapé. Largo était appuyé contre le mur, son visage arrondi à la peau foncée dépourvu d'expression. Leaphorn s'arrêta juste après avoir passé la porte. Rostik lui adressa un regard, parut agacé, choisit d'ignorer sa présence et poursuivit son interrogatoire.

Il savait s'y prendre, remarqua Leaphorn. Visiblement, il était jeune. Probablement inexpérimenté. Mais bien formé pour son travail, et intelligent. Certaines de ses questions exploraient des points déjà connus mais sous des angles différents. D'autres étaient nouvelles. Le fils de Huan Ji, qui donnait toujours l'impression d'avoir reçu un coup de massue, répondait laconiquement.

Il n'avait pas vu son père depuis qu'il était parti à l'école en Jeepster. C'était bien exact ?

Taka hocha la tête.

– Oui, dit-il.

Sa voix était si basse que Leaphorn l'entendit à peine.

Et comment avait-il pris la voiture ?

– C'est mon père, il m'a dit que je pouvais m'en servir après la classe. Il rentrait à pied. Il aimait marcher. Alors après mon cours de biologie, je l'ai récupérée sur le parking.

– La clef était restée à l'intérieur ?

– J'ai une clef. Mon père en a une. J'en ai une.

– Et où êtes-vous allé ?

– Je suis parti vers Ship Rock. Je prends des clichés là-bas. Je photographie.

– Des clichés de qui ?

Taka regardait droit devant lui, apercevant quelque chose sur le papier mural de l'autre côté de la pièce. Son visage était pâle. Il ferma les yeux.

– Je prends des photos de paysages.

– Qui était avec vous ?

Leaphorn crut que Taka n'avait pas entendu la question. Mais si. Il finit par dire :

– Personne. J'y vais seul.

Un Vietnamien dans une école navajo. Il y avait bien longtemps, Leaphorn avait été un Navajo à l'université blanche d'Arizona State. Il comprenait ce que Taka

167

n'avait pas tout à fait dit. Qu'est-ce que c'était que le colonel Ji avait écrit sur le mur avec son propre sang ? "Aidez Taka". Quelque chose comme ça.

Rostik changea de sujet.

– Votre père avait-il des ennemis ?

Taka haussa les épaules.

– C'était un homme, dit-il. Il y a longtemps, il était colonel dans l'armée.

Il leva les yeux pour regarder Rostik :

– L'armée de la république du Viêt-nam.

– Mais avez-vous connaissance de certains ennemis ? Avait-il reçu des menaces ?

A nouveau, Taka sembla ne pas devoir répondre. Puis il inclina la tête, fronça les sourcils.

– Je ne crois pas qu'il me l'aurait dit.

Ce savoir sembla le surprendre.

– Aucune menace dont vous ayez connaissance, alors ?

– Non.

– Connaissez-vous quelqu'un qui s'appelle Chee ?

– Comme je vous l'ai dit, il y a un garçon dans l'équipe de basket. Il y a une fille dans ma classe d'histoire.

– Est-ce que votre père avait des amis du nom de Chee ? Des ennemis ?

– Je ne sais pas. Il y a un professeur. A l'école des plus jeunes. Son nom, je crois, est Mlle Dolores Chee.

– Une amie de votre père ?

– Je ne crois pas. Il y a beaucoup de Chee.

Leaphorn tourna son regard vers le capitaine Largo et s'aperçut que ce dernier le regardait. Le capitaine fit une grimace.

Et cela continua de la sorte. Leaphorn écoutait et observait. Il jaugeait Rostik, revenait sur son précédent jugement. Un jeune homme intelligent. Il jaugea Taka du mieux qu'il put. Ce n'était pas le Taka normal. C'était là un adolescent foudroyé. La mort de son père était encore irréelle, un fait incroyable mais abstrait.

168

Rostik couvrait maintenant la journée de la veille. Comment le père de Taka s'était-il comporté ? Qu'avait-il dit ? Leaphorn remarqua que le garçon grelottait.

Il intervint.

– Monsieur Rostik. Une petite seconde, si vous voulez bien.

Et il se tourna vers Taka.

– Fils. Est-ce que tu as des parents ici ? Quelqu'un chez qui tu peux aller ?

– Pas ici, répondit le garçon. Pas ici à Shiprock.

Un étranger seul dans un pays étranger, pensa Leaphorn. Il demanda :

– Où ?

– Mon oncle et ma tante. Ils habitent à Albuquerque.

– Ce sont eux qui sont tes plus proches parents ?

Au moment où il posait cette question, il pensa combien les choses seraient différentes pour un garçon navajo. Il serait étouffé sous le nombre des membres de sa famille. Mais peut-être en serait-il allé de même aussi pour Taka Ji si son peuple n'avait pas été déraciné par la guerre. Peut-être les Vietnamiens n'avaient-ils pas, contrairement aux *biligaana*, perdu le sens de la famille en même temps que son prix.

Taka hochait la tête.

– Ce sont les seuls que j'aie.

– Nous les appellerons quand tu en auras fini ici, lui assura Leaphorn en posant le regard sur Rostik.

– J'ai fini, dit Rostik à Taka. Il me faudra juste savoir où je peux vous joindre si nous avons besoin de savoir quelque chose d'autre.

– Et un ami d'ici ? Quelqu'un chez qui tu pourrais rester ce soir ?

Taka réfléchit. Il donna un nom à Leaphorn, celui du fils d'un autre professeur de l'école secondaire.

Rostik partit. Ils passèrent leurs coups de téléphone sur l'appareil du colonel et Roanhorse prit Taka en main. Il allait le déposer à la maison de son ami.

– Je vais fermer à clef, dit le capitaine Largo. Nous garderons l'œil dessus jusqu'à ce que les fédéraux l'aient passée au peigne fin.

– Un dernier coup d'œil sur la chambre noire, réclama Leaphorn. Personne n'en saura jamais rien.

Avec Largo qui regardait par-dessus son épaule il scruta l'un après l'autre les tirages qui s'empilaient dans le panier du séchoir : onze photographies représentant des sections de cette même saillie rocheuse dans ce qui semblait faire partie d'un long relief basaltique. Elles avaient été prises (ou semblaient l'avoir été) du même endroit, comme si l'appareil photo muni d'un téléobjectif avait été légèrement déplacé sur un trépied pour chaque pose.

– Des paysages, commenta Largo. Si ce sont ses paysages, ce n'est pas avec eux qu'il va faire fortune.

– Non, répondit Leaphorn en les replaçant dans le panier. Vous reconnaissez l'endroit ?

– Ils peuvent aussi bien avoir été pris dans une centaine d'endroits. Ça ressemble juste à une grosse extrusion de lave. Assez ancienne. Ça pourrait être là-bas du côté de Ship Rock. Ça pourrait être plus bas dans les coulées de lave au sud de Grants. Ça pourrait être à l'est de Black Mesa. Ça pourrait être dans beaucoup d'endroits.

Sur la véranda, Largo s'arrêta pour verrouiller la porte d'entrée.

– Est-ce que vous voyez une raison pour que ces photos aient été prises ? lui demanda Leaphorn.

– Aucune. Je n'ai pas la moindre idée de ce qui motive le comportement des adolescents.

– Elles ont pu être prises par le colonel, fit remarquer Leaphorn. Il était photographe lui aussi.

Largo acquiesça de la tête.

– Exact, dit-il.

Mais il n'était pas particulièrement intéressé.

– Quand même curieux, conclut Leaphorn. Quand il ira mieux, je lui poserai peut-être la question.

– Peut-être que c'est effectivement le colonel qui les a prises. Mais qu'est-ce que ça change ? Les gens prennent tout le temps des photos de rochers. Ils croient voir la forme d'un canard, de Ronald Reagan ou Dieu sait quoi.

– Vous croyez que c'est le gamin qui l'a fait ?

– Qui a tué ? Non. Et vous ?

Leaphorn secoua la tête. Le genre de mouvement qui évite de donner une réponse.

– J'ai une autre question, dit-il. Même si Chee est un nom courant chez nous autres du Dinee, malheureusement, il n'est pas aussi courant que ça, bon sang. Comment votre fichu Jim Chee a-t-il bien pu s'y prendre pour se retrouver mêlé à ça ?

L'expression affichée par Largo était menaçante.

– J'ai l'intention de le découvrir.

– Moi aussi, dit Leaphorn.

14

L'idée n'avait pas plu à Janet Pete. Foncièrement, quoi qu'elle puisse dire, Jim Chee comprenait que c'était parce qu'elle n'avait pas confiance en lui qu'elle ne lui avait pas plu. Au pire, elle pensait qu'il pourrait la trahir. Il doutait qu'elle le crût vraiment et pourtant cette possibilité subsistait dans sa mémoire. Et lui restait sur le cœur. Au mieux, elle n'était pas certaine de pouvoir compter sur sa discrétion. Sur la valeur de son jugement. Cela aussi lui restait sur le cœur. D'une certaine façon, c'était même pire.

Il avait fini par laisser sa mauvaise humeur transparaître. C'était une faiblesse qui était nouvelle chez lui, et il en prit conscience. Il se l'expliqua à lui-même comme étant le résultat de nerfs à vif ; d'une main dont chaque élancement lui rappelait qu'il pourrait ne jamais en retrouver complètement l'usage ; de souvenirs traumatisants qui lui rappelaient son échec à remplir son devoir. Quelle que fût la façon dont il l'expliquait, il n'aimait pas se sentir comme ça.

– Janet, dit-il. Epargne-moi ces discours d'avocate. Je t'ai dit que je ne lui demanderai pas ses aveux, au vieil homme. Je ne lui demanderai pas ce qu'il faisait là-bas cette nuit-là. Ni comment il y est allé. Ni ce qui a bien pu le faire tirer sur Nez, bon sang. Je veux simplement l'interroger sur l'histoire qu'il a racontée au professeur. Simplement pour savoir pourquoi il pense que la Voie de l'Ennemi a été exécutée pour tous ces voleurs de chevaux et le Chant de la Voie du Fantôme ajouté pour un seul d'entre eux. Je ne lui demanderai rien qui puisse avoir la moindre signification pour le FBI. Ni pour toi non plus, d'ailleurs.

Cela avait touché un point sensible. La voix de Janet était devenue glaciale.

– Je vais t'épargner mes discours d'avocate. Epargne-moi tes conneries du genre "je suis plus indien que toi". D'accord ?

Il hésita.

– Oui, dit-il. Je regrette ce que j'ai dit.

– Alors ça va. Mais tu te conformes à la loi. Je reste tout le temps avec vous. Ashie Pinto ne répond qu'à ce que je veux qu'il réponde. Vous deux parlez mieux navajo que moi, alors je veux que tu m'expliques ta question, tu me l'expliques, nom de nom, jusqu'à ce que je comprenne où tu veux en venir sans quoi elle ne reçoit pas de réponse. Compris ?

Chee avait parfaitement compris.

Janet Pete arrangea les choses pour trois heures de l'après-midi et Chee prit un taxi pour se rendre au Centre de Détention du comté où les prisonniers fédéraux étaient incarcérés. C'était un après-midi d'automne ensoleillé et sans vent avec une frange de nuages d'altitude qui progressaient vers le nord-ouest, lui rappelant qu'à la télé le présentateur de la météo avait signalé de la neige à Flagstaff la veille au soir et indiqué que le front nuageux, comme toujours, progressait vers l'est. Il présenta ses papiers officiels à l'entrée et un gardien adjoint l'escorta vers le parloir.

Janet Pete attendait. Elle était assise sur une chaise en bois derrière une longue table en bois et paraissait petite, fatiguée et très belle.

– *Yaa' eh t'eeh*, commença Chee.

Il ravala ces paroles et, à la place, dit :

– Bonjour, Janet.

Elle lui sourit :

– *Yaa' eh t'eeh*, dit-elle. Je sais quand même un peu de navajo.

– Tu en sais autant que moi.

C'était un mensonge flagrant mais un gardien fit entrer Hosteen Ashie Pinto avant qu'elle ne puisse le dire.

Ici, dans cette pièce tranquille, stérile, éclairée par une batterie de tubes fluorescents, Ashie Pinto n'était pas l'homme dont Chee se souvenait. Il se souvenait d'un ivrogne titubant, illuminé par la lumière jaune des phares, mouillé de pluie, dont l'image était brouillée par l'état de choc dans lequel lui-même se trouvait et par la douleur qui était la sienne. Maintenant il était plus petit, desséché, fragile, digne et terriblement âgé. Il s'assit sur la chaise voisine de Janet Pete, la saluant d'un mouvement de tête. Il regarda Chee puis les épais bandages qui entouraient sa main gauche. Ashie Pinto répéta alors la seule chose que Chee l'eût jamais entendu prononcer.

– J'ai honte, dit-il en baissant les yeux.

Chee baissa les yeux lui aussi. Et lorsqu'il les releva, Janet le regardait. Il se demanda si elle avait compris cette phrase prononcée en navajo.

– Je pense t'avoir dit que M. Pinto ne parle pratiquement pas anglais, dit-elle. Je lui ai dit que tu venais, bien sûr, alors il se souvient de qui tu es. Il ne veut toujours absolument rien dire sur le meurtre et je lui ai demandé de ne pas répondre aux questions avant que je lui aie dit de le faire.

– D'accord. La question que je veux lui poser nécessite quelques explications. Arrête-moi si tu es perdue.

Ainsi donc, Chee commença :

– Mon oncle, je crois que vous avez peut-être entendu parler de Frank Sam Nakai qui est un chanteur de la Voie de la Bénédiction, du Chant du Sommet de la Montagne et de beaucoup d'autres chants guérisseurs. Cet homme est le frère de ma mère et il a essayé de m'apprendre à suivre ses traces et à devenir *hataalii*. Mais je suis toujours un homme ignorant. J'ai encore beaucoup à apprendre. J'ai appris quelques petites choses sur les coutumes et les manières d'être du Peuple Sacré. Et ce que j'ai appris m'amène ici afin de vous poser une question. C'est une question portant sur quelque chose que vous avez dit à un professeur nommé Tagert.

Chee s'arrêta, les yeux posés sur Pinto. Ce dernier restait assis, immobile comme la mort, et il attendait. Sa peau était tendue sur les os de son crâne, paraissant presque transparente dans sa minceur. La déshydratation rendait ses yeux protubérants, plus grands qu'ils ne l'étaient. C'étaient des yeux noirs, mais la cornée de l'un était voilée par une pellicule de cataracte.

Certain maintenant que Chee en avait terminé avec son explication, Pinto acquiesça de la tête. Le policier était invité à poursuivre.

– Vous parliez au professeur d'une époque, peut-être avant votre naissance, où plusieurs jeunes gens du Peuple du Fruit du Yucca étaient allés à cheval jusqu'à Sleeping Ute Mountain pour ramener des chevaux que les Utes leur avaient volés. Vous vous souvenez de ça ?

Pinto se souvenait.

Chee résuma le reste de l'aventure, prenant le temps de bien la raconter. Il voulait arracher Pinto à la conscience qu'il avait de cette pièce, de son rôle de prisonnier, et le replonger dans son passé. Il parvint finalement à l'endroit qui l'avait intrigué.

– La façon dont le professeur *biligaana* a écrit ce que vous lui avez dit n'est peut-être pas exactement ce que vous lui avez dit. Mais ce qu'il a écrit donne ceci : vous lui avez dit que le *hataalii,* que le Peuple du Fruit du Yucca avait appelé, a décidé qu'il fallait exécuter une cérémonie de la Voie de l'Ennemi pour tous ces jeunes hommes. Est-ce vrai ?

Pinto réfléchit. Il eut un léger sourire, fit oui de la tête.

– Ensuite le professeur *biligaana* a écrit que vous lui aviez dit que ce chanteur avait décidé qu'il lui faudrait aussi exécuter un Chant de la Voie du Fantôme pour l'homme auquel ils donnaient le nom de Delbito Willie. Est-ce vrai ?

Là, il n'y eut pas d'hésitation. Hosteen Pinto fit oui de la tête.

– C'est la première de mes questions. Savez-vous pourquoi cette Voie du Fantôme était nécessaire ?

Pinto étudia le visage de Chee, réfléchissant. Il eut un léger sourire, fit à nouveau oui de la tête.

– Mon oncle, dit Chee, acceptez-vous de me dire pourquoi ?

– Pas encore, intervint Janet Pete. Il y a beaucoup de choses que je n'ai pas comprises dans tout ça. Où veux-tu en venir ?

– En fait, à la raison pour laquelle un rite guérisseur a été prescrit à l'un de ces hommes et pas aux autres. Ce qui suggère qu'il a transgressé un tabou bien précis. Je me demande de quoi il s'agissait.

Janet Pete était visiblement perdue.

– Mais qu'est-ce que... ? Oh, allez-y, répondez.

Hosteen Pinto posa son regard sur Janet Pete, le ramena sur Chee puis sur quelque chose qu'il voyait par la fenêtre à côté de l'épaule de Chee. Chee attendit. A travers la vitre entrait le bruit d'une sirène d'ambulance, le bruit de freins que l'on écrasait. Quelque part dans le bâtiment une porte claqua, il y eut le tintement de l'acier contre l'acier. Chee percevait l'odeur de la poussière, d'un produit de nettoyage de sol astringent, l'arôme particulier aux vieux, très vieux messieurs. Pinto relâcha sa respiration, exhalant comme un soupir. Il regarda à nouveau Janet Pete en souriant. *Cet homme*, pensa Chee, *ce vieil homme plein de gentillesse est l'homme qui a assassiné Delbert Nez. L'homme qui a fait brûler mon ami à l'intérieur de sa voiture. L'homme dont les actes ont entraîné cette terrible brûlure dans toute ma paume. Pourquoi a-t-il fait ça ? A cause du whisky.* Todilhil. *L'Eau des Ténèbres. A deux reprises elle a fait de ce vieil homme un coyote.*

Hosteen Pinto changea de position sur sa chaise, cherchant un peu de confort pour ses vieux os.

– Cette jeune femme est devenue comme une de mes petites filles. Elle me dit qu'elle vous connaît. Elle dit que vous êtes un homme d'honneur. Elle dit que vous suivez les coutumes et les croyances des Navajos.

Il se tut pour donner à Chee l'occasion de répondre à ces paroles. Puis il prit une profonde inspiration.

– Ces choses-là, je les ai racontées à Hosteen professeur. Je crois qu'ils ont mis toutes ces choses sur le papier. Et vous avez lu ce papier ? C'est cela ?

– Oui. Je l'ai lu entièrement.

Pinto parut surpris.

– Et vous connaissez la Voie Navajo.

– Je l'ai un peu étudiée.

L'expression de Pinto était légèrement sceptique, comme s'il se demandait jusqu'où Chee avait poussé cette étude.

– On raconte qu'il y avait beaucoup de porteurs-de-peau à cette époque, commença Hosteen Pinto. Encore plus que maintenant. Est-ce que vous savez vraiment ce que sont les Porteurs-de-Peau ?

– Je sais des choses sur eux, répondit Chee.

Il s'installa sur son siège. Cela allait être long. Pinto allait commencer au commencement et tout raconter du début à la fin. Et plus longtemps il parlerait, plus il y avait de chance qu'il jette de la lumière sur cette affaire trouble. Si, toutefois, des correspondances voulaient bien s'établir.

– On nous apprend que toute chose possède deux formes, dit Hosteen Pinto en remontant encore plus loin en arrière que Chee ne s'y était attendu. Il y a la montagne que nous voyons là-bas à côté de Grants, celle que les *biligaana* appellent mont Taylor. Ça, c'est la forme externe. Et en plus on raconte qu'il y a la forme interne, la Montagne Turquoise sacrée qui était là avec le Peuple Sacré dans le Premier Monde, le Monde Sombre des premiers temps. Et Premier Homme l'a amenée du Troisième Monde, l'a érigée sur son vêtement magique et l'a décorée de turquoise. Et ensuite il y a le yucca. Nous voyons la forme externe tout autour de nous, mais c'est la forme interne du yucca à laquelle nous faisons l'offrande de la plume de prière quand nous creusons pour en prendre les racines afin de faire du savon pour nous laver.

Il s'interrompit un instant, observant Chee :

– Vous comprenez ?

Chee hocha la tête. C'était le fondement de la métaphysique navajo. Mais il se demanda si Janet Pete en avait jamais entendu parler.

– Oiseau Bleu a deux formes, de même que le cerf et le scarabée*. Deux formes. Ils ont la forme du *yei* * et ils ont la forme extérieure que nous voyons. Toutes les choses vivantes. Vous aussi. Et moi. Deux formes.

Hosteen Ashie Pinto se pencha en avant, tout petit dans la combinaison jaune des prisonniers du comté, s'assurant de la compréhension de Chee.

– Et ensuite il y a Coyote. Vous savez comment est Coyote ?

– Je sais des choses sur Coyote, dit Chee.

Il regarda Janet Pete. Son regard était rivé sur Pinto et elle se concentrait sur ce qu'il disait. En se demandant, imagina Chee, où tout cela conduisait.

– Je sais qu'il joue des tours. J'ai entendu les histoires. Comment il s'est emparé de la couverture et a disséminé les étoiles dans la Voie Lactée. Comment il a volé le bébé de Monstre des Eaux. Comment par la ruse il a obtenu de la sœur des ours qu'elle l'épouse. Comment...

L'amusement qui se lisait sur les traits de Pinto l'arrêta.

– On raconte aux enfants les histoires drôles sur Coyote pour qu'ils n'aient pas peur, dit Pinto.

L'amusement disparut. Pinto eut un petit sourire crispé et sinistre puis se lança dans l'explication (aussi vieille que la culture du Peuple) sur la raison pour laquelle Coyote n'était pas drôle. Chee écouta, souhaitant, comme il lui était à maintes reprises arrivé de le souhaiter lors de pareilles séances avec des conteurs d'histoires âgés, que les Navajos ne soient pas obligés de tout reprendre depuis le début. Il regarda à nouveau Janet. Elle semblait stupéfaite, se demandant probablement ce qu'il pouvait bien espérer apprendre de tout ça... un étonnement que Chee commençait à partager. Mais au moins elle ne l'accuserait pas d'essayer d'apprendre quelque chose qui puisse être utilisé contre Pinto. Sauf si le vieil homme parlait suffisamment longtemps pour lui dire ce que Chee était venu apprendre, bien sûr.

Il expliquait maintenant que le nom donné à Coyote dans le Quatrième Monde n'était pas *atse'ma'ii*, ou Premier Coyote, mais *atse'hashkke*, ou Premier-à-Exprimer-la-Colère, ainsi que ce que cela impliquait symboliquement dans une culture qui émergeait et pour laquelle la paix et l'harmonie étaient essentielles à la survie. Il parla de Coyote comme de la métaphore du chaos chez un peuple affamé condamné à périr si aucun ordre ne régnait. Il parla de Coyote comme de l'ennemi de toute loi, de toute règle et de l'harmonie. Il parla du pouvoir mythique de Coyote. Il rappela à Chee comment Coyote s'asseyait toujours sur le seuil du hogan quand le Peuple Sacré se réunissait en Conseil, ne faisant pas vraiment partie de ces représentants du pouvoir cosmique, mais n'étant pas non plus totalement l'allié de la sauvagerie et du mal régnant à l'extérieur. Et finalement il rappela à Chee que d'autres peuples sages, comme les vieillards des sociétés des kivas hopi, savaient qu'il y avait eu une époque lointaine où les humains avaient deux cœurs. De la sorte ils étaient capables de passer d'une forme à l'autre : du naturel au surnaturel.

– Je pense que votre oncle a dû vous apprendre quel est le pouvoir de la peau, dit Pinto.

Il leva les yeux pour en trouver confirmation sur le visage de Chee et, la voyant, poursuivit.

– On raconte que c'est ainsi que Femme-qui-Change a créé les premiers Navajos. Avec de la peau arrachée à ses seins en les frottant, elle a donné forme au Peuple du Sel, au Clan de la Boue, aux Peuples de l'Eau Amère et de la Perle. J'ai entendu parler de votre oncle, de Frank Sam Nakai. On dit que c'est un grand *hataalii*. Il a dû vous apprendre comment Coyote a fait de Premier Homme un porteur-de-peau en projetant sa dépouille sur lui. Vous le savez ? Comment Première Femme refusait de dormir avec lui parce qu'il avait maintenant acquis de toutes les vilaines manies de Coyote, il sentait l'urine de coyote, se léchait et essayait de la lécher, et il faisait toutes ces choses dégoûtantes que font les coyotes. Et comment le Peuple Sacré a guéri Premier Homme en le faisant passer à travers les anneaux magiques pour lui arracher sa peau de coyote. Votre oncle vous l'a appris ?

– Partiellement, dit Chee.

Il s'en souvenait un peu. C'était un épisode qui était recréé dans une partie de la cérémonie de la Voie du Fantôme : un rite guérisseur destiné à la forme la plus virulente de maladie due à la sorcellerie.

– Dans ce cas vous savez pourquoi cet homme était obligé d'avoir une Voie du Fantôme, dit Pinto. Il était obligé de l'avoir parce qu'il avait été avec les *yenaldolooshi*.

– Non, dit Chee. Cela je ne le comprends pas.

Janet Pete leva la main.

– Attendez une minute. Je ne comprends pas non plus. *Yenaldolooshi* ? C'est le mot que l'on emploie pour les animaux qui courent, non ?

Chee acquiesça :

– Les animaux qui courent à quatre pattes. Mais c'est également utilisé pour les porteurs-de-peau. Les sorciers.

– Où cette conversation mène-t-elle ? Est-ce que tu entraînes M. Pinto dans un piège ? Tu te souviens de ce que tu m'as promis ?

Pinto les regardait sans comprendre.

Janet Pete passa de l'anglais au navajo.

– Je voulais m'assurer que M. Chee n'essayait pas de vous faire dire quelque chose qui vous ferait du tort au procès, expliqua-t-elle. Je veux que vous soyez attentif à ça.

Hosteen Pinto hocha la tête.

– Nous parlons de quelque chose qui s'est passé il y a très longtemps, dit-il.

– Je ne comprends pas, mon oncle, dit Chee. Pourquoi ont-ils exécuté la Voie du Fantôme pour celui qu'ils nommaient Delbito Willie alors qu'ils ont exécuté la Voie de l'Ennemi pour les autres.

– Parce qu'il est entré là-bas dedans, répondit Hosteen Pinto.

Le ton de sa voix était patient :

– Il est entré dedans... dans Tse A'Digash. Il est entré dedans, à l'endroit où les sorciers se réunissent. Il est entré dedans parmi les cadavres et les porteurs-de-peau. Il est entré là où les *yenaldolooshi* tiennent leurs cérémonies, où ils se livrent à l'inceste, où ils tuent ceux de leur famille.

Silence. Chee réfléchissait à ce qu'il venait d'entendre. Il fronça les sourcils, tourna les yeux vers Janet Pete. Elle le regardait. Tant pis, il allait poser la question quand même.

– Mon oncle, est-ce que vous voulez bien me dire où ce Tse A'Digash se trouve exactement ?

L'expression de Pinto changea.

– Je ne peux pas vous dire cela.

– Est-ce que vous pourriez me dire si le professeur Tagert vous a engagé pour lui montrer où c'est ?

Hosteen Pinto avait les yeux fixés sur Chee.

– Quand vous m'avez arrêté cette nuit-là, j'ai senti le feu sur vos vêtements. J'ai senti l'endroit où votre chair avait brûlé. J'ai dit que j'avais honte. J'ai encore honte. Mais ces choses que vous me demandez maintenant, je ne peux pas vous les dire.

– Qu'est-ce qui se passe ? demanda Janet.

Hosteen Pinto se leva, se dirigea vers le seuil de la pièce en boitant, ses vieux os tout raides à cause de la position assise.

– Pourriez-vous seulement me dire qui vous a donné ce whisky ?

Hosteen Pinto cogna à la vitre. Le gardien arrivait.

– Ne dites rien, avertit Janet Pete.

Puis elle s'adressa à Chee sur le ton de la colère :

– C'est ça tes promesses !

– Je veux simplement une partie de la vérité, protesta Chee. Peut-être la vérité lui rendra-t-elle sa liberté.

15

Jim Chee n'avait pas suffisamment l'expérience des voyages aériens pour accéder à un mode de réflexion créatif en avion. Il passa le temps du vol sur le turbopropulseur de Mesa Airlines assis sur son siège à regarder en contrebas par le hublot la neige précoce sur les crêtes des monts Jemez, la vaste étendue accidentée aux tons gris et fauves de la région de Chaco Mesa et, finalement, le ruban de noir et de jaune de moins en moins éclatant qui marquait la vallée de la San Juan. Ses pensées allaient vers Janet Pete qui avait été en colère contre lui tout en restant loin de ce à quoi il s'était attendu de sa part. Il conclut de manière toute provisoire que c'était parce que Hosteen Pinto ne lui avait rien dit qui pût être retenu contre lui. Néanmoins elle aurait dû être furieuse parce qu'il avait essayé de se servir d'elle. Cela pouvait s'expliquer si la façon dont il se comportait ne lui importait aucunement. Cette explication ne lui plaisait pas. Elle était peut-être exacte, mais il la rejetait. De plus en plus, Janet lui importait.

Il récupéra son pick-up truck sur le parking de l'aéroport et quitta la mesa pour se joindre à la circulation dense de fin de journée sur la 550. Il allait s'arrêter au poste de police de Shiprock pour voir si le capitaine y était. Largo était dans le coin depuis bien plus longtemps que lui et il connaissait beaucoup plus de gens dans cette partie de la réserve. Il se pouvait qu'il ait entendu parler du Tse A'Digash qu'Ashie Pinto avait mentionné. Il supposait que ce devait être quelque part au sud de Shiprock. Quelque part dans la région des poussées volcaniques. Probablement pas très loin de l'endroit où il avait arrêté le vieil homme. Et si Largo ne savait pas, il y avait des chances qu'il connaisse un vieux de la vieille qui saurait, lui.

Mais Largo n'était pas au poste de police.

Angie était à l'accueil.

– Salut, toi, comment va ta main ? demanda-t-elle en lui adressant un grand sourire.

Puis, sans attendre de réponse :

– Le capitaine te cherchait. On aurait dit qu'il en avait gros sur la patate.

– Pourquoi ? fit Chee en commençant automatiquement l'examen de conscience que provoque ce genre de déclaration. Je suis en congé maladie.

– Je ne sais pas pourquoi. Il ne me l'a pas dit. Mais le lieutenant Leaphorn était avec lui. Monté de Window Rock. Et il avait l'air en rogne.

– Leaphorn ?

– Le capitaine Largo, répondit Angie. Maintenant que j'y pense, le lieutenant aussi, je dirais.

– C'était aujourd'hui ?

Elle hocha la tête.

– Ils sont partis il y a juste un instant.

Rien à fiche, pensa Chee. Il verrait Largo quand il le verrait. Les nouvelles concernant Leaphorn l'ennuyaient davantage. Leaphorn avait essayé de contacter Tagert. Il ne pouvait y avoir là qu'une seule explication. Le lieutenant, le superflic, s'était invité lui-même à mener l'enquête sur Pinto. L'invitation ne venait pas du FBI, supposa-t-il. Ce n'était guère probable. Plus probablement Leaphorn avait décrété que le simple policier qu'était Jim Chee s'était complètement planté. Oh et puis, qu'il aille se faire fiche, Leaphorn.

– Angie. Tu es ici depuis un bon moment. Est-ce que tu connais dans cette partie de la Réserve des endroits que les gens appellent Tse A'Digash ?

Elle se contenta de le regarder.

Il insista.

– Un endroit qui a mauvaise réputation à cause des sorciers ? Le genre d'endroit dont les gens ne s'approchent pas ?

– Le genre d'endroit dont les gens ne parlent pas non plus à ceux qu'ils ne connaissent pas. Moi, je viens du côté de Leupp. Là-bas, dans la partie ouest de la Réserve. A cinq cents kilomètres d'ici.

– Je sais. Mais tu vis ici depuis dix ou douze ans.

Elle secoua la tête.

– Ce n'est pas assez. Pas pour que les gens vous parlent des porteurs-de-peau.

Et c'était vrai. Il le savait.

Il reprit le volant pour rentrer chez lui en se demandant lequel, parmi ses amis, était suffisamment ancien sur le territoire de Shiprock pour savoir ce qu'il avait besoin d'apprendre. Il avait trois noms en tête, Largo venant en quatrième position. Pour l'instant, apparemment, le capitaine lui en voulait. Mais ce n'était pas exceptionnel. Et il lui dirait ce qu'il savait. Il se demanda ce qui avait énervé le capitaine et le lieutenant Leaphorn. Et à la pensée même de Leaphorn il sentit sa propre colère monter.

Lorsqu'il quitta la chaussée de gravier pour engager son véhicule sur la piste pentue qui plongeait à travers les herbes-aux-lapins jusqu'à sa petite maison mobile en contrebas, il vit qu'il avait de la visite. Une voiture s'écartait justement de la caravane pour venir dans sa direction. Une voiture de patrouille de la Police Tribale Navajo.

Elle s'arrêta, repartit en marche arrière et se regara exactement à l'endroit où Chee avait l'habitude de ranger son pick-up truck. Il se gara à côté d'elle.

Le capitaine Largo était au volant, un autre policier assis à côté de lui.

– Content de vous voir, dit Largo en s'extirpant de la voiture. Ça fait un moment qu'on vous cherche.

– C'est ce qu'Angie m'a dit. Vous voulez entrer ?

– Pourquoi pas ?

L'autre policier descendit par la portière du côté du passager, remettant son chapeau d'uniforme sur une tête couverte de cheveux gris coupés en brosse. Le lieutenant Leaphorn.

– *Yaa' eh t'eeh*, dit Leaphorn.

Le soleil de l'après-midi éclairait encore la partie haute de la ville de Shiprock mais ici, au milieu des trembles à côté de la rivière, la caravane de Chee se trouvait à l'ombre depuis suffisamment longtemps pour qu'il y fasse froid. Il alluma l'appareil de chauffage au propane, remplit sa cafetière d'eau, sortit trois tasses et trois des filtres en papier qu'il utilisait maintenant pour passer le café directement dans les tasses. Pourquoi le capitaine l'avait-il cherché ? Pourquoi Leaphorn était-il là, si loin de sa table de travail de Window Rock ? Chee alluma sous la cafetière, en remarquant qu'il faisait preuve d'une plus grande prudence qu'auparavant vis-à-vis du feu. Le capitaine et le lieutenant occupaient ses deux chaises. Il prit position au bord de sa couchette.

– Il faut que nous attendions que l'eau bouille, expliqua-t-il. Ça prend à peine quelques minutes.

Largo s'éclaircit la gorge, émettant un grondement.

– Nous avons un homme qui a été tué ici, à Shiprock, aujourd'hui. Par balles.

Cela n'avait rien de commun avec ce à quoi Chee s'attendait.

– Tué par balles ? Qui est-ce ?

– Un type appelé Huan Ji, répondit Largo. Vous le connaissez ?

– Wow ! fit Chee.

Il resta figé sur place, digérant cette information. Digérant aussi la façon dont il en prenait connaissance.

– Ouais, fit-il. Je ne le connais pas vraiment, mais j'ai parlé avec lui. Une fois. La semaine dernière. C'est sa voiture que j'ai vue à l'endroit où Delbert a été tué.

Puis une autre pensée lui vint :

– Qui l'a tué ?

Il remarqua que Leaphorn était assis, les bras croisés sur la poitrine, et qu'il l'observait.

– Pas de suspects, dit Largo. Apparemment quelqu'un est venu chez lui cet après-midi. Ça a dû être peu de temps après qu'il soit rentré de l'école. Ou peut-être qu'ils étaient là à l'attendre. En tout cas, celui qui l'a tué a tiré deux fois. Il l'a laissé sur le plancher de la pièce de devant.

– Le salopard, dit Chee. Une idée sur la raison que quelqu'un pouvait avoir de le tuer ?

– Aucune.

Largo, dont la chaise inclinée en arrière était appuyée contre le mur, regardait Chee par-dessus ses lunettes.

– Et vous ? Des idées ?

– Aucune.

– De quoi avez-vous parlé avec lui ?

– De ce qu'il aurait pu voir la nuit où Nez a été tué.

– Qu'a-t-il vu ?

– Il m'a répondu qu'il n'avait rien vu.

– Il a laissé un message, dit Largo. Il l'a écrit sur le papier mural, là où il gisait. Il a écrit "Veillez sur Taka" et en dessous de ça il a écrit "Dites à Chee que j'ai menti". Il a plongé son doigt dans son propre sang pour l'écrire.

– Ça alors, fit Chee.

– Qu'est-ce qu'il a voulu dire à votre avis ?

Chee hésita.

– Eh bien, je savais qu'il m'avait menti sur un point. Il m'a dit qu'il n'avait pas vu d'autres voitures. Il était obligé de voir ma voiture de police. Il venait face à moi, sa Jeepster en tout cas, et il a bifurqué sur la droite juste avant que nous nous croisions. Ma sirène était branchée et mes lumières aussi. Et mes phares étaient en plein sur lui. Impossible qu'il ne m'ait pas vu.

Ils réfléchirent tous les trois.

Leaphorn avança :

– Bizarre de mentir là-dessus.

– C'est aussi ce que je me suis dit, renchérit Chee. Je me suis demandé pourquoi.

– Vous lui avez demandé ?

– Non.

– Pourquoi ?

– Je ne pensais pas que ça m'apprendrait quelque chose.

Leaphorn réfléchit à cette réponse et hocha la tête. Il dit :

– Pourquoi êtes-vous allé lui parler ? Vous êtes en congé de convalescence. Et l'affaire est du ressort des fédéraux.

Chee se sentit rougir.

– Le FBI ne l'avait pas interrogé. Je pensais qu'il avait pu voir quelque chose.

Leaphorn ne fit pas de commentaire là-dessus. Il dit :

– L'eau de votre café bout.

Dans le passé, Joe Leaphorn avait vécu sous l'emprise du tabac, fumant des Pall Mall sans filtre au rythme de deux paquets par jour et quand, en réponse aux inquiétudes d'Emma, il était passé aux filtres, trois paquets par jour. Il avait brisé cette dépendance dans les premiers temps de la maladie incurable d'Emma. Il avait mordu dans ses pastilles contre l'accoutumance à la nicotine comme s'il s'agissait d'une sorte de sacrifice fait à celle qu'il aimait. Et aux dieux... pour que cette femme belle et petite lui soit laissée. A mesure que le besoin ardent d'une cigarette avait disparu, il avait découvert qu'il se trouvait remplacé par sa délectation à boire du café. Maintenant il se réveillait chaque matin seul dans son lit en en savourant à l'avance la première gorgée. Sa journée de travail se mesurait aux intervalles entre deux tasses. Etant Leaphorn, donc logique, il savait que cette passion obsessionnelle pour le café représentait un défaut de son caractère, une faiblesse en même temps qu'un risque pour sa santé. Il avait fait un compromis logique : pas plus de quatre tasses avant le déjeuner et uniquement du décaféiné après. De cette façon il vivait relativement heureux.

Mais aujourd'hui il n'en avait pratiquement pas bu. Au petit déjeuner il avait avalé ses deux tasses habituelles avec le reste du ragoût de mouton de la veille au soir. Il s'était arrêté pour une nouvelle tasse au commerce qui se trouvait au bord de la route à l'intersection de Newcomb. Mais il n'avait pas pu en avoir. Au déjeuner, à Shiprock, ce qu'on lui avait servi était du réchauffé de café qui restait visiblement du petit déjeuner et c'était imbuvable, même selon ses critères peu exigeants. Puis le meurtre de Huan Ji avait tout bousculé. Et là, tandis que Chee versait de l'eau bouillante sur le café moulu, l'arôme qui parvenait à ses narines était d'un délice indescriptible.

Il n'avait jamais vu quelqu'un faire du café de cette façon. Chee avait disposé trois grandes tasses à côté de l'évier, posé un petit gadget noir de forme conique sur l'une d'elles, inséré un filtre en papier à l'intérieur, y avait versé une cuillerée de café Folger's puis avait fait passer l'eau. Ensuite il avait remplacé le café moulu et avait répété le processus pour les autres tasses. Beaucoup de gaspillage, pensa Leaphorn, et de temps perdu. Mais quand il goûta le résultat, il fut impressionné. Absolument excellent. Aussi bon que tout ce qu'il avait goûté jusque-là. Il observa Chee par-dessus le bord de la tasse. Curieux jeune homme. Beau garçon, en un sens, avec ce genre de visage allongé et expressif que les femmes semblent apprécier. Un assez bon policier, très fort dans certains domaines, faible dans d'autres. Il se souvint qu'une fois Largo avait fait une tentative pour voir ce qu'il donnerait comme sergent. Ça n'avait pas duré longtemps pour une raison qu'il avait oubliée ou, plus vraisemblablement, qu'il n'avait jamais connue. Chee n'était pas quelqu'un à travailler en équipe organisée. C'était un solitaire. Il aimait œuvrer en franc-tireur. C'était quelqu'un qui ne travaillait dans le cadre du système qu'aussi longtemps que ce dernier ne représentait pas pour lui un obstacle. L'un de ces individus qui ne marchent qu'au rythme de leur propre tambour. Cette idée qu'il avait d'essayer d'être policier et *hataalii* en même temps, par exemple. Ce n'était pas seulement utopique. Bon sang, comment un flic pouvait-il se libérer comme ça de but en blanc pour une cérémonie de neuf jours ? C'était grotesque. C'était comme d'être à la tête d'une banque d'affaires et prêtre catholique en même temps. Ou rabbin et clown. Les gens ne l'accepteraient pas. Ils s'attendent à ce qu'un shaman ou un prêtre soit différent de tout un chacun, à ce qu'il vive dans l'ombre sur la périlleuse frange mystique du surnaturel.

Chee remplissait à nouveau la cafetière ; l'épais bandage de sa main gauche faisait d'elle un appendice malcommode. Le fruit du travail de franc-tireur, se dit Leaphorn. Mais en toute honnêteté il devrait dire que le résultat du non-respect des règlements était un policier tué, la main brûlée étant la conséquence du courage de Chee. Il se demanda si lui serait entré dans les flammes, s'il se serait saisi de la poignée de la portière pour sauver la vie d'un homme. Il n'en était pas sûr. Il serait peut-être resté sur place, calculant ses chances de succès... essayant d'agir selon ce que lui dictait la raison.

— Ça vous fait toujours mal ? demanda-t-il. Votre main ?

— Pas beaucoup, répondit Chee en se rasseyant sur la couchette. Pas si je fais attention.

— Vous avez fait état d'un point sur lequel Ji a menti quand vous lui avez parlé. Est-ce que vous pensez que c'est de ça dont parlait son message ?

Chee était occupé à glisser sous le bandage un morceau de gaze qui s'en était échappé, se concentrant sur ce qu'il faisait.

– Non, dit-il. J'en doute.

Intelligent, pensa Leaphorn. Evidemment que ce n'était pas ça.

– De quoi pensez-vous qu'il s'agissait ?

Chee hésita.

– C'est tout nouveau pour moi, dit-il. Il me faut une minute pour me former une vision globale.

Leaphorn buvait son café avec énormément de plaisir. Un merveilleux café.

– Prenez votre temps, dit-il.

Chee leva les yeux de son bandage. Ses traits étaient pleins de colère.

– Moi aussi j'ai une question à vous poser. Qu'est-ce qui vous a amené à vous y intéresser ? Au meurtre de Delbert Nez ?

Leaphorn nota l'expression de Chee, la colère contenue dans sa voix.

– Quelqu'un a abattu Huan Ji, dit-il. C'est ça qui m'a amené à m'y intéresser.

– Non, fit Chee en secouant la tête. La semaine dernière vous étiez à la recherche d'un professeur qui s'appelle Tagert. Qu'est-ce qui se passe ? Vous pensez que j'ai arrêté le mauvais type ? Vous croyez que j'ai merdé pour ça aussi ?

Le capitaine Largo changea de position sur sa chaise.

– Du calme, dit-il.

L'émotion exprimée par Chee était intéressante. Qu'est-ce qui la motivait ? Leaphorn fit tourner sa tasse entre ses mains.

– Je me demandais comment Pinto était arrivé là où vous l'avez trouvé, expliqua-t-il. Le FBI n'a pas vérifié. Ils n'ont pas vu de raison de le faire, je suppose, puisque vous leur aviez remis le coupable avec le pisolet encore fumant à la main.

Le lieutenant resta silencieux un moment, observant la colère de Chee. Il n'y avait absolument aucune raison qu'il dise quoi que ce soit à ce jeune homme. Aucune raison si ce n'était cette main bandée et ce qu'elle représentait.

– Je me posais la question, poursuivit-il, et puis la nièce de Pinto est venue me voir. Elle appartient au Clan de la Montagne qui Tourne. Elle était parente avec ma femme qui est décédée. Elle voulait engager un détective privé pour découvrir qui a véhiculé le vieil homme. J'ai décidé de le faire pour elle.

Chee hocha la tête, nullement calmé.

– J'ai remarqué que vous vous êtes aussi posé cette question, reprit Leaphorn. Vous vous êtes aussi donné la peine de découvrir que Tagert l'avait engagé.

– Il l'a fait ? demanda Chee. Tout ce que je savais c'était que Tagert avait fait appel à lui dans le passé. Comme source de légendes anciennes. Ce genre de choses. Tagert l'avait engagé cette fois ?

– Oui, répondit Leaphorn.

Il parla à Chee de la lettre que Grand-Père McGinnis avait écrite, du véhicule aperçu alors qu'il s'éloignait de l'endroit où habitait Pinto.

– Comment avez-vous établi le lien avec Tagert ? demanda-t-il ensuite.

Chee lui parla de Janet Pete, de l'escalade de la formation volcanique où le peintre fou que Nez espérait attraper barbouillait les rochers depuis un certain temps. Il lui relata ce qu'ils avaient vu sur place, lui apprit que le peintre portait une échelle au cœur des roches, qu'il peignait des endroits élevés, ne se préoccupait pas de ceux qui étaient plus bas, enduisant de peinture une partie de la surface d'une formation rocheuse, laissant la suivante. Il parla de la voiture aux plaques d'immatriculation REDDNEK, de sa visite à la bibliothèque de l'université du Nouveau-Mexique pour écouter les bandes magnétiques de Pinto, de la façon dont il avait noté le nom de ceux qui avaient fait les enregistrements. Il raconta à Leaphorn ce qu'il avait appris de Jean Jacobs et d'Odell Redd.

– Alors vous pensez que Tagert est à la recherche de quelque chose qui se rapporte à Butch Cassidy ? demanda le lieutenant.

– C'est ce qu'ils pensent. Cela semble être le lien qui existe entre lui et Pinto. Cette vieille histoire des voleurs de chevaux et des deux Blancs.

– Bon, sur quoi pensez-vous que Ji vous a menti ?

Ce brutal changement de sujet ne sembla pas perturber Chee.

– Je ne pense pas que c'était Ji qui conduisait la voiture. Je crois que c'est là-dessus qu'il a menti.

– Pourquoi ? interrogea Leaphorn. Pourquoi pensez-vous cela ?

– Il n'a pas vu ma voiture. Il n'a pas vu le feu. Il faisait très attention à la façon dont il répondait à mes questions. Il n'a rien ajouté de lui-même qui puisse le faire prendre en flagrant délit de mensonge. Il se contentait d'attendre mes questions puis de me donner des réponses très prudentes et très brèves.

– Pourquoi pouvait-il avoir intérêt à mentir là-dessus ? Vous avez une théorie ?

– Vous m'avez dit qu'il avait écrit quoi d'autre sur le mur ? Qu'est-ce que c'était ?

Ce fut le capitaine Largo qui répondit à la question :

– "Veillez sur Taka."

– Non, précisa Leaphorn. C'était "Sauvez Taka".

– C'est son gamin ? demanda Chee. C'est ça ?

Leaphorn eut un petit sourire, approuvant la façon dont fonctionnait le cerveau de Chee.

– Alors vous pensez que c'est Taka qui conduisait la voiture ? Je crois que ce n'est pas une mauvaise hypothèse. Il la conduisait après l'école aujourd'hui. Il conduit beaucoup, je crois. Il m'a même dit avoir sa propre clef de voiture.

– Je soupçonne qu'il ne voulait pas voir son fils impliqué dans une enquête policière. J'ignore pourquoi.

– Il semble avoir été un ami très spécial de la CIA, précisa Leaphorn. Cela remonte à l'époque où il était au Viêt-nam.

Il expliqua ce que Kennedy lui avait appris.

– Ce qui fait que le colonel Ji était peut-être seulement quelqu'un du genre inquiet. C'est ça que vous pensez ?

Leaphorn haussa les épaules.

– Quand un homme se bâtit une carrière en se livrant à des jeux dangereux, ce doit être difficile de surmonter cette façon de penser. Un policier se fait tuer. On ne tient pas à ce que son enfant soit mêlé à une affaire de ce genre. (Il haussa à nouveau les épaules.) Une hypothèse qui en vaut une autre. En fait nous n'en savons pas assez.

– Non, dit Largo. Nous ne savons fichtrement rien. A part qu'un homicide est un crime aggravé et que nous n'avons aucun pouvoir légal sur ces crimes. Qu'ils concernent Nez ou le colonel Ji.

– Nous avons le pouvoir d'intervenir dans une affaire de vandalisme, suggéra Leaphorn. Parlez-moi de ça.

Largo parut surpris :

– Quel vandalisme ?

– Vous voulez parler de la peinture sur les rochers ? Vous savez ce qu'il y avait dans le rapport. Voilà, Delbert avait remarqué ça peut-être deux ou trois semaines avant. Quelqu'un mettait de la peinture blanche ici et là sur une formation rocheuse située entre Ship Rock et la chaîne des Chuska. Ça l'a intéressé et il a commencé à faire un crochet de ce côté-là chaque fois que l'itinéraire qu'il avait à patrouiller le lui permettait. Il espérait arrêter le type. Mais il ne l'a jamais fait.

– Et il croyait l'avoir vu ce soir-là ?

– C'est ce qu'il m'a dit.

– Et à l'entendre il vous a donné le sentiment qu'il y allait ?

– C'est bien le sentiment qu'il m'a donné.

Leaphorn reposa sa tasse de café. Il posa un regard sur la cuisinière. De la vapeur jaillissait de la cafetière mais ce n'était pas le moment d'interrompre ce train de pensée.

– Qu'en pensez-vous ? demanda-t-il. Vous voyez un lien ? Est-ce que c'était Ashie Pinto qui peignait les rochers ? Ça paraît totalement improbable. Est-ce que la présence de Pinto sur les lieux a un rapport avec la peinture ? Un rapport quelconque ? Ou est-ce simplement parce que Nez, croyant pourchasser son peintre, a fini par se retrouver à la poursuite de Pinto ? Et qu'il s'est attrapé un ivrogne qui avait des tendances homicides. Ou autre chose ? Qu'en pensez-vous ?

Silence.

Largo se leva et baissa la flamme sous la cafetière. Il prit l'entonnoir qui contenait le café moulu.

– Comment on fait ce machin ? demanda-t-il. Et en ce qui concerne ce peintre et Ashie Pinto, je choisis la deuxième solution. Nez croyait poursuivre son dingue et il a attrapé Pinto.

Chee se gratta la nuque.

– Ouais, fit-il lentement, c'est ce qui paraît le plus probable.

– Pas de lien autrement, alors ? insista Leaphorn. Ni l'un ni l'autre vous n'arrivez à en voir un ?

Chee se leva, s'empara des tasses, les aligna à côté de l'évier et prit un filtre neuf.

Leaphorn se dit qu'une autre tasse de café allait lui faire du bien. Ensuite il passerait prendre le professeur Bourebonette et se mettrait en route. Elle avait trouvé une manière élégante de ne pas rester dans ses jambes quand il était sorti de la maison de Ji pour revenir vers la voiture.

– Vous allez avoir des choses à faire pendant un bon moment, avait-elle déclaré. Déposez-moi simplement à l'institut d'apprentissage professionnel. J'ai un ami à la bibliothèque que j'aimerais voir.

Plus rien n'allait sortir de cette conversation. Il allait boire son café, passer à la bibliothèque afin d'y prendre le professeur puis reprendre la direction de Window Rock. Ni Chee ni Largo ne semblaient capables d'envisager un lien entre quelqu'un qui peignait des rochers et le meurtre d'un policier. Mais il devait y en avoir un. Parce que la logique de Leaphorn lui disait que d'une manière ou d'une autre le colonel Ji avait tenté de le leur dire avec son doigt taché de sang. L'homme avait dû savoir qu'il se mourait. Il leur avait dit de protéger son fils, et ajouté qu'il avait menti à Chee. Il devait y avoir un lien, et ce lien (tout comme Chee le pensait lui aussi) devait être que c'était le garçon qui conduisait sa voiture ce soir-là. Il roulait du côté de l'endroit où un vieil ivrogne tuait un policier et où un cinglé peignait des motifs au hasard sur un soulèvement de lave.

Au hasard, pensa Leaphorn. Le hasard. Quand il était plus jeune, à l'université d'Arizona State, qu'il sortait, buvait, courait après les filles, il était allé à une danse-chant une fois, entre Kinlichee et Cross Canyon. Il avait plu cette nuit-là et lui et Haskie Jim, le frère aîné de son père, avaient regardé les premières gouttes marteler la poussière. Il avait l'esprit occupé par les mathématiques qu'il étudiait alors et imbu de sa propre sagesse, et il avait parlé des probabilités et du facteur hasard à son vieil oncle. Il avait toujours gardé cette scène en mémoire.

– Tu crois que ces gouttes d'eau tombent au hasard ? lui avait demandé son oncle.

Et Leaphorn en était resté tout surpris. Il avait répondu que bien sûr elles tombaient au hasard. Son oncle ne croyait pas que c'était le cas, lui ?

– Les étoiles, lui avait dit Haskie Jim. Nous avons une légende sur la manière dont Premier Homme et Première Femme, du côté de Huerfano Mesa, avaient mis les étoiles dans leur couverture et les disposaient dans le ciel avec beaucoup d'application. Et voilà Coyote qui s'empare de la couverture, qui la fait tournoyer et la projette dans les ténèbres ; et c'est de la sorte que la Voie lactée a été créée. Ainsi l'ordre régnant dans le ciel est-il devenu chaos. Le domaine du hasard. Mais même à ce moment-là... même comme ça, ce que Coyote a fait était mal, mais n'y avait-il pas une certaine logique aussi, dans cet acte de méchanceté ?

Ce n'était pas une période de sa vie où Leaphorn avait appréhendé avec patience la métaphysique d'autrefois. Il se souvenait d'avoir parlé à Haskie Jim de l'astronomie moderne et de la mécanique céleste de la gravitation et de la vitesse. Il avait dit quelque chose du genre :

– Même si c'était le cas, on ne pourrait pas s'attendre à trouver autre chose que l'effet du hasard dans la manière dont la pluie tombe.

Et Haskie Jim avait regardé la pluie pendant un moment, en silence. Puis il avait dit, et Joe Leaphorn se souvenait encore non seulement des mots mais du visage du vieil homme tandis qu'il les prononçait :

– Je pense qu'à l'endroit où nous sommes, la pluie semble tomber au hasard. Si nous pouvions être ailleurs, nous verrions l'ordre auquel elle obéit.

Après avoir réfléchi au sens contenu dans ces paroles, Leaphorn avait cherché l'ordre existant en toute chose. Et généralement il l'avait trouvé. Sauf dans les cas où intervenait la folie. Joe Leaphorn ne pensait pas qu'un homme (ou une femme) qui portait une échelle et un pistolet à peinture dans les collines puisse être fou.

Il y avait une logique dans tout ça, et une intention, encore fallait-il qu'il parvienne à les découvrir.

16

L'adjoint au shérif T. J. Birdie était de service lorsque Jim Chee arriva à la prison du comté de San Juan à Aztec. T. J. lui dit qu'il était franchement trop occupé pour l'instant.

– Nous manquons de monde. J'ai l'accueil et le standard téléphonique plus la radio et tout le reste à moi tout seul. Y a que George, là derrière dans la prison, et moi. Viens demain aux heures normales et quelqu'un te fera ça. Ce n'est pas aussi facile que tu le présentes. Toute la recherche à faire, plus les bidules à remettre en place.

– Allez, T. J. Fais pas ton emmerdeur. Tout ce que t'as

à faire c'est sortir le dossier sur l'incarcération d'Ashie Pinto et me laisser jeter un coup d'œil sur l'inventaire des trucs qu'il avait.

– Je ne peux pas laisser le téléphone. Le shérif me pendrait par les couilles s'il passait par ici et si je n'y étais pas.

L'adjoint Birdie était un jeune gaillard trapu aux cheveux noirs coupés court, à moitié Apache. Dans les cercles politiques on murmurait que le shérif l'avait engagé par souci de s'attirer des votes sur la Réserve Apache Jicarilla voisine et ignorait toujours que Birdie était un Mescalero dont les nombreux parents et membres de clan votaient à trois cents kilomètres au sud-est dans le comté Otero. Chee savait que Birdie était en fait un Apache Montagne Blanche dont la famille votait en Arizona, et il était pratiquement sûr que le shérif l'avait engagé parce qu'il était intelligent. Malheureusement il était également paresseux.

– Allez, bon sang, insista Chee qui fit le tour du comptoir. Tu rentres juste là-dedans et tu sors le dossier Ashie Pinto. Je vais répondre au téléphone à ta place.

– Merde, alors, fit T. J. Qu'est-ce que ça a de si urgent ?

Mais il partit en grommelant. Et quand il revint cinq minutes plus tard il tendit le dossier à Chee.

L'inventaire des possessions saisies sur Hosteen Ashie Pinto était bref :

portefeuille contenant :
deux billets de cinquante dollars
photo de femme
photo de deux hommes
un canif
un peigne
une boîte de tabac à chiquer en fer avec de la farine de maïs
une bourse en cuir *(jish)* contenant :
deux cristaux
des plumes

des minéraux
une bourse Bull Durham [1] remplie de pollen
un assortiment de petits objets *jish*

Chee rendit le dossier à Birdie.

– Ça y est ? fit celui-ci. Je peux retourner faire mon travail pour le comté de San Juan maintenant ?

– Merci, T. J.

– Qu'est-ce que tu cherchais ? Tu as trouvé ?

– Sa *jish*. Ce vieil homme est un de ceux-qui-lisent-dans-le-cristal. Je voulais voir s'il travaillait ce jour-là. S'il avait sa bourse à médecine sur lui.

– Merde, alors, fit Birdie. J'étais ici la nuit où ils l'ont amené. J'aurais pu te le dire. M'éviter tout ce travail si tu me l'avais seulement demandé.

Il était tard mais Chee décida de faire les quatre heures de route qui le séparaient d'Albuquerque, tournant et retournant les nouveaux éléments d'information dans sa tête. D'abord, il y avait le fait que Tagert avait engagé Pinto. On pouvait présumer qu'il avait récupéré Pinto à son hogan et qu'il l'avait conduit à proximité de ce qu'il essayait de trouver. Pinto avait pris ses cristaux avec lui : les outils de sa profession qui consistait à retrouver ce ou ceux qui étaient perdus et à voir l'invisible. Sur la Réserve, certains hommes blancs faisaient appel à des Hommes ou des Femmes-qui-lisent-dans-le-cristal mais Tagert ne semblait pas être de ce genre-là. Chee supposait que l'historien était davantage intéressé par les souvenirs du vieil homme que par ses pouvoirs de shaman. Ses souvenirs de quoi ? Logiquement, cela devait être lié à l'intérêt que Tagert portait à deux hommes blancs qui semblaient être morts dans une formation rocheuse de la Réserve Navajo il y avait de cela une vie d'homme. On pouvait présumer que Tagert devait chercher à retrouver leurs corps pour obtenir la preuve que l'un d'eux était le

1. Bull Durham : marque de tabac très répandue.

célèbre Butch Cassidy. La logique suggérait que la formation rocheuse devait se trouver dans un lieu assez proche de l'endroit où il avait arrêté Pinto. Il y en avait quantité dans les environs résultant du même paroxysme d'action volcanique qui avait fissuré la terre et engendré les flèches basaltiques de Ship Rock. Ce pouvait être cette même formation dans laquelle Janet Pete et lui avaient fait leur balade pour étudier le travail du vandale fou de Delbert Nez. Si tout le reste échouait, il pourrait retourner fouiner dans celle-là. En se donnant un jour ou deux pour la parcourir mieux, et davantage de lumière, il pourrait trouver quelque chose. Ou se faire mordre par un serpent. Mais l'histoire d'autrefois racontée par Pinto suggérait que les sorciers jouaient un rôle. Il allait d'abord voir où cet élément pouvait le mener.

Et ensuite il y avait l'histoire du colonel Ji. Qui ? Pourquoi ? Chee supposa que Ji avait menti probablement pour protéger son fils. Qu'avait fait ce dernier ? Ou n'y avait-il là que l'inquiétude d'un père craignant que son fils soit impliqué dans quelque chose de dangereux ?

Il tourna et retourna l'ensemble dans sa tête. Et ces réflexions le gardèrent éveillé tandis qu'il parcourait les interminables kilomètres de la N.M. 44 à destination d'Albuquerque. Il s'était basé sur la transcription de la traduction du récit de Hosteen Pinto racontant le vol des chevaux et le meurtre. Pour son propre usage, il voulait l'entendre de la bouche même du vieil homme.

17

Le ruban de couleur jaune que l'on utilise pour interdire le lieu où s'est produit un crime pendait légèrement dans le vide devant la porte d'accès à la propriété du colonel Ji. Leaphorn le détacha, fit passer le professeur Bourebonette et remit le ruban derrière eux.

– Vous êtes certain que ça ne pose pas de problème ?

– Les gens du FBI en ont terminé ici, assura-t-il. Mais gardez vos mains dans vos poches, ne déplacez rien... c'est une bonne idée.

En réalité, cela posait bien quelques problèmes. Il aurait été préférable que Bourebonette attende dans la voiture. Et mieux encore s'il avait procédé à sa seconde vérification de la chambre noire du colonel avant qu'il ne passe la prendre à la bibliothèque. Mais il n'y avait pas pensé avant qu'il soit trop tard. Puis l'idée s'était imposée à lui. Un sentiment de hâte qu'il ne comprenait pas vraiment.

Il tourna la clef et en ouvrant la porte sentit le léger souffle d'air froid que libèrent les maisons vides. Une sensation qui lui était familière... qu'il avait chaque soir quand il ouvrait la porte de sa propre maison de Window Rock.

Rien n'avait changé dans la pièce du devant si ce n'était que les rebords des fenêtres et les surfaces planes conservaient les faibles taches grises laissées par la poudre à relever les empreintes. Il remarqua que le professeur Bourebonette contemplait le tracé à la craie qui indiquait l'endroit où s'était trouvé le corps du colonel. Il remarqua que ses messages étaient encore sur le mur, paraissant plus noirs maintenant à la lumière artificielle jaune de la lampe de plafond. Il remarqua l'expression du professeur. Fatiguée ? Triste ? Peinée ? Visiblement cela n'était pas agréable pour elle. Pourquoi était-elle là ?

Dans la chambre noire tout était tel qu'il en avait gardé le souvenir : un espace confiné, non aéré, sentant le renfermé, où les narines se remplissaient de l'odeur acide des produits de développement et de tirage. Les épreuves étaient là où il les avait vues mais elles portaient aussi maintenant des traces de poudre grise. Un technicien du laboratoire du FBI était-il en train d'isoler ses empreintes ? Il interrogea sa mémoire. Non, il les avait toutes manipulées avec soin en les tenant par les bords.

Il étala les photos en deux rangées bien nettes sur le dessus du meuble de rangement et les examina méthodiquement. Toutes étaient des tirages noir et blanc de format 20 x 25 sur papier brillant. Toutes semblaient être des vues de portions du même soulèvement basaltique sombre. Elles semblaient toutes avoir été prises d'une distance considérable à l'aide d'un puissant téléobjectif. A moins qu'elles n'aient été grossies dans l'agrandisseur. Le même négatif avait été utilisé pour obtenir plusieurs des tirages, chacun d'eux agrandi selon un grossissement différent. Mais l'angle de prise de vue était presque exactement le même pour toutes... comme si tous les négatifs avaient été exposés dans le même lieu, mais obtenus à l'aide de focales différentes et en faisant bouger l'appareil sur son pied. Toutes incluaient la même section de cette saillie rocheuse. Certaines en montraient une partie plus importante, d'autres une partie plus réduite, en fonction de l'objectif utilisé. Mais sur toutes, les mêmes caractéristiques se trouvaient près du centre de l'image.

Leaphorn les montra à Bourebonette et lui expliqua ce qu'il en pensait.

– Pourquoi un téléobjectif ? demanda-t-elle.

– Regardez bien ce genévrier sur cette photo, ici, au premier plan. Le voici sur une autre. Regardez comme les rapports de taille ont changé. Un téléobjectif comprime les distances de cette façon.

Bourebonette hocha la tête.

– Bien sûr, dit-elle. C'est comme ça que ça marche en optique.

– Vous connaissez très bien la Réserve. Est-ce que cela vous rappelle quelque chose ?

Elle étudia les tirages.

– Ils représentent tous le même endroit, c'est visible. Mais on n'en voit pas suffisamment pour le replacer dans un paysage.

– Vous l'avez déjà vu ?

Elle rit :

– Probablement. Ou un autre qui y ressemble. Ça pourrait être en une quarantaine d'emplacements dans la région des coulées de lave autour de Grants. Ou peut-être dans les Bisti Badlands [1], les monts Zuni, dans Monument Valley du côté de Black Mesa, plus au sud vers les Buttes Hopi. Ou par ici, au-delà de Ship rock vers Littlewater ou Sanostee. Ou l'un de ces cratères volcaniques à l'est du mont Taylor, ou...

Elle secoua la tête et lui tendit les épreuves :

– Difficile à dire. N'importe quel endroit où la lave est sortie en bouillonnant par les crevasses au cours d'une ère volcanique. Et cela a lieu fréquemment par ici.

– J'ai l'impression que ça devrait être quelque part par là, dit Leaphorn. Nous pouvons présumer que ce sont Ji ou son fils qui les ont prises. Avez-vous la moindre idée de la raison qu'ils pourraient avoir, l'un ou l'autre, de le faire ? Ou de faire tous ces tirages ?

– Aucune, affirma-t-elle. Mais elles n'ont certainement pas été prises pour la beauté du paysage. Est-ce que vous pourriez appeler le garçon et le lui demander ? Vous n'avez pas dit qu'il était hébergé par des amis, ici ?

– Ils ont décidé de procéder autrement. Ils le conduisent à Albuquerque pour qu'il soit plutôt hébergé par des gens de sa famille. Il n'y sera pas encore. Mais voyons si nous pouvons trouver les négatifs. Peut-être comportent-ils suffisamment d'arrière-plan pour nous apprendre où ça se trouve.

Ils passèrent presque trente minutes à fouiller dans des archives de négatifs sans rien découvrir qui puisse les aider.

Leaphorn tira la corbeille à papier de sous l'évier, fouilla dedans et en extirpa une feuille de papier photographique chiffonnée. Elle représentait une partie du même lieu, agrandie davantage sur une feuille de format 36 x 28. Le tirage était beaucoup plus sombre.

---

1. Badlands : mauvaises terres.

Surexposé dans l'agrandisseur, supposa-t-il, puis jeté à la poubelle. Il l'étala sur le meuble de rangement, regarda Bourebonette, leva les sourcils dans une interrogation.

– Je ne sais pas, dit-elle, peut-être assez grand pour pouvoir travailler.

Elle regarda Leaphorn et grimaça un sourire :

– Mais travailler sur quoi ?

– Je pense que nous perdons peut-être tout bêtement notre temps, dit-il en remettant la photo dans la corbeille à papier.

– Et moi j'en suis à penser que vous faites un drôle de métier.

– Oh, pas d'habitude. Là, c'est très spécial.

– Un photographe hanté par une idée fixe, commenta-t-elle. Des rochers et cette fille. (Elle toucha du doigt le portrait de l'adolescente que Leaphorn avait remarqué la fois précédente.) Il y en a plusieurs d'elle. Probablement la petite amie du fils, je suppose.

– On dirait une photocopie. Pas très bonne.

– Qui provient de ça, peut-être, dit-elle.

L'annuaire de l'école secondaire de Shiprock était posé sur l'étagère derrière l'agrandisseur.

Ils trouvèrent le portrait de la jeune fille dans le groupe des cheerleaders [1]. Elle avait quinze ou seize ans. Jennifer Dineyahze.

– Je crois que nous devrions aller trouver Jennifer Dineyahze, dit Leaphorn. Peut-être peut-elle nous apprendre quelque chose d'utile.

Mais déjà en le disant, il en doutait.

Jennifer Dineyahze s'avéra être l'une des élèves qui prenaient le bus de ramassage scolaire de Shiprock.

– C'est un peu difficile de vous dire où les Dineyahze habitent, leur annonça le directeur adjoint par intérim.

---

1. Cheerleader : jeune femme chargée d'entretenir, par la voix et le geste, l'enthousiasme des supporters d'une équipe.

Il alla chercher une carte dans le tiroir de son bureau et leur montra quel était le bus de ramassage scolaire qu'elle prenait ainsi que l'endroit approximatif où elle montait.

– Tout au fond par là, dit-il en plaçant l'extrémité de son crayon sur le versant de Beautiful Mountain. Ou peut-être là. (Et il l'approcha un peu plus de Sanostee.) Vous verrez, c'est quand la piste part sur la gauche.

Avant de quitter Shiprock, Leaphorn remplit le réservoir de sa voiture de patrouille, comme il le faisait toujours pour les trajets effectués dans le cadre du service qui allaient le mener sur les routes de l'arrière-pays. Mais au moins cette course les emmenait-elle vers le sud-ouest, vers Window Rock et sa maison. Et elle allait les faire passer par l'endroit où Jim Chee avait arrêté Ashie Pinto. Ce qui lui permettrait de voir la formation rocheuse où le peintre avait exécuté son travail de vandale.

– Que pensez-vous que vous allez apprendre ? lui demanda Bourebonette.

– Franchement, rien, répondit-il. Je crois que demain je vais prendre le téléphone et essayer d'avoir ce garçon au bout du fil à Albuquerque, et je lui demanderai pour les photos. Mais c'est plus ou moins sur le chemin du retour... ou celui qui nous ramène à votre voiture. Et puis on ne sait jamais.

Ils quittèrent la Route 666 pour prendre la Navajo 33 vers l'ouest et Red Rock.

Bourebonette tendit le doigt vers Rol Hai Rock au sud puis vers Barber Peak de l'autre côté de la grand-route.

– Ces photos, dit-elle. Elles pourraient représenter un petit morceau de l'une comme de l'autre de ces deux-là.

– Ou même de certains de ces rayons qui partent de Ship Rock. Vous avez eu le temps de vous faire de nouvelles idées sur la raison pour laquelle il les a prises ?

– Non. Pas même une vieille idée. Et vous ?

– J'ai bien une vieille idée. Je me dis que lorsque nous allons arriver à cette formation rocheuse que peignait le vandale de Nez, elle va peut-être se révéler être celle-là même que Ji, ou le fils de Ji, photographiait.

Bourebonette réfléchit à cette déclaration.

– Pourquoi ? dit-elle.

Leaphorn eut un petit rire :

– Je craignais que vous me posiez cette question. Je crois que c'est parce que depuis que ma femme est morte je me suis mis à regarder la télévision. C'est comme ça que l'intrigue devrait s'organiser.

Pendant un moment, Bourebonette ne fit aucun commentaire. Puis elle dit :

– Enfin, il y avait forcément une raison pour que quelqu'un tue le colonel Ji. Il se trouvait dans le coin où le peintre travaillait la nuit où M. Nez a été tué. En tout cas, sa voiture y était. Et il a pris des photos de ces rochers. Par conséquent il se peut qu'il y ait un lien.

Leaphorn lui décocha un regard et la surprit à le regarder. Elle haussa les épaules.

– Ça paraît idiot comme ça, mais les mêmes rochers... ça ferait un drôle de lien.

Leaphorn tourna à gauche pour quitter l'asphalte et s'engager sur une route de terre qui n'avait pas figuré sur le programme d'entretien de l'année en cours. Ils la suivirent en cahotant et en soulevant de la poussière.

– Enfin, dit-il. Nous le saurons bientôt.

Il se rangea à l'endroit où la voiture de police de Nez avait brûlé. Elle avait été enlevée, un destin inhabituel pour une épave d'automobile sur la Réserve car elles y rouillaient d'habitude là où elles avaient rendu l'âme, mais l'endroit gardait la marque de genévriers partiellement consumés et de cactus roussis.

– La voilà, fit Bourebonette en tendant le doigt. Vous voyez les endroits peints ?

La formation se dressait au sud-est ; c'était l'une des nombreuses extrusions volcaniques disséminées le long des flancs des immenses soulèvements qui forment la multitude de sommets montagneux du sud des montagnes Rocheuses.

– Où ça ? demanda Leaphorn.

Au moment où il le disait il vit une bande de blanc,

puis une autre et encore une autre, là où il n'aurait pas dû y avoir de blanc.

– Ah ! fit-il en tendant la main derrière son siège pour prendre ses jumelles.

Mais avant de s'en servir, il étudia la formation, cherchant cette même organisation des formes qu'il avait confiée à sa mémoire d'après les photographies. Il ne la vit pas.

La formation semblait avoir résulté d'une série d'éruptions. En certains endroits, le basalte avait été érodé au point d'en devenir lisse au cours des temps infinis et adouci par des poussées de lichens : de ses fissures jaillissaient herbes-aux-bisons et graminées en touffes, cactus et même genévriers décharnés. Ailleurs il était plus neuf, encore noir et déchiqueté. Trois à trois mille cinq cents mètres de long, se dit Leaphorn, avec sur l'arrière une formation plus petite qui courait peut-être sur quatre cents mètres de plus.

Dans les jumelles, elle paraissait encore plus accidentée et plus complexe. Par endroits, la poussée verticale semblait avoir soulevé les grès qui la recouvraient, engendrant un labyrinthe chaotique de murs brisés et de plaques inclinées. Et c'était là, dans la partie la plus haute de la crête, que la peinture avait été mise.

Et mise avec application. En dépit de ce que Chee lui avait dit, cela le surprit. A l'endroit sur lequel ses jumelles étaient braquées, le noir de la surface basaltique et le blanc de la peinture formaient une légère courbe, pas parfaite mais en général bien délimitée. Il reporta son regard sur l'endroit suivant. La forme lui parut irrégulière. Peut-être était-ce dû à la perspective. Mais là encore, la limite était bien nette. Il distinguait trop peu des autres surfaces peintes pour pouvoir porter un jugement.

Il tendit les jumelles au professeur Bourebonette :

– Regardez bien les bords. Regardez comme ils ont été peints en s'appliquant.

Tandis qu'elle regardait, il réfléchit à ce qu'elle voyait.

Et ce faisant, il comprit exactement d'où les photos avaient été prises.

Son oncle avait raison. Les choses ne paraissent obéir au hasard que parce qu'on les voit suivant la mauvaise perspective.

Il s'en ouvrit à Bourebonette et ils reprirent la voie pleine de cahots qui menait au lieu d'habitation des Dineyahze.

– Ça continue à me paraître complètement délirant, dit-il, mais je suis persuadé que soit Ji, soit son fils, ont pris toutes ces photos et les ont agrandies pour prévoir où ils allaient mettre de la peinture.

Le professeur Bourebonette semblait favorablement surprise. Elle réfléchit. Leaphorn ralentit, fit traverser le fossé d'évacuation des eaux à sa voiture avant de l'engager sur une route qui ne fut bientôt plus que deux traces parallèles s'enfonçant dans les graminées en touffe et les herbes-aux-serpents.

– D'accord, acquiesça finalement Bourebonette. Si on voulait peindre quelque chose de régulier sur une surface totalement irrégulière, je suppose que c'est ainsi que l'on pourrait s'y prendre.

– C'est ce que je pense. On choisirait l'endroit d'où on voudrait le voir, on prendrait les photos et on marquerait les endroits où la peinture doit aller. Un petit peu ici au coin de cette plaque de rocher, et là en retrait, là-haut aussi et ainsi de suite.

– Ce qui nous laisse la question vraiment essentielle, dit-elle. La question essentielle c'est : pourquoi quelqu'un sain d'esprit voudrait-il peindre quelque chose par ici ? Et que pourrait être ce quelque chose ?

Elle le regarda :

– Vous avez résolu cet aspect des choses ?

– Je crains que non.

– A mon avis il faudrait vraiment du génie.

La voiture escaladait prudemment une pente, cahotant sur les passages rocailleux. Le pare-brise était recouvert d'une couche de poussière mais le soleil était maintenant bas vers le sud-ouest et ils ne l'avaient plus dans les yeux. Leaphorn rétrograda, repassa la vitesse supérieure, rétrograda à nouveau. Et soudain il trouva une nouvelle réponse. En tout cas il en eut l'impression.

– Je viens de penser à autre chose, dit-il. Le "quoi", ou peut-être plutôt le "pourquoi".

Bourebonette le regarda, attendant la suite.

Il se demanda s'il allait paraître stupide dans le cas où il se tromperait. Il lui vint à l'esprit qu'il faisait l'intéressant. Et qu'il y prenait plaisir. Il réfléchit à cet aspect des choses. Pourquoi faire l'intéressant ? Et pourquoi y prendre du plaisir ?

– Vous allez me le dire ? demanda Bourebonette.

Leaphorn repassa la vitesse supérieure au moment où les traces de passage devenaient horizontales.

– Quand nous allons parvenir au sommet de la crête que voici, nous allons à nouveau pouvoir voir cette formation. Selon une perspective différente, maintenant. Je pense que nous allons voir ces endroits peints s'organiser les uns avec les autres. Former un ensemble.

– Oh ? Plus précisément ?

– Quelque chose qui soit en rapport avec cette jeune fille à qui nous rendons visite.

Et en prononçant ces paroles, il s'aperçut que c'était absurde. Ça n'allait pas être ça. La peinture allait rester à jamais un fatras échappant à la raison.

Ils atteignirent le sommet de la crête. L'accotement était large à cet endroit et dissimulait à leur vue la formation rocheuse. Mais ils voyaient le lieu où les habitations des Dineyahze se trouvaient, bâties sur la pente en face d'eux. L'ensemble comprenait une maison oblongue au toit de papier goudronné lesté en prévision des jours pluvieux par de vieux pneus d'automobiles posés ici et là, un hogan de pierres, une maison mobile placée sur des blocs de béton et les abris de broussailles, corrals et cabanes de rangement habituels.

– Si mes suppositions sont exactes, le fils Ji a pris ses photos de la crête qui domine la maison. Il voulait la même vue que celle que Jennifer devait avoir quand elle se tenait devant chez elle.

Il jeta un regard en direction de Bourebonette qui paraissait impressionnée.

– Si elles sont erronées, ajouta-t-il en se sentant tout à coup gêné, j'ai fait preuve de bêtise.

– Qu'elles soient exactes ou erronées, je dirais que vous avez fait preuve d'une capacité à réfléchir de manière innovatrice. Rien de tout cela ne m'avait effleuré l'esprit.

La formation rocheuse apparut lentement à leur vue tandis que la voiture progressait le long de la crête. Et tout à coup ils purent voir la peinture.

Leaphorn arrêta la voiture. Il enclencha le frein à main. Ecarquilla les yeux.

Quelle jubilation !

La perspective n'était pas parfaite de l'endroit où ils se tenaient. Mais il était facile de déchiffrer. Le blanc sur fond noir proclamait :

I LOVE JEN

– Vous la voyez ? demanda-t-il. Vous arrivez à lire ?

– Eh bien dites donc ! Félicitations, lieutenant Leaphorn.

Le sourire du professeur le nimbait d'une chaude approbation.

– J'aurais dû y penser plus tôt, dit-il. J'avais tous les éléments nécessaires. Dès que j'ai su où habitait cette jeune fille, j'aurais dû deviner.

– Modeste, commenta Bourebonette. Pour moi, c'est tout à fait digne de Sherlock Holmes.

– Pour vous dire la vérité, j'en suis moi-même assez fier, avoua-t-il.

– Je me demande ce qu'elle en pense, elle, dit Bourebonette. Je crois que je vais lui demander.

– Je ne vois pas tellement l'intérêt de l'embêter maintenant avec ça. Nous allions lui demander si elle avait une idée de ce qui pouvait se passer, pour Taka. Nous le savons maintenant.

– Indéniablement, renchérit Bourebonette.

Elle garda le silence tandis que Leaphorn faisait effectuer un demi-tour à la voiture. Puis elle dit :

– Ce que nous ne savons pas c'est pourquoi quelqu'un a tiré sur son père.

– C'est exact.

Mais il commençait à penser que cela aussi, il le savait peut-être.

18

Chee avait espéré attraper Janet avant que l'audience du tribunal fédéral ne débute. Mais il eut à résoudre le problème du stationnement dans le centre d'Albuquerque. Par conséquent, il émergea de l'ascenseur juste à temps pour voir les représentants de la police fédérale introduire Hosteen Pinto dans le prétoire.

– Sélection du jury, aujourd'hui, lui avait dit la réceptionniste du bureau du Service de Défense du Public. Elle sera dans la salle d'audience du juge Downey dans le nouveau bâtiment fédéral. Dans Gold Avenue.

– Combien de temps cela prendra-t-il ? avait-il demandé.

Et la réponse avait été :

– Peut-être toute la journée. Et peut-être demain. Vous pouvez probablement la voir avant que ça commence. Si vous vous dépêchez.

Il s'était dépêché mais pas tout à fait assez. Peut-être, se dit-il, y aurait-il une suspension de séance et pourrait-il lui parler à ce moment-là. Il adressa un signe de tête à l'huissier qui gardait la porte et fit le geste d'entrer.

– Il va falloir que vous vous asseyiez au quatrième rang près du mur, lui indiqua l'huissier. La totalité des premiers rangs est pour le tableau des jurés, et ils prennent les rangs du fond en attendant qu'on appelle leur nom.

Chee s'assit au quatrième rang contre le mur et regarda les candidats jurés que l'on introduisait dans la salle. Il allait y en avoir soixante s'il se souvenait bien de la procédure : des hommes et des femmes venant d'un peu tout le Nouveau-Mexique et n'ayant pas grand-chose en commun si ce n'est qu'ils habitaient dans ce district judiciaire et s'étaient inscrits sur les listes électorales. C'est ainsi que leurs noms avaient été tirés au sort afin de remplir ce devoir.

Quand le dernier fut assis, une femme d'une quarantaine d'années vêtue d'une robe bleu sombre commença à faire tourner la sphère servant pour le tirage au sort sur une table à côté du banc du juge, sortant les noms au hasard. Un Hispano-Américain d'un certain âge, appelé Martinez, fut le premier. Il emprunta l'allée, franchit le portillon de la balustrade, tourna à droite et prit le premier siège dans la rangée située de l'autre côté.

– Madame Eloise Gibbons, annonça Femme Bleue.

Une jeune femme mince qui portait un tailleur-pantalon gris descendit l'allée et prit le siège voisin de celui de Martinez.

– Monsieur William Degenhardt.

Un homme d'aspect traditionaliste en costume gris traditionaliste et coupe de cheveux traditionaliste prit le siège suivant sur la droite.

Femme Bleue poursuivit sa litanie, remplissant la rangée de sièges de l'autre côté de la balustrade, puis les deux rangées situées derrière elle. Légèrement plus de femmes que d'hommes, estima Chee. Au total, sept Anglo et Hispano-Américains, un Vietnamien ou Cambodgien, une Navajo d'une quarantaine d'années, un homme qui pouvait être Apache et deux qui étaient sans conteste des Indiens Pueblos, quoique Chee ne pût identifier de quel pueblo* ils étaient originaires.

Janet Pete et un homme que Chee supposa être le procureur désigné pour cette affaire se tenaient devant le haut pupitre où siégeait le juge. Tous trois discutaient de concert. Cela pouvait-il être un avantage ? Une femme juge, une femme avocate ? Chee en doutait. Ce devait être maintenant assez courant.

Il avait une terrible envie de s'assoupir. Il faisait chaud dans la salle du tribunal et il avait très peu dormi la nuit précédente. Il pensa à la main qui le démangeait sous le pansement. Quel usage pourrait-il en récupérer ? Il pensa à ce qu'il voulait dire à Janet Pete... concernant le fils de Ji qui était le conducteur de la voiture qu'il avait vue la nuit où Nez avait été tué. Concernant le message de Ji sur le mur. Il pensa à l'apparence physique de Janet. Elle portait un truc vert sombre avec une jupe qui lui tombait bien au-dessous du genou. Elle avait de jolis genoux, non qu'il les eût vus souvent, et de jolies chevilles.

Elle se tenait maintenant face au tableau des jurés et le juge demandait si l'un d'entre eux la connaissait, connaissait sa famille ou avait jamais été en relation avec elle. Une femme qui possédait beaucoup de classe, pensait Chee. Il se sentit soudain la proie d'une vague d'affection et de fierté navajo extrêmement chauvine à son égard. Et plus encore, il ressentait du désir pour elle. Et un sentiment d'échec. Depuis le jour où elle était venue le voir à l'hôpital, il avait perdu du terrain dans ses relations avec elle. Il en était sûr. Elle l'aimait moins maintenant qu'elle ne l'avait aimé ce matin-là.

Le procureur était debout, subissant le même examen rigoureux de la part des membres du jury. Un homme du premier rang leva la main et dit qu'il le connaissait. Ils appartenaient à la même église. Il fut remercié.

Ashie Pinto se leva alors. Le complet veston fourni par la prison du comté de Bernalillo pour cette comparution était trop grand pour lui, le faisant paraître plus maigre encore que dans le souvenir de Chee.

– Tournez-vous vers les membres du jury, s'il vous plaît, monsieur Pinto, lui dit le juge.

Hosteen Pinto leva la tête en entendant son nom. Il regarda le juge, l'air perdu.

– Interprète !

L'interprète réagit au ton d'impatience du juge. Il émergea de ce qui avait paru occuper ses pensées, se leva, dit quelque chose en navajo d'une voix trop basse pour que Chee comprenne.

Hosteen Pinto le regarda, plaça sa main en arc de cercle derrière son oreille.

– Elle veut que vous tourniez votre regard vers ces gens, répéta l'interprète d'une voix cette fois beaucoup plus forte. Pour qu'ils puissent vous voir.

Pinto se tourna vers eux, l'attitude tantôt gênée, tantôt décidée. Ses yeux parcoururent la pièce, hésitant un moment lorsqu'ils se posèrent sur le Navajo du jury, hésitant à nouveau quand il rencontra le regard de Jim Chee.

Chee détourna les yeux, les baissant sur sa main qui le démangeait.

Aucun ne connaissait Ashie Pinto. Les Blancs ne le connaissaient pas, les Hispano-Américains non plus, l'Apache, les Pueblos, l'Asiatique non plus. *Janet Pete non plus et moi non plus. C'est un shaman. C'est un étranger pour nous tous.*

Le procureur consulta ses notes puis leva les yeux.

– Madame Greyeyes, je crois que vous habitez à Nakaibito. Sur la Réserve Navajo. Est-ce exact ?

– Plus près de Coyote Canyon en réalité, répondit Mme Greyeyes.

– Mais sur la Réserve ?

– Oui.

– Etes-vous Navajo ?

– Oui.

– Avez-vous des liens de clan avec l'accusé ?

– Je ne sais pas à quel clan il appartient.

Le procureur regarda ses notes.

– J'ai deux clans de marqués ici. Le Dinee de la Montagne qui Tourne et le Peuple de l'Eau Amère.

Il se tourna vers l'interprète :

– C'est bien cela ? Deux clans ?

– Celui de la mère et celui du père, confirma l'interprète. Deux clans.

– Je suis née au Peuple de la Colline aux Buissons de Sauge, dit la femme. Et née pour le Clan de la Maison Haute.

– Il n'y a donc pas de lien de parenté ? C'est bien ça ?

– Nous ne sommes pas de la même famille, affirma-t-elle.

Le juge Downey se pencha en avant et fixa l'interprète du regard.

– Mademoiselle Pete, dit-elle, pensez-vous que votre client devrait être mis au courant de ce qui se passe ici ? Ne devrait-on pas le traduire pour M. Pinto ?

Janet Pete prit l'air confus.

– J'aimerais bien qu'on lui traduise, confirma-t-elle.

– Dont acte, proclama le juge.

L'interprète était un personnage d'une quarantaine d'années qui avait, probablement de naissance, l'aspect ébouriffé. Il expliqua en navajo à haute et intelligible voix l'échange qui venait d'avoir lieu entre Mme Greyeyes et le procureur.

Chee commença à somnoler. Se réveilla en sursaut. L'homme à l'aspect traditionaliste était maintenant interrogé par Janet Pete.

– Monsieur Degenhardt, je veux que vous me disiez si vous avez jamais eu personnellement, ou si quelqu'un de votre famille, voire même un ami très proche, a jamais eu une expérience désagréable avec un membre de la Tribu Navajo. Vous êtes-vous jamais battu avec un Navajo ? Quelque chose de ce genre ?

M. Degenhardt réfléchit à la question.

L'interprète dit :

– Elle lui a demandé s'il s'est jamais battu avec un Navajo.

M. Degenhardt secoua la tête.

– Non, dit-il.

– Voyez-vous la moindre raison qui pourrait vous empêcher de juger équitablement M. Pinto que voici ?

– Elle dit, vous serez équitable ? traduisit l'interprète.

– Non, madame, répondit Degenhardt.

– Il dit que oui, il sera équitable.

Chee cessa d'écouter. Qui était l'interprète qui avait traduit les propos d'Ashie Pinto sur la transcription faite d'après son enregistrement ? Avait-il été aussi paresseux que celui-ci ? Sautant des choses ? Résumant ? Ou, s'il s'agissait d'un Navajo traditionaliste, passant peut-être sous silence des passages ayant trait aux sorciers et aux porteurs-de-peau ? Il se souvenait qu'il avait, la veille, décidé d'écouter l'histoire d'Ashie Pinto racontée selon ses propres termes à lui, Hosteen Pinto. Cette procédure du choix du jury allait prendre des heures. Il se leva et franchit discrètement la porte dans l'autre sens.

Cela avait été un jeu d'enfant de trouver une place de stationnement proche du Bâtiment Fédéral en centre ville comparé à ce que ce fut d'en trouver une en quelque endroit que ce soit à proximité de la bibliothèque universitaire. Il finit par laisser son pick-up truck sur un emplacement marqué VÉHICULES DE POLICE UNIQUEMENT, derrière le poste de police du campus. Il se présenta au sergent de service, expliqua ce qui l'amenait et obtint l'autorisation, lâchée à contrecœur, de le laisser là.

Le temps qu'il monte les escaliers menant à la réserve de la bibliothèque Zimmerman, qu'il se procure les bandes et la transcription et qu'il se mette au travail, il était presque midi. Il avait faim. Il aurait dû s'arrêter pour manger.

Il commença par la bande des voleurs de chevaux. Il l'avait déjà écoutée en partie en sautant pas mal de choses, et avait lu une copie de la transcription dans le bureau de Tagert. Maintenant, en écoutant la voix monocorde de Pinto qui relatait la même histoire dans ses écouteurs, son envie de dormir se manifesta à nouveau. Mais il la repoussa, comparant ce qu'il entendait avec la copie de la transcription dont disposait la bibliothèque. Quand il rencontrait une divergence, il arrêtait la bande et la repassait. Les modifications tendaient vers le raccourci de détail ou parfois l'élimination des répétitions.

A treize heures il n'avait rien découvert qui modifiât le sens ou laissât de côté le moindre élément significatif.

L'envie de dormir était presque irrésistible. Son estomac émettait des bruits causés par la faim. Il reposa la transcription, ôta les écouteurs, bâilla et s'étira. L'air autour de lui avait cette fadeur commune aux pièces qui ne possèdent pas de fenêtres que l'on peut ouvrir, aux pièces où l'on accumule des objets anciens. Le silence était total, les lieux déserts à l'exception de lui-même et d'une jeune femme qui, assise derrière le bureau à l'entrée, travaillait à l'archivage.

Il allait traverser l'esplanade pour se rendre au Centre Culturel des Étudiants et s'acheter de quoi manger. Non, il allait traverser Central Avenue pour aller au Frontier Restaurant, et avaler une enchilada au chili vert. Mais d'abord il allait avancer davantage pour voir si le traducteur avait triché quand le sujet de la sorcellerie avait été abordé. Quand il avait lu cette transcription la première fois, il lui avait semblé que Pinto avait dit remarquablement peu de choses sur la raison pour laquelle le rite guérisseur de la Voie du Fantôme n'avait été nécessaire que pour Delbito Willie. Peut-être en réalité en avait-il dit plus.

Il fit défiler la bande en avant à vitesse rapide, écoutant la vieille voix de Pinto parler en canard dans ses oreilles jusqu'à ce qu'il trouve le bon endroit.

– ... Et après, les deux hommes blancs ont pénétré sur leurs chevaux dans un endroit où il y avait une coulée de lave. C'est dangereux de monter à cheval dans ces endroits-là parce que, vous savez, il pourrait mettre le sabot dans l'une de ces crevasses... juste le glisser un peu dedans, vous savez, se casser la patte et vous jeter sur les cailloux.

Chee arrêta la bande et vérifia la traduction. Exactement conforme à son souvenir, la transcription qu'il avait lue omettait la digression sur le cheval qui se casse la jambe. Il fit redémarrer la bande.

– ... Les hommes du Clan du Fruit du Yucca les suivaient très lentement. La lave était difficile à cet endroit-

215

là et ils restaient très en arrière de toute façon à cause de l'homme à la moustache jaune. On raconte qu'il était très bon tireur même quand il était à cheval. Finalement ils ont découvert l'endroit où les hommes blancs avaient attaché leurs chevaux et étaient montés dans les rochers. Au même endroit exactement, Delbito Willie et les hommes du Clan du Fruit du Yucca ils se sont arrêtés, eux aussi, parce qu'ils savaient que Moustache Jaune protégerait ses chevaux avec son fusil et parce qu'ils ont vu à ce moment-là où les hommes blancs étaient allés. C'était là, en haut, dans un endroit où les sorciers se retrouvent. En haut dans la grotte où ceux qui font le mal viennent pour faire de quelqu'un un porteur-de-peau. Certains des hommes du Clan du Fruit du Yucca le savaient. Ils habitaient là-bas, de l'autre côté des monts Carrizo, mais ils avaient entendu parler de cet endroit. Et on pouvait dire que c'était bien là, à cause de la façon dont les rochers ont reçu leur forme. On raconte qu'ils ressemblent aux oreilles d'une mule quand elles sont dressées en l'air. Deux flèches pointues avec entre elles la forme d'une selle, comme l'une de ces selles McClellan avec la partie qui remonte fort à l'arrière et la corne qui se dresse de l'autre côté. Les gens, ça leur faisait penser à une selle.

Chee arrêta la bande. Rien de tout cela, pas un mot, ne figurait dans la transcription qu'il avait lue dans le bureau de Tagert. Il tourna les pages de la copie appartenant à la bibliothèque. Rien de tout cela n'y figurait non plus. Il manquait deux pages, coupées à l'aide d'un couteau très aiguisé ou d'une lame de rasoir.

Il fit redémarrer la bande, écoutant la façon dont Delbito Willie avait voulu entrer dans la grotte à la suite des hommes blancs pour voir s'ils étaient morts. Si oui, il voulait s'emparer du fusil de Moustache Jaune, un fusil magnifique. La discussion avait duré deux jours, tous les hommes du Fruit du Yucca étant opposés à cette idée jusqu'à ce qu'à la fin, lorsqu'ils se furent tous mis d'accord pour conclure que les hommes blancs devaient être morts depuis le temps, l'un de ceux du Clan du Fruit du Yucca accepte de faire une partie du chemin avec Willie... mais pas jusqu'à la grotte des sorciers. Et Willie y était entré et en était ressorti avec le fusil de Moustache Jaune en confirmant que les deux hommes étaient bien morts.

Chee ramena au bureau la bande magnétique et la transcription.

– Y a-t-il un moyen de trouver qui a fait la traduction ? Vous gardez la trace de ça ?

– Une petite minute, lui répondit la jeune femme. Je crois que oui.

Elle disparut par une porte sur laquelle figurait l'inscription RÉSERVÉ AU PERSONNEL.

Il attendit, reprenant son raisonnement. Il pensait savoir qui allait être le traducteur.

Il avait raison.

La femme réapparut, une fiche cartonnée à la main.

– Quelqu'un qui s'appelle William Redd, lut-elle.

19

Leaphorn connaissait l'une de ces matinées de frustration qui amènent tous les bureaucrates à souhaiter que le téléphone n'ait jamais été inventé.

Au début il n'obtint rien de plus qu'une absence de réponse au numéro de M. Doan Van Ha, l'oncle d'Albuquerque chez qui Taka Ji avait été envoyé afin d'y être en sécurité. Finalement, quand quelqu'un se décida à prendre le combiné, il s'avéra qu'il s'agissait d'une vieille dame qui se présenta comme étant Khanh Ha. Sa maîtrise de l'anglais était à peine rudimentaire. Après quelques minutes d'échec total pour communiquer, Khanh Ha déclara :

– Vous rester. Moi appeler garçon.

Il resta en ligne, le combiné du téléphone contre l'oreille, écoutant le silence régnant dans la maison de la famille Ha. Les minutes s'écoulaient. Il remarqua que ses vitres étaient poussiéreuses. Au travers, il remarqua que l'une des corneilles qui se posaient sur les trembles de l'autre côté de la rue par rapport au Bâtiment de la Justice avait perdu plusieurs plumes d'aile et avait un vol déséquilibré. Il remarqua que les nuages d'altitude qu'il avait vus en venant travailler s'étaient étoffés et couvraient la majeure partie du ciel en partant de l'horizon vers le nord. Peut-être allait-il neiger. Ils en avaient besoin. Il était tard. Il pensa à Emma, à sa manière de savourer ces journées où le temps restait suspendu entre les saisons, appelant la venue de l'hiver, applaudissant à l'arrivée du printemps, annonçant avec joie que demain l'été et la saison des orages serait là. Puis satisfaite de voir la fin de l'été, attendant ardemment l'or paisible de l'automne. Emma. La joie toujours présente, à ses yeux à elle, en deçà de l'horizon, dans la sécurité de Dinetah, la sécurité comprise entre les Montagnes Sacrées. Jamais elle ne ressentait le besoin de savoir ce qu'il y avait au-delà.

Un faible claquement de porte retentit dans la lointaine Albuquerque. Puis ce furent des bruits de pas sur un sol dur et une voix de jeune garçon qui dit :

– Allô ?

– Ici le lieutenant Leaphorn, Taka. Tu te souviens ? Nous avons parlé ensemble à ta maison à Shiprock.

– Vous vous trompez de numéro, répondit le garçon. Je crois bien.

– J'essaye d'avoir Taka Ji, insista Leaphorn.

– Moi je suis Jimmy Ha. Je crois qu'ils ont emmené Taka à la maison de ma tante. Dans South Valley.

– Est-ce que tu as le numéro ?

Jimmy Ha l'avait mais il lui fallut cinq minutes de plus pour le trouver. Puis, quand Leaphorn le composa, il obtint une nouvelle absence de réponse.

Il s'occupa vaguement de ses paperasses administratives, laissant s'écouler suffisamment de temps pour rendre une nouvelle tentative justifiable. A nouveau, pas de réponse. Il raccrocha, composa le numéro du bureau du Service Fédéral de Défense des Droits du Public à Albuquerque.

Non, Jim Chee n'y était pas. Il était venu dans la matinée mais il était reparti.

– Pour où ? demanda Leaphorn.

Pour le tribunal fédéral.

– Et Janet Pete ? Elle est là ?

Janet Pete elle aussi était au tribunal. On sélectionnait un jury.

– Quand elle rentrera, voulez-vous lui dire qu'il faut que je transmette un message à Jim Chee ? Dites-lui de lui faire savoir qu'il faut que je lui parle. Dites-lui que c'est important.

Lorsqu'il raccrocha, il ne fit pas du tout semblant de travailler à ses papiers. Il resta assis là à réfléchir. Pourquoi le colonel Ji avait-il été tué ? Il fit pivoter son fauteuil et regarda sa carte. Elle ne lui apprit rien. Rien si ce n'est que tout semblait se concentrer sur une formation rocheuse située au sud de Ship Rock. Rien n'avait de sens. Et cela, il ne l'ignorait pas, était dû au fait qu'il considérait toute l'affaire selon une perspective fausse.

Il réfléchit au professeur Bourebonette.

Il réfléchit à Jim Chee. Peut-être indigne de confiance. Mais doté d'une belle intelligence.

Il remarqua sa corbeille à papier. L'agent de service qui avait négligé de laver ses fenêtres avait également négligé de la vider. Il se pencha et en extirpa la brochure qui décrivait les merveilles de la République populaire chinoise. Il l'étala sur son bureau et étudia à nouveau les photos.

Puis il rejeta la brochure dans la corbeille.

20

Odell Redd n'était pas chez lui. Ou s'il y était, il ne répondit pas aux coups insistants frappés à sa porte par Jim Chee. Chee abandonna. Il trouva un emplacement libre dans une zone réservée aux livraisons derrière le bâtiment de biologie et franchit à pied la distance qui le séparait du département d'histoire.

Non, Jean Jacobs ne l'avait pas vu non plus.

– Pas ce matin. Il est venu hier. Nous sommes allés déjeuner ensemble.

Son visage exprimait de manière claire qu'il s'agissait d'un événement empreint de bonheur.

– Aucune idée de l'endroit où il est ?

– Il devrait travailler à sa thèse. Peut-être à la bibliothèque.

La perspective de se lancer à sa recherche à travers le dédale de livres empilés à Zimmerman ne présentait pour lui aucun attrait.

– Et votre patron ? Toujours disparu ?

– Point de nouvelles. Je commence à penser sérieusement qu'il est mort quelque part. Peut-être sa femme l'a-t-elle tué, ou l'un de ses étudiants de maîtrise. (Elle rit.) Ils seraient obligés de tirer à la courte-paille. Ils feraient la queue pour ça s'ils pensaient avoir la moindre chance de s'en tirer indemnes.

– Quel genre de voiture conduit-il ?

– Je ne sais pas.

Elle ouvrit un tiroir et en sortit un dossier.

– Je l'ai vu au volant d'une conduite intérieure blanche quatre portes et parfois dans une voiture de sport sexy. Rouge bordel.

Elle sortit une fiche cartonnée du dossier.

– Je crois que c'est à ce moment-là que sa femme l'a laissé tomber, après qu'il ait acheté cette bagnole rouge. Voyons un peu. Oldsmobile Cutlass. Mille neuf cent quatre-vingt-dix. Coupé Corvette. Celle-là c'est un modèle de mille neuf cent quatre-vingt-deux. Mais sympa, vous savez. Elle en met plein la vue aux jolies minettes en quête de l'image du père qui les emmènera au lit.

Elle rit en le disant mais l'idée ne semblait pas l'amuser.

– C'est sa demande d'autorisation de stationner ?

– Oui. Elle est valable pour les deux voitures. On l'accroche dans celle qu'on conduit.

Chee baissa les yeux sur sa main qui le démangeait horriblement. Il résista à l'envie de la gratter, choisit de rajuster le pansement. Jacobs le regardait.

– La guérison est en bonne voie ?

Il fit oui de la tête. Il se représentait une Corvette à suspension basse, ou une Oldsmobile flambant neuve qui rebondissait violemment sur les pistes au sud de Ship Rock.

– Laquelle conduisait-il le plus souvent ? Laquelle conduisait-il le dernier jour où vous l'avez vu, le soir où il est venu prendre son courrier ? Vous avez un moyen de savoir ce qu'il conduisait ?

– Non, répondit Jean Jacobs.

Elle hésita :

– Il est juste entré prendre son courrier. Et des affaires.

– Des affaires ?

– Oui, enfin, il a pris des affaires qu'il réunissait pour un article qu'il faisait. C'était sur son bureau, là. Et deux lettres qui se trouvaient dans sa corbeille de courrier prêt à partir.

– Il allait bien ? Qu'a-t-il dit ?

Jean Jacobs était assise, le regard sur la fenêtre. Elle tourna les yeux vers lui puis les reporta sur la fenêtre.

– Vous étiez là quand il est venu ?

– Non.

– Le lendemain vous avez simplement remarqué qu'il était passé et qu'il avait pris ses affaires ?

Elle fit oui de la tête.

Ils s'observèrent.

– Mais il m'a laissé un message, dit-elle.

Elle fouilla dans le tiroir de son bureau, en sortit un bout de papier couleur saumon portant l'inscription PENDANT VOTRE ABSENCE, le tendit à Chee.

L'inscription griffonnée à la hâte disait :

"Jacobs... Appelez les admissions. Procurez-vous les listes des étudiants à temps pour une fois. Dites aux agents de nettoyer cette porcherie, faites laver les carreaux."

– Il ne signe pas ses messages ? interrogea Chee.

Elle rit.

– Pas de s'il vous plaît. Pas de merci. C'est ça la signature de Tagert.

– Mais c'est son écriture ?

Elle posa son regard sur le message.

– Celle de qui voulez-vous que ce soit ?

Il utilisa le téléphone de Tagert pour appeler le bureau du Service Fédéral de Défense du Public afin de joindre Janet Pete. La voix de la réceptionniste carillonna à ses oreilles, lui disant que Mlle Pete se trouvait encore au tribunal. Il éloigna le téléphone de son oreille en fronçant les sourcils.

Jean Jacobs le regardait en souriant.

– Le professeur est dur d'oreille, expliqua-t-elle. Il n'arrêtait pas de se plaindre auprès de la compagnie du téléphone que leurs appareils fonctionnaient en sourdine alors ils ont fini par venir et ils lui ont mis ce téléphone à forte puissance.

– Eh ben, fit Chee.

– Tenez-le juste un peu loin de votre oreille. C'est facile une fois qu'on sait comment s'y prendre.

La réceptionniste parlait à nouveau, de manière moins agressive maintenant qu'il suivait les conseils de Jean Jacobs.

– Mais il y a un message pour vous, disait-elle. Pour elle en fait. Elle est censée vous dire d'appeler Window Rock. "S'il vous plaît, dites à M. Chee d'appeler le lieutenant Joe Leaphorn à son bureau."

Chee appela.

– Vous êtes à Albuquerque ? lui demanda Leaphorn.

Il répondit que oui.

– C'est une situation plutôt bizarre que nous avons là, dit le lieutenant. Il s'avère que Taka Ji est ce peintre de rochers après qui en avait Delbert Nez.

– Oh ! fit Chee.

Il digéra cette idée.

– Comment l'avez-vous découvert ?

Leaphorn le lui exposa.

– Est-ce que quelqu'un l'a interrogé ?

– Je vous entends à peine, signala Leaphorn. On dirait que vous êtes dans le couloir.

Chee rapprocha le micro de ses lèvres.

– Je disais, est-ce que quelqu'un l'a interrogé ? Il était là-bas la nuit où Nez a été tué. Peut-être a-t-il vu quelque chose.

Leaphorn expliqua que le garçon avait été conduit à Albuquerque pour y être hébergé par des gens de sa famille. Il donna le nom et l'adresse à Chee :

– Personne à la maison quand j'ai appelé. Mais je crois que quelqu'un devrait lui parler en personne.

– L'avez-vous dit au FBI ?

La question de Chee provoqua un silence prolongé. Finalement Leaphorn eut un gloussement :

– Dans les circonstances présentes le Bureau n'était pas particulièrement intéressé par une affaire de vandalisme.

– Ils ne voient pas le rapport ?

– Avec quoi ? L'agent qui est chargé du meurtre de Ji est nouveau ici, et tout nouveau dans le métier d'ailleurs. J'ai eu l'impression qu'il interrogerait le gamin un de ces jours mais je ne crois pas qu'il puisse voir en quoi le fait de peindre son message romantique sur les rochers puisse avoir un rapport quelconque avec le fait que quelqu'un ait abattu le colonel. Je crois qu'il voit plus ou moins un lien remontant au Viêt-nam. Et à ce qu'il a fait là-bas.

– Et avec le fait que quelqu'un ait abattu le policier Delbert Nez ? demanda Chee.

Une autre pause. Puis Leaphorn dit :

– Ouais. C'est ce qui me travaille aussi. Je crois que c'est la clef de l'affaire. Vous avez trouvé la solution ?

Chee s'aperçut, à sa grande surprise, que de s'entendre poser cette question par le lieutenant Joe Leaphorn lui faisait plaisir. Une question qui était visiblement sérieuse. Le célèbre Joe Leaphorn qui lui demandait ça. Malheureusement il n'avait pas de réponse. Pas de réponse solide.

– Pas vraiment, dit-il. Mais je crois qu'une fois que nous comprendrons, nous allons nous apercevoir que le meurtre de Nez était plus complexe que nous ne le pensions.

– Exactement. Le procès a-t-il déjà commencé ?

– Ils sélectionnent le jury. Peut-être vont-ils commencer demain. Ou le jour d'après.

– A mon avis, vous allez être l'un des premiers témoins. Je me trompe ?

– Je suis cité à comparaître. Le procureur veut que je relate l'arrestation. Ce que j'ai vu.

– Par conséquent vous allez être à Albuquerque. Je sais que vous êtes en congé mais je pense que vous devriez voir le fils Ji. Voir ce qu'il va vous dire. S'il a vu quelque chose.

– C'est ce que j'avais l'intention de faire, confirma Chee.

– De manière non officielle. Cette affaire n'est pas de notre ressort, bien évidemment.

Il y eut un silence.

– Et faites réparer ce téléphone.

21

L'adresse que Leaphorn lui avait donnée pour la résidence des Ha se trouvait dans la direction opposée de l'adresse de Tagert. Mais la maison de Tagert n'était pas loin du campus de l'université et Chee effectua le détour. Il avait une intuition qu'il voulait vérifier.

C'était une maison de plain-pied avec façade en brique qui se situait dans les franges inférieures de la petite bourgeoisie... le genre de maison que les professeurs d'histoire peuvent s'offrir s'ils sont suffisamment économes sur leurs achats d'épicerie. Chee se gara sur la chaussée, remonta l'allée à pied et sonna à la porte. Pas de réponse. Il sonna à quatre reprises. Toujours pas de réponse. Puis il alla jusqu'au garage et regarda par la fenêtre. Elle était sale, mais pas au point de l'empêcher de voir une Corvette rouge rangée à l'intérieur et, derrière elle, une Oldsmobile blanche.

La résidence des Ha était impeccable, tranchant par sa netteté dans un quartier envahi de mauvaises herbes qui se situait sur la frange supérieure de la classe défavorisée. Il n'y avait pas de voiture dans l'allée mais pendant que Chee rangeait son véhicule le long du trottoir, une Chevrolet bleue d'un âge certain vint se ranger à côté de l'auvent. Le garçon assis à côté de la jeune femme qui conduisait était Taka Ji.

Ils commencèrent leur discussion dans l'allée, Chee appuyé contre la portière de la voiture, le garçon se tenant tout raide devant lui, et Mlle Janice Ha, la conductrice, debout à côté de Taka, dans un rôle d'observateur silencieux et désapprobateur.

– Je suis le policier qui a procédé à l'arrestation, là-bas, la nuit où ça s'est passé. Je vous ai vu au volant de la voiture de votre père. J'étais dans la voiture de police que vous avez rencontrée juste avant que vous ne quittiez la chaussée pour aller vers Shiprock.

Taka Ji se contentait de le regarder.

– Maintenant nous en savons davantage. Nous savons que c'est vous qui avez peint les rochers. Ça pourrait nous aider à arrêter celui qui a tué votre père si vous me dites ce que vous avez vu.

Janice Ha posa la main sur l'épaule du garçon.

– Je crois que nous devrions entrer dans la maison, dit-elle.

La pièce de devant était presque aussi petite que le logement exigu de Chee... mais il y avait la place, entre les deux fenêtres, pour l'installation d'un autel. Cet autel comprenait une statue en plâtre de trente centimètres de haut qui représentait la Sainte Vierge drapée dans ses vêtements traditionnels blancs et bleus, abaissant un regard serein sur deux petites bougies et deux petits pots de chrysanthèmes. Une femme qui rappela à Chee l'image du colonel Ji en légèrement plus âgé et au féminin était assise sur un canapé à côté de l'autel.

C'était Thuy Ha et elle fit une profonde révérence devant lui lorsque Janice Ha le présenta.

– Le père de Taka était le frère cadet de ma mère, expliqua cette dernière. Son anglais n'est pas encore très bon. Il a fallu longtemps avant que nous obtenions que les communistes la relâchent. Elle ne nous a rejoints que l'année dernière.

– Je m'en veux de venir m'imposer à un aussi mauvais moment, dit Chee qui tourna ses regards vers Taka Ji. Mais je crois que M. Ji pourrait être à même de nous aider.

Janice parla à la femme (traduisant, supposa Chee), et Thuy Ha dit quelque chose en réponse.

– Elle a dit qu'il allait faire tout ce qu'il peut pour vous aider.

La femme âgée parla à nouveau, faisant cette fois une déclaration plus longue. La jeune fille lui répondit brièvement et la vieille dame parla à nouveau. Sa voix était pleine de colère.

– Mme Ha m'a demandé de vous dire que ce sont les communistes qui ont tué le colonel Ji.

Janice Ha paraissait gênée. Elle poursuivit :

– Elle m'a dit que je devrais vous raconter que le colonel Ji a œuvré fidèlement pour les Américains et qu'il s'est fait beaucoup d'ennemis à cause de ça, et les communistes ont envoyé quelqu'un de là-bas jusqu'en

Amérique juste pour le tuer.

La vieille femme observait attentivement Chee.

– Voulez-vous lui demander si elle sait qui a pu le faire ?

Janice Ha traduisit. Mme Ha prononça seulement deux mots :

– Les communistes, répéta Janice Ha.

Taka Ji rompit le bref silence qui s'ensuivit.

– Je n'ai pas vu grand-chose, dit-il. Il commençait à faire nuit et l'orage approchait.

– Dites-moi seulement ce que vous avez vu.

D'abord il avait entendu une voiture. Il était descendu de l'échelle et se trouvait assis sur le sable à côté d'elle, étudiant la photographie agrandie qui représentait les rochers, déterminant l'endroit exact où il devrait ajouter la prochaine section de peinture. Il avait entendu un moteur qui ronflait, la voiture qui roulait à très basse vitesse, se rapprochant davantage de cette formation rocheuse que ne le font d'ordinaire les véhicules. Il avait replié son échelle et l'avait dissimulée à la vue. Puis il s'était caché. Mais au bout d'un moment il avait entendu des voix et il avait escaladé jusqu'à un endroit d'où il pouvait distinguer ce qui se passait.

– Il y avait trois personnes. Ils avaient laissé leur camion, enfin, si c'en était un, garé plus bas derrière certains des genévriers qui poussent sur la pente. J'apercevais seulement le toit. Et ils étaient trois à marcher vers la formation. Pas vers moi, plus vers l'ouest. Au début j'ai pensé qu'il s'agissait d'un homme et de deux femmes parce qu'il y en avait un qui était plus grand que les deux autres. Mais après quand ils ont été plus près j'ai vu que l'un d'eux était vraiment vieux et maigre.

– Ashie Pinto ?

– Oui. J'ai vu sa photo dans le *Times* de Farmington ce dimanche-là, après son arrestation. Elle ressemblait à l'homme qui a tué le policier.

– Les deux autres ? Vous les avez reconnus ?

Le garçon secoua la tête.

– Vous le pourriez si vous les revoyiez ?

– L'un des deux, je crois. Le plus costaud. Lui, je l'ai mieux vu. L'autre, je ne sais pas.

– Mais l'autre était une femme ?

– Je ne sais pas. Je crois que j'ai pensé ça seulement à cause de sa taille. Ils avaient des feutres sombres, de grandes vestes et des jeans.

Taka s'arrêta, comme en proie au doute. Sa tante dit quelque chose en vietnamien sur un ton brusque.

– O.K., fit Taka. Après ça, ils ont disparu en haut dans les rochers. Je suis simplement resté un moment, à l'endroit où j'étais. Je me disais que je ferais bien de partir parce que je ne voulais pas que quelqu'un sache ce que je faisais.

Il s'arrêta, tourna le regard vers Mme Ha, prononça quelques mots en vietnamien d'une manière hésitante.

Elle hocha la tête, lui sourit, tendit la main et lui tapota le genou.

– Il a dit qu'il avait peur que les gens trouvent que ce qu'il faisait était idiot, expliqua Janice Ha.

Son visage disait qu'elle était d'accord avec son cousin : ils trouveraient que c'était idiot.

– Je me suis dit que si je partais tout de suite ils allaient peut-être me voir m'éloigner avec la voiture. Je la laissais toujours dans l'arroyo* là où personne ne pouvait la voir, mais ils allaient me voir partir avec. Alors j'ai décidé d'attendre qu'ils s'en aillent.

Il s'arrêta à nouveau.

– Continue, l'encouragea Janice. Dis-nous ce qui s'est passé.

Elle regarda Leaphorn :

– Nous non plus nous ne savions rien de tout cela. Il aurait dû en parler à la police.

Taka rougit.

– Mon père m'avait dit de n'en parler à personne. Il disait que ça donnait l'impression d'être quelque chose à quoi je ne devais pas me retrouver mêlé. Il m'a dit de garder le silence, c'est tout.

– Eh bien, mieux vaut tard que jamais, commenta Janice. Raconte.

– Je me demandais ce qui se passait là-haut alors j'ai décidé de me rapprocher pour pouvoir regarder. Je connais très bien cet endroit depuis le temps, ou en tout cas l'endroit où je travaillais. C'est plein de serpents. Ils y viennent quand le temps commence à être froid parce que ces rochers noirs restent chauds même en hiver et les souris des champs viennent aussi s'y installer. Et, normalement, ces serpents chassent la nuit parce que c'est le moment où les rats-kangourous et les petites souris sortent pour manger, mais en hiver il fait froid la nuit et les serpents sont des reptiles à sang froid alors ils restent dans leur trou après...

Taka avait remarqué l'expression de Janice : impatiente à cause de cette digression dans le domaine des sciences naturelles.

– Bon enfin, se hâta-t-il de poursuivre, je sais où il faut marcher et comment s'y prendre pour ne pas se faire mordre par les serpents. Je suis donc parti dans la direction où j'avais vu ces trois personnes partir et au bout d'un petit moment j'ai entendu leurs voix. Ils parlaient là-haut dans les rochers. Alors j'ai fait le tour... il commençait juste à faire nuit et il y avait des éclairs dans les montagnes. Et à ce moment-là j'ai vu celui qui a tué le policier. Il n'était pas monté là-haut avec les deux autres. Il était assis par terre à côté d'un pin pignon. Je l'ai regardé un moment et il ne faisait rien du tout à part de temps en temps boire à la bouteille qu'il avait avec lui. J'ai réfléchi un moment et j'en ai conclu que si celui-là était ivre, quand il ferait un peu plus sombre je pourrais descendre dans l'arroyo, prendre ma voiture et filer sans être vu. Je suis resté assis là à attendre un petit moment. J'ai entendu les deux qui étaient montés dans les rochers se mettre à crier. C'était comme s'ils étaient vraiment très nerveux. Je me suis dit qu'ils avaient tiré de leur torpeur plusieurs des serpents qui étaient là-bas dedans.

Taka Ji s'interrompit, regarda sa tante, puis Janice, et finalement Chee. Il s'éclaircit la gorge.

– Après j'ai entendu un coup de feu. Et je suis parti, je suis monté dans la voiture et je suis rentré chez moi.

Il regarda à nouveau autour de lui. En ayant terminé. Attendant des questions.

Janice Ha avait l'air effrayé.

– Un coup de feu ! Tu l'as dit à ton père ? Tu aurais dû le dire à la police.

Mme Ha dit quelque chose à Janice en vietnamien, obtint une explication, exprima sa réaction. Puis Janice dit à sa mère :

– Moi je m'en moque. Nous vivons en Amérique maintenant.

– D'où venait le coup de feu ? demanda Chee.

– Ça semblait venir des rochers. De l'endroit où ils avaient crié. Je me suis dit qu'ils avaient peut-être tiré sur un serpent.

– Une seule détonation.

– Une, confirma Taka.

– Etiez-vous toujours là-bas quand le policier, Nez, est arrivé ?

– J'ai entendu la voiture. Je l'ai entendue arriver. Il y a une piste qui passe par là, à l'ouest de cette crête de rochers où nous étions. Elle était dessus. Elle venait vers nous.

– Est-ce qu'il avait mis sa sirène ? Sa lumière rouge ?

– Non, mais je l'ai vue, j'ai vu que c'était une voiture de la Police Tribale Navajo. J'ai pensé que je ferais mieux de partir. Tout de suite. Je suis parti, je suis arrivé dans l'arroyo et je suis rentré chez moi.

– Vous vous souvenez de m'avoir vu ?

– Ça m'a fait peur, confirma Taka. J'ai vu votre voiture de police qui fonçait droit vers moi. (Il se tut un moment.) J'aurais dû m'arrêter. J'aurais dû vous dire que j'avais entendu le coup de feu.

– Cela n'aurait fait aucune différence, dit Chee.

Mais il pensait que cela aurait pu sauver la vie du colonel Ji.

Mme Ha les regardait, prêtant l'oreille à chaque mot. Chee se dit qu'elle devait connaître un peu d'anglais.

– Je veux que vous me donniez des indications, reprit Chee. J'ai une carte à grande échelle dans mon camion. Je veux vous la montrer et vous faire marquer dessus l'endroit exact de cette formation rocheuse où ces gens se trouvaient.

Taka Ji hocha la tête.

Mme Ha dit quelque chose en vietnamien, s'adressant directement à Chee puis tournant son regard vers sa fille dans l'attente de la traduction.

– Elle a dit : "Nous avons un proverbe au Viêt-nam"...

Janice Ha hésita :

– Je ne suis pas sûre du nom de cet animal en anglais. Ah, si. Le proverbe c'est que le destin est aussi généreux pour l'homme que la mangouste l'est pour la souris.

Chee secoua la tête puis opina à l'adresse de la vieille dame.

– Voulez-vous dire à votre mère que les Navajos disent la même chose en utilisant des mots différents. Nous disons : "Coyote est toujours là, dehors, à attendre, et Coyote a toujours faim."

Lorsque les portes de l'ascenseur s'ouvrirent, il devint évident que le tribunal du district avait suspendu ses travaux pour aller déjeuner. Le couloir grouillait de monde. Janet Pete se hâtait vers l'ascenseur, se dirigeant droit sur lui. Il la laissa entrer en même temps que vingt ou trente autres citoyens.

– J'ai trouvé le fils du colonel Ji, lui apprit-il. Je viens d'aller lui parler.

Il expliqua ce que Leaphorn avait appris : Taka Ji était l'insaisissable personnage qui peignait la pierre, Taka Ji se trouvait sur la crête basaltique le soir où Delbert Nez avait été tué.

– Tu vas me dire que tu as ton témoin maintenant. Que ce garçon a vu Ashie Pinto tirer sur Delbert Nez.

Elle était serrée contre lui, de biais dans l'ascenseur plein à craquer. Tout ce que Chee pouvait voir était le

231

sommet de sa tête et une partie de sa joue. Mais s'il avait pu voir son visage il aurait exprimé la déception. Il le savait au ton de sa voix.

– Non, dit-il. En réalité...

Le gros individu à l'attaché-case et à l'eau de toilette Old Spice s'appuya contre sa main, l'obligeant à retenir sa respiration. Il leva la main en faisant très attention et la tint au-dessus de sa tête, préférant avoir l'air idiot que courir le risque d'avoir mal.

– En réalité, je voulais te dire qu'il est possible que j'aie arrêté le mauvais suspect. Pourrais-tu faire repousser le procès ? Peut-être de quelques jours ?

– Quoi ? fit-elle si fort que le bourdonnement des conversations qui rivalisaient tout autour d'eux se calma. Nous ne devrions pas parler du procès ici.

Mais elle murmura ensuite :

– Qu'a-t-il vu ?

– Avant que Nez n'arrive, il y avait trois personnes là-bas. Pinto et deux autres. Peut-être deux hommes, peut-être un homme et une femme.

Janet était parvenue à se tourner de quarante-cinq degrés environ au cœur de la cohue (une manœuvre que Chee trouva extrêmement agréable) et leva les yeux vers lui. Son visage était plein d'interrogation. Il poursuivit :

– Il a dit que Pinto s'est assis dans l'herbe à côté d'un arbre et qu'il buvait à la bouteille. Les autres sont montés dans les rochers. Il les a entendus crier là-haut puis il a entendu une détonation. Il a pensé qu'ils avaient tué un serpent à sonnettes. Tu te souviens ?

Les traits de Janet exprimèrent le dégoût. Elle ne s'en souvenait que trop.

– Après il a entendu la voiture de police de Nez. Et il est parti.

Chee avait le menton rentré dans la poitrine et les yeux baissés sur elle. Il avait conscience de son parfum discret, de sa hanche qui s'appuyait contre la sienne, de l'odeur des rayons du soleil et de l'air des hauts plateaux dans ses cheveux. Maintenant il voyait son visage. Mais il ne parvenait pas à déchiffrer son expression. Cela le déconcertait.

– Tu crois que ça permet de prouver que tu as arrêté le faux coupable ? Que ça aide Hosteen Pinto ?

– Que ça aide Pinto ? Ben, bien sûr que oui. C'était quelqu'un d'autre qui avait le pistolet, ou en tout cas une arme à feu quelconque, avant que Nez soit tué. Tout ce que Pinto avait, pour autant que le garçon ait pu le voir, c'était la bouteille. Bien sûr que ça aide. Ça instaure la notion de doute. Tu ne crois pas ?

Janet Pete entoura de ses bras la taille de Chee et le serra ardemment contre elle.

– Ah, Jim, fit-elle. Jim.

Et il fallut à Chee, qui tenait sa main bandée en l'air au-dessus de sa tête, plusieurs secondes pour comprendre que tous les gens qui étaient présents dans l'ascenseur et regardaient du bon côté devaient avoir les yeux fixés sur eux. Et quand il le comprit, il s'en moqua éperdument.

22

Taka Ji se révéla aussi efficace pour marquer la carte de Chee qu'il l'avait été pour comploter ses signaux romantiques à l'intention de Jennifer Dineyahze. Chee atteignit les lieux presque directement et trouva l'endroit où Taka avait caché le véhicule de son père dans l'arroyo voisin. Il descendit de son pick-up truck et resta un instant à côté, étirant ses muscles engourdis et envisageant le chemin le plus pratique pour escalader la saillie rocheuse.

Quelque part là-haut, dans ces roches noires, se trouvait ce que cherchait le professeur Tagert : probablement le squelette de Butch Cassidy. Il y avait également quelque chose qui avait poussé Redd à changer une traduction dans le but d'égarer Tagert, quelque chose qui, quatre-vingts ans plus tôt, avait contraint un Navajo entêté à se soumettre à l'exécution d'un rite guérisseur pour s'être trouvé exposé au pouvoir des sorciers. Là-dedans, deux bandits *biligaana* étaient probablement morts il y avait très longtemps. Et là aussi, le mois précédent, Taka avait entendu quelqu'un tirer sur un serpent, ou sur un autre être humain peut-être, ou peut-être sur rien.

Depuis qu'il avait quitté Albuquerque au début de l'après-midi, Chee avait fait la course contre les conditions atmosphériques et contre le soleil. Aussi bas vers le sud que le point où la Highway 44 pénétrait sur la Réserve Jicarilla, il avait pris conscience, au nord-ouest, de la montée des ténèbres sur l'horizon.

– Un orage qui, lui, va progresser lentement, et cela signifie que nous pourrions avoir de substantielles chutes de neige, leur avait annoncé Howard Morgan pendant les informations de Channel 7. Mais bien évidemment, si le jet-stream se déplace vers le nord, l'orage pourrait négliger la majeure partie du Nouveau-Mexique.

L'orage avait en effet progressé lentement, bien plus lentement que les cent dix à cent trente kilomètres à l'heure auxquels Chee avait imprudemment poussé son pick-up truck au mépris de la loi et du bon sens. Mais même de la sorte, le temps qu'il dépasse Huerfano Mesa, les deux tiers du ciel étaient obscurcis par l'orage, et l'odeur de la neige imprégnait l'air.

Ses narines étaient encore emplies de cet arôme d'humidité froide tandis qu'il se tenait à côté de son camion. Le soleil était presque sur l'horizon, brillant à l'ouest à travers une étroite fente non refermée entre nuage et terre. La lumière tombant à l'oblique soulignait chaque crevasse de ce relief plongé dans l'ombre, rendant apparent l'aspect rude et accidenté du soulèvement rocheux. Les noirs et les gris de ses formes déchiquetées et désordonnées s'élevaient au terme d'un long tertre pentu... ce qu'un million d'années d'érosion environ avaient laissé d'une montagne de cendres volcaniques qui avait autrefois enseveli le cœur du volcan. De l'endroit où il se tenait, il semblait y avoir des dizaines de chemins pour monter dans les roches. La plupart d'entre eux devaient se terminer en cul-de-sac sur des murs de lave.

Il trouva le peu de vestiges des traces de Taka que la pluie de cette nuit-là avait laissées et les suivit, aidé par l'inclinaison de la lumière. Puis il trouva d'autres traces, parmi lesquelles des bottes de cow-boy à talons hauts, faciles à suivre. Elles s'enfonçaient dans les terres volcaniques.

Elles s'enfonçaient, ainsi qu'il le pensait, dans Tse A'Digash. C'était le terme que Hosteen Pinto avait utilisé : les rochers où les sorciers se réunissent. Il y avait cela à prendre en considération. Cela, plus la multitude de serpents à sonnettes qui avaient dû se concentrer ici depuis les premières morsures froides de l'automne, profitant des quelques dernières journées de chaleur fournies par les rochers avant d'hiberner pendant tout l'hiver. Peut-être étaient-ils déjà en état d'hibernation. Chee en doutait. Les vieux shamans observaient ce genre de chose avec beaucoup d'attention. Et ils n'avaient pas encore dû commencer à déterminer quand auraient lieu les rites cérémoniels qui ne pouvaient se tenir qu'une fois les serpents endormis à coup sûr. Enfin. Les serpents faisaient leur proie d'animaux suffisamment petits pour être avalés, pas des hommes. Mais les serpents attaquaient les hommes pour se défendre. Avec cette pensée vivace en plus de la réputation d'endroit fréquenté par les sorciers que ce lieu avait gagné (et ce, cent ans plus tôt déjà), il s'avança avec prudence.

Le premier chemin qu'il choisit le mena dans un trou sans issue cerné de rochers. Le second, après qu'il eut escaladé une plaque de roche inclinée et difficile, le conduisit de plus en plus haut au cœur de ce relief. Les rayons mourants du soleil n'atteignaient plus ce chemin mais la progression était relativement aisée. Il était clair que ce passage était utilisé depuis des années par l'animal ou par l'homme. Ici un cactus avait été cassé par un pied inattentif et le temps l'avait guéri. Là, une touffe d'herbe-aux-bisons avait été déformée par le poids des pas. Par-ci par-là, aux endroits où la formation rocheuse empêchait l'eau de pluie de rentrer, Chee repéra des empreintes de bottes récentes. Les marques laissées par les bottes à talons hauts n'étaient plus visibles. Il devait s'agir de celles d'Ashie Pinto. Il avait été trop sensé pour s'aventurer ici. Il s'était assis sur l'herbe à côté d'un pin pignon, ne provoquant pas le destin. Mais Coyote était là, lui aussi, à attendre.

Chee était parvenu haut dans les rochers avant de voir son premier serpent. C'était un serpent à sonnettes de prairie, plutôt petit, qui traversait lentement le chemin au moment précis où lui tournait un angle entre de grosses roches qui lui arrivaient aux épaules. Chee s'immobilisa. Serpent s'immobilisa. Il se lova sur lui-même, mais le mouvement était léthargique. Chee recula jusqu'à ce que son odeur humaine eût moins de chances d'atteindre le reptile. Il attendit un moment, regarda de l'autre côté des roches. Le serpent était parti.

Il marqua un arrêt pour enjamber la marque laissée par le reptile sur le sable et prit le temps d'effacer les traces en zigzag avec le bout de son pied. Il ne se souvenait plus de la raison qui justifiait cette manière de procéder, si ce n'est qu'il s'agissait d'une litanie de tabous avec leurs antidotes que sa grand-mère lui avait inculqués : une petite marque de politesse adressée à Grand Serpent.

A moins de quinze mètres de l'endroit où il avait vu le serpent, il trouva le lieu qu'il était venu chercher.

A une époque oubliée, une immense vague de magma en fusion avait produit un cul-de-sac enfermé entre des blocs verticaux de basalte usé et couvert de lichens. A l'extrémité largement ouverte, une boursouflure de cette roche en fusion avait éclaté, formant une petite grotte. Des éternités de sable, de poussière, de matières organiques en migration s'y étaient retrouvées prises au piège, portées là directement par le vent ou balayées par les eaux de ruissellement, au-dessus, sur les rochers. Le tout avait constitué un sol plat sur lequel poussaient graminées en touffe ou stipas quand une quantité d'eau suffisante s'y infiltrait en venant de plus haut. A la limite la plus proche de cette petite surface plane, Chee vit les vestiges rongés par le temps de ce qui avait été une selle.

Il s'arrêta et étudia les lieux.

Même de l'endroit où il se trouvait, à des mètres de distance, il voyait que le sol avait été dérangé par des traces de pas. Il entendit un grattement. Ou eut l'impression de l'entendre. Lorsqu'il avait quitté son pick-up truck, il y avait un petit vent, la frange de ce que les gens de la météo appellent "un vent de proximité" attisé aux confins de l'orage. Il s'était maintenant apaisé, laissant la place à ce calme absolu qui s'installe si souvent au moment précis où tombent les premiers flocons.

Avait-il entendu quelque chose ? Il ne pouvait en être sûr. Probablement juste une question de nervosité... la proximité des sorciers. Les sorciers. Cela lui fit penser à Joe Leaphorn, aux yeux de qui croire aux sorciers relevait de la superstition et de l'anathème. Chee avait réussi à s'en accommoder d'une autre manière. Il considérait ce qu'en disait la mythologie des origines comme une métaphore. Certains choisissaient de transgresser la Voie du Peuple, optant pour l'inceste, le meurtre et les richesses matérielles au lieu de l'harmonie et de l'ordre de la Voie Navajo. On pouvait les appeler comme on voulait, il savait qu'ils existaient. Il savait qu'ils étaient dangereux.

Il tendait l'oreille et n'entendait pratiquement rien. Une sturnelle à cou noir quelque part en dehors de son champ visuel monta sa gamme de soprano. En contrebas, près de l'endroit où il s'était garé, les corneilles se querellaient. Il n'entendit rien qui expliquât sa nervosité.

Le soleil était maintenant passé juste en dessous de l'horizon et colorait la partie inférieure du nuage d'orage d'un jaune éblouissant loin vers l'ouest, d'un rose terne au-dessus de sa tête. La lumière réfléchie inondait le paysage rocailleux en le teignant d'un rouge terne... rendant la vision trompeuse. Pas de temps à perdre.

Il dépassa la vieille selle pour pénétrer dans le cul-de-sac. Et s'immobilisa à nouveau.

D'abord il vit le chapeau. Du sable était venu en recouvrir la plus grande partie, mais le bord un peu et la calotte surtout demeuraient visibles. Apparemment un très vieux chapeau, autrefois de feutre noir mais maintenant décoloré pour donner un gris parsemé de taches. Derrière le chapeau, par-dessus une petite séparation de roche inclinée, il aperçut une jambe de pantalon et une botte... elles aussi presque entièrement ensevelies sous la poussière apportée par le vent.

Il emplit ses poumons d'air qu'il laissa ensuite s'échapper pour reprendre son calme. Apparemment l'histoire d'autrefois, contée par Hosteen Pinto, était vraie. Un homme au moins était mort ici il y avait très longtemps. Dans un instant, il allait vérifier pour le second. Pas de hâte particulière. Comme la majorité des Navajos qui se conforment aux traditions du peuple, Chee évitait les cadavres avec la même application que les juifs orthodoxes ou les musulmans évitent la viande de porc rôtie. Ils étaient tabous. Cause de maladie.

Mais il y avait des rites guérisseurs pour ce genre de maladies si on ne pouvait les éviter. Il s'approcha pour inspecter le cadavre.

L'homme à la jambe de pantalon gisait pour l'essentiel loin sous un surplomb de roche... cherchant probablement l'ombre au moment de sa mort. Maintenant, mais trop tard, ce surplomb le protégeait du vent et des intempéries. Mais la dessiccation due à la chaleur avait fait de lui une momie ratatinée emmaillotée dans des vêtements aux couleurs passées.

Il devrait y avoir un autre homme, se dit Chee. Il le trouva dans la petite grotte.

Cet homme-ci avait été plus grand, et lui aussi partiellement momifié par la chaleur dépourvue d'humidité. Son chapeau était posé sur son visage mais, sous le rebord, Chee distinguait une longue moustache, décolorée jusqu'à donner un blanc-gris. Ce corps-ci avait été déplacé, tiré de tout son long sur le sable. Il portait toujours une ceinture à revolver mais l'étui était vide. Là semblait se trouver le célèbre Butch Cassidy du professeur Tagert. Là se trouvait la vengeance de Tagert à l'égard de ses détracteurs.

Il resta sur place à regarder le corps. Une partie du gilet de l'homme avait été arrachée et une partie de ses autres vêtements s'était détachée lorsqu'il avait été tiré de sous les rochers qui le protégeaient. Ou peut-être, totalement pourris, s'étaient-ils détachés en raison de leur propre poids. Peut-être encore Tagert avait-il fouillé les poches de M. Cassidy en quête d'une preuve de son identité.

Tagert était-il entré ici ? Il avait dû être l'une des deux personnes que Taka avait vues. Chee chercha des traces. Elles étaient partout. Les traces de deux personnes. Des bottes à talons plats et bouts pointus, du quarante-trois environ, et quelque chose de beaucoup plus petit laissé par des semelles de caoutchouc à dessin géométrique.

Où étaient leurs sacs de selle ? L'un d'eux avait eu la force nécessaire pour hisser sa selle jusque-là. Assurément il avait dû apporter les sacs. Il chercha un endroit où ils pourraient être cachés. La saillie juste derrière lui (l'endroit le plus logique où les lancer) était vide. Il remarqua une fente profonde entre deux couches rocheuses, à peu près à hauteur d'épaule. Il plongea le regard à l'intérieur... avec précaution parce que pour un serpent c'était l'endroit idéal où se reposer. De fait, un reptile était lové sur lui-même à l'intérieur de la crevasse. Ça semblait être un serpent à sonnettes diamant de taille adulte. Sur la gauche du serpent, là où la fente était un peu plus profonde, Chee distingua la couleur fauve tirant sur le gris de la vieille toile. Un sac de selle avait été poussé hors de vue là-bas au fond. Il pouvait l'atteindre, pensa-t-il, s'il ne craignait pas de déclencher la colère du serpent.

Il regarda autour de lui à la recherche d'un bâton adapté à la situation et se décida pour une branche cassée provenant d'un genévrier en surplomb.

– *Hohzho*, Hosteen Serpent, dit-il. Paix. Vis avec la beauté tout autour de toi.

Il avança le bâton dans la fente.

– Allez, reste calme. Je ne veux pas t'embêter.

Il pouvait atteindre le sac de selle sans avancer sa main à portée du serpent à sonnettes. Mais il ne pouvait pas le déplacer.

Le reptile inspecta l'air avec sa langue, n'aima pas l'odeur humaine qu'il y détecta et commença à modifier la position de ses anneaux. Le bout de sa queue émergea. Il vibrait.

– *Hohzho*, répéta Chee.

Il retira main et bâton, puis regarda alentour à la recherche de quelque chose de mieux approprié pour tirer les sacs à lui.

Ce fut alors qu'il remarqua les traces laissées par quelque chose que l'on avait tiré sur le sol.

Elles étaient fraîches. Un objet lourd et de grande taille avait été traîné en travers de l'espace sableux, sur sa gauche, puis emporté dans les rochers.

Chee les suivit. Il tourna l'angle.

William Odell Redd était là. Il avait un énorme pistolet à la main, plus ou moins braqué sur les genoux de Chee. Et aux pieds de Redd gisait le corps d'un homme de petite taille, le visage tourné en l'air comme si Redd l'avait tiré par les épaules.

– Je regrette que vous soyez revenu ici, dit Redd.

Moi aussi, pensa Chee. Mais il dit :

– Qu'est-ce que vous faites là ?

– Je suis venu rechercher des choses qui m'appartiennent. J'avais deviné que vous alliez venir. J'avais l'intention de repartir avant que vous n'arriviez.

– Je suppose que Jean Jacobs vous en a parlé.

– Une fille super, dit Redd. Vraiment.

– C'est aussi ce que j'ai pensé.

Redd avait le regard baissé sur Tagert.

– Il la traitait comme un chien. Il traitait tout le monde comme des chiens. Le fumier.

– C'est pour cela que vous l'avez tué ?

– Non, dit Redd en regardant toujours le professeur. J'aurais probablement dû. Il y a longtemps.

Chee avait les yeux sur le pistolet : il donnait l'impression d'avoir cent ans. Il les avait probablement, et provenait probablement de l'étui de Butch Cassidy, du bandit en tout cas, quel que soit son nom. Ce qui importait c'était de savoir s'il allait encore marcher. Il paraissait vieux et poussiéreux. Mais pas rouillé. Il était armé. Le chien était relevé en arrière, par conséquent il allait vraisemblablement revenir. Assez vite pour faire exploser la cartouche ? Peut-être. La cartouche serait-elle encore bonne après toutes ces années ? Cela semblait douteux, mais ce climat aride préservait pratiquement tout. Taka avait entendu un coup de feu provenant d'ici. Tiré par ce même pistolet ? Sur le professeur Tagert ? Chee trouvait difficile de penser à quoi que ce soit d'autre que ce que Redd avait l'intention de faire avec cette arme. Mais il ne voulait pas lui poser la question.

Il neigeait maintenant. De petits flocons secs entraient, poussés par le vent, restaient en suspens dans l'air, s'évanouissaient. Chee s'aperçut que son cerveau fonctionnait d'une manière curieuse. Il avait déduit la raison pour laquelle le colonel Ji avait été tué, ce qui n'était pas pour l'heure un point d'une priorité essentielle. Janet et lui avaient parlé du colonel Ji chez Redd, stipulant que Ji était le propriétaire de la voiture aperçue alors qu'elle s'éloignait de cette zone après la mort de Nez. Redd avait dû la voir lui aussi la même nuit. Il avait dû supposer   que le meurtre de Tagert avait eu un spectateur. Il avait dû se rendre à Shiprock et tuer Ji dès qu'il avait appris   de leur bouche (ou cru avoir appris) l'identité du témoin. Et il avait tué le faux témoin. Mais il n'y avait pas de vrai témoin. Taka non plus n'avait pas assisté au meurtre.

Et tout à coup Chee vit comment cette information pouvait être utilisée. S'il savait se montrer suffisamment subtil. Il dit :

– Vous avez vu le garçon ici, cette nuit-là ? Le garçon qui peignait les rochers ?

– Quel garçon ? demanda Redd avec l'air surpris.

– Celui de l'école secondaire de Shiprock. Il a vu votre voiture ici. Il vous a vu avec Hosteen Pinto et (Chee posa un regard sur le corps) avec le professeur. Quand vous êtes grimpé jusqu'ici. Tous les deux, m'a-t-il dit. Pas Pinto. Il m'a dit que Pinto était resté en arrière et qu'il s'était soûlé.

Redd paraissait anéanti.

– C'était le prof de maths, protesta-t-il. Pas un garçon.

– Nous nous trompions là-dessus. Ce n'était pas le prof de maths. C'était un gamin de l'école secondaire.

– Ah, merde, fit Redd. Ah, merde.

Il s'appuya contre le roc :

– Ils vont donc être sur mes traces, alors. Quoi qu'il arrive.

– La meilleure des choses à faire serait de vous rendre.

Redd ne l'écoutait pas. Il secouait la tête.

– Etrange, dit-il. Etrange. La façon dont tout ça a commencé.

– Comment alors ?

– Je voulais juste obliger ce vieux fumier à cracher un millier de dollars. Juste ce qu'il me devait pour les heures supplémentaires qu'il me faisait toujours faire mais qu'il ne me payait jamais.

– En cachant une partie de la traduction ? Vous saviez qu'il voulait trouver cet endroit. Ces cow-boys morts, si c'en est.

– Butch Cassidy, confirma Redd d'un ton absent. Ouais. J'ai tenu sous silence cette partie de l'histoire. Celle qui indiquait où se trouvait l'endroit. Après j'ai dit à Tagert que puisque je connaissais le navajo et que je pouvais parler avec les gens, j'arriverais à le trouver. Il m'a donné une avance de cinq cents dollars.

Il leva les yeux vers Chee et rit :

– Et je l'ai trouvée cette formation rocheuse, c'est sûr. Ça n'était pas très dur avec les détails que Pinto avait mis dans son histoire. Mais je n'ai pas réussi à trouver l'endroit exact. Le fumier voulait récupérer son fric. Alors j'ai eu l'idée d'engager Pinto. En tant qu'homme-qui-lit-dans-le-cristal, vous savez. Ça marche, des fois, on m'a dit, surtout si le shaman sait quelque chose qu'il ne dit pas.

– Et Pinto vous a trouvé l'endroit ?

– On l'a amené ici. Il a regardé dans ses cristaux. Il les a posés par terre, a utilisé du pollen, a chanté un moment puis il a regardé dedans et il nous a dit où grimper pour arriver ici. Il était très vague dans ce qu'il disait au début, mais Tagert l'a arrosé de whisky. Ça lui a délié la langue.

– Alors pourquoi avez-vous tué Tagert ? Il refusait de vous donner les cinq cents dollars restants ?

Redd le dévisageait.

– Vous m'avez dit que le garçon m'a vu abattre Tagert ? C'est ça ?

Chee hocha la tête.

– Espèce de salopard. Non, ce n'est pas vrai.

Il rit. Soulagé. Ravi.

– Comment ça ?

– Parce que je ne l'ai pas abattu, ce fumier. Je n'ai pas tué Tagert. Le garçon n'a pas pu voir ça. Je parie qu'il n'a absolument rien vu.

– Il vous a vu, insista Chee.

Mais Redd ne l'écoutait pas.

– J'ai bien l'impression que ça va marcher après tout, dit-il à demi pour son propre usage.

Il enjamba le corps de Tagert, baissa les yeux sur lui.

– Je vais quand même vous dire pourquoi j'aurais dû le tuer. Pas pour cinq cents malheureux dollars.

Il enfonça la pointe de sa botte dans l'épaule de Tagert, poursuivit :

– Pour des tonnes d'argent.

243

Le pistolet était maintenant directement braqué sur Chee et Redd le regardait par-dessus son arme.

– Vous êtes au courant pour le vol ? Celui à cause duquel ces deux *bandidos* avaient pris la fuite ?

– Le vol d'un train, je crois. En Utah, non ? demanda Chee.

Mais il se demandait ce que Redd voulait dire, quand il disait qu'il n'avait pas tué Tagert. Si ce n'était pas lui, qui alors ?

– Exactement, confirma Redd. Pas beaucoup d'argent dans le coup, et ils en avaient perdu la plus grande partie parce que c'était le troisième homme de la bande qui le portait et il s'était fait descendre. Mais le train faisait des arrêts à toutes les petites postes du coin, les approvisionnant en timbres et ce genre de trucs. Il n'y avait que trente dollars en argent et quelques pièces de cinq dollars en or dans le sac qu'ils avaient. Mais il y avait environ une douzaine de paquets de timbres. Vous comprenez ce que ça veut dire ?

Chee se souvenait du livre de collectionneur de timbres qu'il avait vu dans la maison de Redd.

– Je dirais que ça vaut beaucoup d'argent.

– Beaucoup d'argent ! Des douzaines de feuilles de timbres non oblitérés. De tous les types. Je ne suis pas un spécialiste des timbres mais j'ai vérifié pour plusieurs d'entre eux. Des cinq cents William McKinley valant dans les quatre cents dollars le bloc de quatre. Des dix cents commémoratifs du rachat de la Louisiane valant huit cents dollars par bloc de quatre. Certains de ces timbres d'un cent qui valent plus de cent billets pièce. Je n'ai pas additionné le tout, mais ça fait trois ou quatre cent mille dollars.

– Beaucoup d'argent, acquiesça Chee.

Mais il se demandait si le vieux pistolet que Redd braquait sur lui marcherait, et comment il pourrait bien faire pour se sortir de là. Et il n'avait pas dû se montrer aussi impressionné qu'il aurait dû.

– Ça ne vous paraît peut-être pas grand-chose à vous qui avez un travail régulier. Mais quand on crève la dalle tout au long de ses études supérieures, ça fait un sacré paquet. Ça signifie échapper à une situation où on n'a jamais un sou devant soi et où on fait un travail d'esclave pour des salauds dans son genre.

– Quel était le problème alors ? Tagert voulait tout garder pour lui ?

Redd rit.

– Ce n'était pas de l'argent qu'il lui fallait. Il en avait. Il lui fallait la notoriété. Et régler ses comptes avec les autres historiens qui ne sont pas d'accord pour dire que Dieu, c'est lui. Non. Il allait tout laisser là... exactement tel que je l'avais trouvé pour lui. Ensuite il allait appeler les autorités. Plus spécialement, il allait faire venir quelqu'un de haut placé dans les Postes U.S. Il voulait un certificat officiel stipulant que ce sac postal et tout ce qu'il y avait à l'intérieur provenait de ce train de la Colorado and Southern.

– Oh, fit Chee. Je crois que je comprends. Il voulait qu'un lien solide soit établi entre ces corps et l'identification qui avait été faite de Cassidy en tant que voleur du train. Pour obliger les autres historiens en question à faire amende honorable.

– Je crois qu'il avait trouvé sur le corps je ne sais quelle façon de l'identifier. Et il l'avait mesuré. Vous vous rendez compte ? Il l'a allongé de tout son long comme il a pu et il l'a mesuré. Il disait que Cassidy faisait un mètre soixante-quinze et la momie avec la moustache aussi. Il disait que Cassidy avait une cicatrice sous un œil. Et deux cicatrices profondes sur l'arrière du crâne. Il prétendait les avoir trouvées elles aussi, mais ce qui reste est si desséché que moi je serais incapable de le dire.

– Moi je dirais que sans avoir besoin de tout ça on ne courrait pas grand risque en affirmant que c'est Cassidy. Comment voulez-vous prouver que ce n'est pas lui ?

– Vous ne connaissez pas les historiens. Et Tagert est un fumier qui n'a qu'une idée en tête. Je lui ai dit ce que ça allait donner comme résultat... s'il appelait les autorités. Les

Postes allaient revendiquer les sacs postaux, et les timbres. Pour eux, ces timbres ils ont leur valeur nominale, peut-être une centaine de dollars, et nous, nous perdions une fortune.

– Qu'est-ce que vous vouliez faire ?

– Partager. Juste partager. Cinquante-cinquante. C'était normal. Après tout, il n'aurait jamais pu le trouver sans moi.

Chee réfléchissait. Pourquoi pas un tiers chacun ? Et Ashie Pinto qui était assis dehors sous son arbre avec sa bouteille ? Ils n'auraient rien trouvé sans Ashie Pinto. Il dit :

– Qu'a répondu Tagert ?

– Il m'a ri au nez, c'est tout. Il m'a dit que j'avais conclu un marché pour mille dollars et que j'allais avoir les cinq cents dollars restants.

– Alors vous l'avez descendu ?

– Je ne l'ai pas descendu. J'ai pris le sac et voilà qu'il avait un pistolet dans la poche de sa veste. Il l'a sorti. Il m'a dit qu'il allait me tirer dessus si je ne laissais pas les choses telles qu'elles étaient.

Chee regarda le visage de Redd refléter la surprise à ce souvenir fabriqué.

– Et vous savez, poursuivit Redd, je crois qu'en plus il l'aurait fait.

Fais comme si tu le croyais, se dit Chee. Fais comme si tu le croyais.

– Ça ne me surprendrait pas. D'après ce que j'ai entendu dire sur lui.

Redd rit.

– Non. Vous parlez d'une ironie. C'est le vieux Pinto qui l'a tué.

Bien sûr. Et Nez aussi. Rejette la responsabilité sur le vieil Ashie Pinto qui était soûl.

Mais Chee dit :

– Pinto. Qu'est-ce qu'il y a d'ironique là-dedans ?

Après les premières rafales, la neige s'était arrêtée. Mais elle recommença, effleurant la joue de Chee de ses flocons et les faisant tourbillonner autour des genoux de Redd.

Redd n'avait pas écouté, il était occupé à réfléchir. A organiser ses idées. Il fit signe à Chee avec son pistolet.

– Donnez-moi votre arme, dit-il.

Chee haussa les épaules.

– Je n'en ai pas. Je ne suis pas en service.

– Me racontez pas des conneries. Vous, les flics, vous avez toujours une arme sur vous.

– Non. Je suis en congé de convalescence.

Il leva sa main gauche, montrant les pansements :

– A cause de ça.

– Vous avez une arme, s'entêta Redd. Appuyez-vous contre ce rocher, là. Servez-vous de votre main valide. Je vais vérifier.

– Pas d'arme, répéta Chee.

Ce qui, malheureusement, était exact. Son pistolet était là où il semblait toujours se trouver quand il en avait besoin : dans la boîte à gants de son pick-up truck.

Redd tâta ses poches, les jambes de son pantalon, le haut de ses bottes.

– C'est bon, dit-il. Je vous ai vu regarder cette vieille pétoire. Si vous croyez qu'elle ne marchera pas, vous vous trompez. Je l'ai essayée.

– Qu'est-ce que vous avez l'intention de faire ? interrogea Chee. Vous n'avez tué personne. Alors pourquoi ne pas vous présenter à la justice ?

Redd s'était avancé jusqu'à la fissure dans le basalte où il avait dissimulé le sac de selle. Le pistolet braqué sur le policier, il tendait la main à l'intérieur, s'appuyant contre la pierre en essayant de donner à ses doigts une prise sur la toile, les yeux toujours fixés sur Chee, un sourire sardonique sur le visage.

– Me présenter à la justice, pourquoi ? demanda-t-il.

Il poussa un grognement lorsque ses doigts laissèrent échapper la toile.

– Cette saloperie s'est coincée là-dedans. Je ne voulais pas que quelqu'un entre ici comme ça et le trouve. Comme par exemple celui qui nous a vus.

– Pourquoi ne l'avez-vous pas emporté avec vous ?

Tous ses nerfs étaient tendus. Quand Redd allait extirper le sac, ce serait le moment de tenter de s'enfuir. Il y avait longtemps qu'il avait renoncé à lui sauter dessus. Redd faisait vingt kilos de plus que lui et il avait deux mains valides.

– Parce que la voiture de ce Bon Dieu de flic s'est amenée. D'abord ça a été Nez. Ensuite vous. (Redd ressortit le bras, à nouveau bredouille.) Je n'avais pas le temps de décider de ce qu'il convenait de faire. Je voulais seulement fiche le camp de là.

– Pourquoi le brûler vif ?

La voix de Chee trahissait sa tension.

– Cette espèce de dingue.

Chee présuma qu'il parlait de Pinto... pas de Nez. Redd plongea le regard dans la crevasse, estimant la distance.

– Je n'aurais pas dû le pousser aussi loin, dit-il à moitié pour lui-même. Le flic était déjà mort. Le feu... il tirait... Je ne sais pas ce qui s'est passé. Ayant affaire à un ivrogne, je suppose qu'on pourrait appeler ça un accident. Quand on y pense, tout ce qui s'est passé a été plus ou moins accidentel.

Il rit.

– Kismet, ajouta-t-il. Le destin.

– Le destin, répéta Chee. Ouais. C'est la faute de ce vieux Coyote.

– Comme vous et la fille qui venez ici le jour où je viens récupérer le sac postal. Je m'étais dit que les flics allaient le trouver et placer l'endroit sous surveillance. Et quand j'ai fini par conclure que ça ne s'était pas produit et que je suis venu le chercher, ça a été précisément le jour où vous êtes venu avec cette femme. Alors je me suis dit que j'allais simplement le laisser là jusqu'après le procès. Le récupérer quand tout se serait calmé et serait oublié.

Tout en parlant il cherchait autour de lui avec quoi il pourrait dégager le sac. Il regarda le bâton de Chee et en rejeta l'idée.

– C'était là pour ainsi dire depuis presque un siècle. Plusieurs mois de plus, qu'est-ce que ça changeait ?

– Vous avez dit que c'était ironique que Pinto ait abattu le professeur. Comment ça ?

– Merde à la fin, fit Redd qui se pencha pour plonger le plus loin possible dans la cavité. Je voulais dire que c'est Tagert qui a donné le whisky au vieux. Qui a tout fait pour le convaincre. Il lui a fait renifler. Il lui a dit qu'il lui en avait apporté du vraiment doux parce qu'il savait que Pinto l'aimait doux. (Il rit.) Je crois qu'il a mis du Nutrisweet [1] dans le scotch.

Redd haussa la voix, imitant Tagert :

– "Goûtez-y juste un peu. Vous n'êtes pas obligé de vous soûler. Juste pour voir le goût." Tout ça pour qu'il soit ivre et qu'il nous en dise plus qu'il ne le voulait. Quand nous roulions pour aller prendre Pinto, Tagert m'a dit que c'était comme ça qu'il faisait. Il m'a dit : "Le vieux filou essaye toujours de passer des trucs sous silence quand on le paye pour qu'il vous raconte quelque chose, mais il ne sait pas résister au whisky. Alors quand il se met à faire des manières, je commence à le faire boire et une fois ivre il me raconte... "

Soudain Redd émit un grognement. Il était penché dans la crevasse, s'efforçant d'atteindre son but.

– Ah ! fit-il. Ça y est, je l'ai.

Au même instant, le serpent à sonnettes frappa.

Redd s'écarta brusquement des rochers, agrippant le sac de selle plus ou moins dans un geste réflexe. Le grand serpent gris qui s'agitait dans le vide pendait à son cou, sur le côté, ses crochets refermés sur les muscles du cou juste en dessous de l'oreille gauche. Redd hurla, émettant un cri terrifié du fond de la gorge. Il lâcha le sac, attrapa le reptile diamant par sa tête plate et triangulaire, tira pour le détacher et le jeta dans les gros rocs basaltiques.

Chee perdit peut-être deux secondes à regarder, dans un premier temps trop surpris pour bouger, puis pensant

_____

1. Nutrisweet : substitut de sucre dépourvu de calories.

que Redd allait lâcher le pistolet. Mais il n'en fit rien. Chee partit à toutes jambes.

Faire preuve de rapidité sur un terrain accidenté vient naturellement aux jeunes gens élevés dans une culture où la faculté de courir vite est aussi respectée qu'utile. En moins d'une minute, il eut la certitude que Redd ne pourrait pas le trouver : il s'arrêta, regarda derrière lui et écouta. Il neigeait fort maintenant, des flocons qui n'étaient plus ni secs ni de petite taille. Ils tenaient pendant de longues secondes sur les roches noires avant que la chaleur de la pierre ne les convertisse en eau.

Redd ne le suivait pas. Chee ne s'était pas vraiment attendu à ce qu'il le fasse : il ne semblait pas avoir une grande connaissance des serpents mais il était certainement capable de reconnaître un serpent à sonnettes quand il en voyait un. Et il savait probablement que le cou était un endroit on ne peut plus mal choisi pour se faire mordre. Le venin n'avait que quelques centimètres à parcourir pour atteindre le cerveau. Redd devait courir pour chercher du secours.

Chee grimpa, cherchant un endroit d'où il pourrait voir quelque chose. Il en trouva un, et presque aussitôt il aperçut Redd en dépit de la neige battue par le vent : il avait quitté la formation rocheuse et dévalait la pente herbeuse en direction de l'arroyo, puis remontait celui-ci. Probablement, pensa Chee, pour regagner sa Bronco II. Il avait le sac de selle avec lui.

Chee descendit, trouva le chemin, et parvint à rejoindre son véhicule dans la neige.

La vitre du côté du conducteur avait été brisée.

Il monta et tira sur le starter. Il ne se passa rien. Il actionna le levier qui ouvrait le capot, mit pied à terre et trouva exactement ce qu'il redoutait de trouver.

Redd avait arraché les fils.

Il resta là à côté de son véhicule, recréant dans son esprit une carte de ce paysage. Où le téléphone le plus proche pouvait-il se trouver ? Au comptoir d'échanges de Red Rock. A quelle distance ? A vingt-cinq kilomètres peut-être, peut-être à trente. S'il marchait toute la nuit il pouvait y être approximativement à l'heure de l'ouverture le lendemain matin.

23

Chee appuya sur le bouton "pour monter" de l'ascenseur du Bâtiment Fédéral d'Albuquerque un peu après dix heures trente. Il avait l'air d'un homme qui vient de passer une nuit sans dormir à marcher sous la neige, ce qui était le cas. La quantité minime de circulation que charrie la Route Navajo 33 avait déjà été réduite à néant par la tempête. Une tempête décevante en fin de compte, déposant moins de cinq centimètres de neige sur le paysage aride des Four Corners mais suffisamment pour inciter les gens à rester chez eux. Il avait fini par atteindre le comptoir d'échanges de Red Rock et était parvenu à un téléphone un peu après l'aube. Il avait appelé le poste de police de Shiprock et signalé tout ce qui s'était produit. Puis il avait appelé Mesa Airlines et avait réservé une place sur leur vol de neuf heures du matin. Il avait enfin persuadé un rancher navajo matinal de le conduire à sa caravane et, de là, à l'aéroport. De l'aéroport il avait essayé de contacter aussi bien Janet Pete que Hugh Dendahl qui représentait le ministère public dans cette affaire. Tous deux étaient déjà partis pour le tribunal. Il leur avait laissé des messages à tous deux.

Un représentant de la police fédérale, vêtu d'un costume qui avait été à sa taille l'année précédente, repéra Chee au moment où il se dirigeait vers la porte du tribunal.

– Où diable étiez-vous donc ? lui demanda-t-il. Dendahl vous cherche depuis un bon moment.

– Il a eu mon message ?

L'autre prit un air étonné.

– Pas de message. Il voulait s'assurer que tous ses témoins étaient prêts.

– Il m'avait dit qu'il n'avait pas besoin de moi avant cet après-midi. Peut-être même pas à ce moment-là s'ils rencontraient des difficultés pour composer leur jury.

Peut-être pas du tout quand il sera au courant pour Redd, pensait Chee. Il va falloir qu'il reprenne tout à zéro dans cette affaire-là.

– Ils se sont trouvé un jury. Plaidoiries préliminaires ce matin. Il est possible qu'il ait besoin de vous juste après le déjeuner.

– Eh bien, je suis là.

Le policier fédéral le regarda de la tête aux pieds. Nul signe d'approbation.

– Vous habitez à proximité ? demanda-t-il. Vous pourriez peut-être rentrer chez vous et vous nettoyer un peu. Vous raser.

– J'habite à Shiprock. Prêtez-moi votre stylo. Et vous avez un morceau de papier ?

Il avait un calepin dans la poche de sa veste. Chee écrivit à la hâte. Deux messages presque identiques pour Janet Pete et Dendahl. Il pensait que, puisqu'il était témoin, ils ne devaient pas vouloir de sa présence dans le prétoire pour l'instant. Mais qu'est-ce que ça pouvait bien faire ? Ce procès n'allait de toute façon pas avoir lieu maintenant.

– Merci, dit-il en rendant le stylo. Il faut que je transmette ce message à Dendahl.

L'huissier l'arrêta à la porte.

Chee plia les feuilles, les lui remit.

– Celui-ci est pour Dendahl. Celui-là pour Janet Pete.

Il se passait quelque chose dans le prétoire. On introduisait le jury dans la salle. Janet, Dendahl et un autre adjoint au procureur que Chee ne connaissait pas étaient regroupés devant le juge Downey. Cette dernière paraissait irritée.

– Que se passe-t-il ? demanda Chee.

– Je ne sais pas, lui répondit l'huissier. Je crois que le vieil homme va changer sa façon de plaider ou quelque chose d'approchant. Mais il a exigé que le jury soit là pour l'entendre. Il veut faire une déclaration.

– Changer sa façon de plaider ? répéta Chee incrédule. Vous voulez dire plaider coupable ?

– Je ne sais pas, fit l'huissier en le regardant d'un air de dire "pauvre con, va". Elle le fait plaider non coupable, alors s'il change, je suppose que c'est à ça qu'on arrive.

– Ecoutez. Dans ce cas ces messages sont importants. Ils faut qu'ils aient ces informations tout de suite.

L'huissier paraissait sceptique.

– Bon, accepta-t-il.

Et il s'avança en se dandinant dans la travée.

Chee entra dans la salle, se trouva un siège au dernier rang et regarda.

Hosteen Ashie Pinto était assis, lui aussi. Il attendait. Il remarqua Chee, le regarda, lui adressa un signe de tête. La conférence devant le banc du juge prit fin. Janet s'assit à côté de Pinto, lui murmurant quelque chose tout bas. Pinto fit oui de la tête. Le juge Downey frappa un coup timide avec son maillet, paraissant peu à son aise dans tous ces développements. L'huissier attendait patiemment que se présente l'occasion adéquate de transmettre ses messages.

– Les feuilles d'audience stipuleront que l'accusé souhaite modifier sa plaidoirie, annonça le juge Downey. Elles indiqueront que l'accusé, après consultation avec son représentant légal, a demandé que l'on fasse revenir le jury. Elles indiqueront que l'accusé souhaite faire une déclaration à la cour.

Janet Pete fit un signe à Ashie Pinto. Il se leva, regarda autour de lui, passa sa main sur ses lèvres.

– Je suis un vieil homme et j'ai honte, commença-t-il d'une voix étonnamment forte. Je veux que tout le monde sache, que vous sachiez tous, comment ça s'est fait que j'aie tué ce policier. Et comment...

L'interprète de Pinto lui fit signe de s'arrêter. Il se leva, l'air surpris et mal à l'aise, traduisit la confession de Pinto en langue anglaise puis adressa un signe de tête à ce dernier lorsqu'il eut fini et dit :

– Continuez maintenant.

Chee était anéanti sur son siège. Etait-ce bien le vieil homme qui avait tué Nez ? Ce n'était pas Redd ? Il avait présumé que Redd mentait. Il avait présumé...

– Et comment ça s'est fait quand j'étais jeune, poursuivit Pinto, que j'aie tué un homme du clan de mon père lors d'un chant à Crooked Ridge. Chaque fois ça a été pareil. Chaque fois à cause du whisky.

Il existe plusieurs mots en navajo pour le whisky sous ses diverses formes. Pinto avait utilisé celui qui se traduit par "eau des ténèbres". Puis il s'arrêta, se leva, la tête légèrement inclinée, tandis que l'interprète traduisait.

Chee regardait Janet Pete. Elle paraissait triste mais pas surprise. Pinto avait finalement dû se confier à elle. Il avait voulu agir comme il le faisait maintenant et elle avait fait le nécessaire pour que ce soit possible. Mais quand ?

Pinto parlait à nouveau, s'adressant à un auditoire attentif et silencieux :

– ... Lorsqu'ils sont ressortis des rochers là-bas, M. Redd et l'homme que j'allais tuer, cet homme avait un pistolet à la main. Il braquait le pistolet sur M. Redd. Et cet homme qui tenait le pistolet était celui qui m'avait donné le whisky. Il m'en avait déjà donné d'autres fois. Avant, quand je travaillais pour lui. Il savait ce que ça me faisait. Ce whisky. Il savait que quand j'en buvais je faisais des choses mauvaises. Je lui disais ce que je ne voulais pas lui dire. Il savait que ça me déliait la langue et il savait que quand j'avais ça en moi ça s'emparait de tout mon esprit. Ça rendait le vent qui souffle en moi aussi sombre que la nuit.

L'interprète tirait la manche de Pinto.

– Ça va trop vite, dit-il et Pinto s'arrêta.

Il était allé trop vite. L'interprète en oublia un peu, abrégea ici et là.

Pinto leur dit que Redd était un jeune homme bon, qu'il lui avait fait signe de s'emparer du revolver de l'autre et, quand ils étaient tous les trois montés dans la voiture pour partir, il l'avait pris.

– Alors j'ai tiré sur lui. A côté de la voiture. Et après j'ai encore tiré.

L'interprète traduisit.

– Ensuite M. Redd a emporté le corps de cet homme. Je pense qu'il ne voulait pas que la police le trouve. L'homme que j'ai tué est très petit, M. Redd est fort et il l'a remonté là-haut dans les rochers, là où personne n'allait le trouver. Et moi j'attendais à côté de la voiture quand le policier est arrivé. Il m'a parlé de trucs que je peignais. Je ne comprenais pas de quoi il parlait mais il a fait comme s'il voulait m'arrêter alors je lui ai tiré dessus aussi.

L'interprète traduisit mais Chee n'attendit pas pour l'entendre. Il se demandait toujours pourquoi Pinto avait mis le feu à la voiture. Peut-être le vieil homme allait-il s'en expliquer, mais il ne voulait pas entendre l'explication. Pas pour l'instant. Il franchit la porte d'un pas pressé et descendit par l'ascenseur.

Il avait pris un taxi pour venir de l'aéroport. Être sans véhicule était une situation insolite à laquelle il n'avait guère eu l'occasion de s'adapter. Il s'arrêta à la cafétéria du niveau principal, commanda un café et réfléchit. Il avait la migraine, ce qui était aussi inhabituel que l'absence de moyen de transport. Probablement le résultat du manque de sommeil, la nuit précédente. Ou peut-être l'absence de petit déjeuner. Il n'avait pas vraiment faim mais commanda un hamburger.

A l'heure qu'il était, Redd avait dû être arrêté. Ou alors il était mort. S'il ne s'était pas rapidement présenté dans un hôpital pour qu'on s'occupe du venin, celui-ci l'avait probablement tué. Chee réfléchit à cela. A cela et à la valeur de vieux timbres se chiffrant à un montant de trois ou quatre cent mille dollars. Avec cette somme, qu'aurait acheté Redd qu'il n'avait pas déjà ? Une plus belle voiture ? Une plus belle maison ? Puis il se retrouva confronté au fait suivant : il pensait à ces choses parce qu'il ne voulait pas penser au message qu'il avait fait parvenir à Janet Pete. A Dendahl aussi, d'ailleurs, mais Dendahl il s'en moquait éperdument.

"Demandez une suspension d'audience", leur avait-il écrit à tous les deux. "Je ne crois pas que ce soit Pinto qui l'ait fait. Redd y était. C'est lui qui a tué le colonel Ji. Je crois qu'il a tué Tagert et Nez. Je pense que nous pouvons prouver le tout."

Il s'était trompé une fois de plus. Redd avait tué le colonel Ji parce qu'il pensait que Ji en avait trop vu : il allait trouver les corps et les timbres.

Il s'était trompé d'un bout à l'autre. Il avait l'air d'un idiot. Il se sentait idiot.

Il mangea son hamburger lentement, repensant à Janet Pete au moment où elle l'avait serré contre elle dans l'ascenseur. Etait-ce avant ou après que Pinto le lui ait dit ? Quelque chose dans son souvenir de l'instant où cela s'était produit lui faisait penser que c'était après. Qu'elle savait déjà que Pinto était coupable. Mais dans ce cas pourquoi cette étreinte ? Et pas n'importe quelle étreinte vu la façon dont elle s'était serrée contre lui. Cet épisode avait été pratiquement le seul moment lumineux de toute cette histoire.

Puis Janet arriva d'un pas hâtif.

– Je t'ai vu là-dedans, dit-elle en s'asseyant à côté de lui dans le box. Jusqu'où tu as entendu avant de partir ?

– Jusqu'au moment où il a dit qu'il avait tiré sur Delbert. Je suis parti à ce moment-là. J'ai raté quelque chose ?

– Tu as raté une partie du discours de M. Pinto sur le whisky. Comment il détruit tout ce qu'il touche. Il a demandé au jury de faire en sorte que tout le whisky, partout, soit versé sur le sol. C'est cela qu'il attendait. La raison qu'il avait de ne rien vouloir dire avant. Il se souvenait de la fois précédente où il était passé en jugement et avait été envoyé en prison. Il pensait que ce serait le bon moment pour mettre le monde entier en garde contre le whisky.

— Pas plus mal choisi qu'un autre, dit Chee. En tout cas, c'est bien à peu près ce à quoi on peut s'attendre de la part d'un vieux shaman navajo un peu cinglé. Le message parlé possède un grand pouvoir, tu sais.

Sa voix était amère.

Janet lui souriait.

— Ne sois pas sarcastique. C'est vrai que ça a un grand pouvoir. As-tu remarqué que la presse était là ? Il n'est pas aussi cinglé que ça.

Le sourire disparut puis elle ajouta :

— J'ai eu ton message. Je veux que tu me dises tout. Tout ce qui concerne Odell Redd.

— D'accord. Tu veux manger quelque chose ?

— Peut-être un café, répondit-elle en faisant signe à la serveuse. Comment as-tu fait pour savoir pour Redd ?

— Tu veux dire pour savoir qu'il avait tué Delbert Nez ? Comment j'ai fait pour me tromper aussi sur ça ?

Elle remarqua le ton de sa voix. Elle était sérieuse maintenant.

— Tu ne t'es pas trompé. Tu as arrêté Ashie Pinto. Blessé comme tu l'étais, tu l'as arrêté. C'est moi qui me suis trompée. J'étais persuadée qu'il ne l'avait pas fait.

— Ouais, fit Chee. Bon.

— Je me suis trompée sur autre chose aussi.

— Sur quoi ?

— Sur toi. Pendant un certain temps tu m'as fait penser que tout ce qui t'intéressait c'était de prouver que tu avais raison.

— Comment ça ?

— Oh, laisse tomber, dit-elle.

Et à son immense surprise, Janet Pete le serra à nouveau contre elle, plus fort encore cette fois.

24

Leaphorn avait passé toute la matinée dans son bureau. Arrivé un peu après dix heures il s'était appuyé au dossier de sa chaise et avait passé un long moment à simplement apprécier le tableau : sa corbeille destinée aux papiers en instance était vide, celle destinée aux papiers en partance remplie mais bien rangée, la surface de sa table de travail bien dégagée. Le bois visible. A l'exception d'un stylo à bille, rien n'encombrait son sous-main.

Il ramassa le stylo, le fit tomber dans le tiroir d'en haut et regarda à nouveau sa table. Encore mieux.

Puis il reprit toute l'affaire du meurtre de Nez. Il récupéra l'*Independent* de Gallup dans la corbeille à papier où ce paroxysme de rangement l'avait fait atterrir. Il relut le récit de la confession d'Ashie Pinto et sa condamnation de l'alcool. Leaphorn était d'accord avec absolument tout ce qu'il avait dit : la mort dans une bouteille, tel était le nom que Pinto lui avait donné. Exactement. La mort, le chagrin et la souffrance. L'article rapportait que le juge Downey avait décidé de surseoir à sa sentence dans l'attente d'un examen médical et psychiatrique du vieil homme. Le pire que la loi prévoyait en pareilles circonstances était l'emprisonnement à perpétuité. Downey lui donnerait probalement moins. Mais cela ne ferait aucune différence, dix ans ou la perpétuité. L'article précisait qu'il avait "quatre-vingts ans environ".

La satisfaction conférée par l'aspect impeccable du bureau déclina. Leaphorn repensa à Jim Chee. Le roi de la bourde mais un jeune homme intéressant. Intelligente, la façon dont il avait établi les liens qui permettaient de tout raccorder. Mais il ne ferait jamais un bon administrateur. Jamais. Ni quelqu'un capable de travailler en équipe, et la tâche qui consistait à faire respecter la loi l'exigeait souvent. Peut-être ferait-il du meilleur travail dans le cadre des enquêtes criminelles. Comme lui-même. Il sourit à cette pensée. Là où cela n'avait pas grande importance que l'on commette une bourde si on avait de temps à autre une idée originale. Il en parlerait au capitaine Largo. Largo connaissait Chee mieux que lui.

Il reconsidéra l'affaire Delbert Nez dans son ensemble.

Sa mère aurait dit que Coyote attendait Nez. Manque de chance. En ce qui concernait Redd aussi, d'ailleurs. Tout ce qu'il semblait avoir désiré c'était de gagner décemment sa vie en utilisant ses talents de linguiste. Et son petit jeu s'était achevé en tuant la mauvaise personne pour la mauvaise raison. Enfin, Coyote avait mangé Redd. Ils avaient retrouvé la vieille Bronco dans un fossé et l'avaient conduit à l'hôpital : un cas de plus de décès survenu au cours du transfert vers le centre de soins.

Il se tourna vers sa carte, arracha les quelques épingles que cette affaire avait inspirées. La carte ne l'avait pas beaucoup aidé cette fois.

Il y avait même une épingle pour le professeur Bourebonette. Le problème de sa motivation. En y repensant, il en sourit tout seul. Emma l'avait toujours accusé d'être trop cynique. Elle avait eu raison cette fois-ci, comme c'était souvent le cas. Il avait mené son enquête sur Bourebonette. Il avait contacté un vieil ami à lui au département d'anthropologie d'Arizona State. Connaissait-il quelqu'un à Northern Arizona qui connaîtrait Bourebonette, la mythologiste du département d'études américaines là-bas ? Cette personne pouvait-elle évaluer où elle en était de son nouveau livre ? Elle le pouvait. Le manuscrit était parti chez l'éditeur. Il devait paraître au début de l'année à venir. Ce qui réglait la question. Il s'en procurerait un exemplaire. Il prendrait plaisir à le lire.

Ils avaient discuté de mythologie la nuit où ils étaient revenus du comptoir d'échanges de Short Mountain. Elle avait parlé un moment, puis dormi un moment, et quand elle s'était réveillée elle avait eu des tas de choses à dire. Elle l'avait interrogé sur ce qu'il savait lui-même du mythe navajo et d'où il le tenait. Ensuite ils avaient traité de la nature de l'imagination. La façon dont l'intelligence humaine fonctionne. La différence entre le cerveau et l'esprit. Ça avait été un voyage agréable. Elle avait également parlé de la période qu'elle avait passée au Cambodge et en Thaïlande à recueillir des informations sur les mythes animistes et à travailler avec les shamans qui choisissent l'endroit exact où les ossements de tel ancêtre crucial doivent être préservés pour garantir la bonne fortune de la famille.

De sa fenêtre, il pouvait voir un convoi de quatre semi-remorques qui venaient s'arrêter devant les étables tribales de l'autre côté de la Route Navajo 3. Ce devait être le bétail du rodéo pour la Fête Tribale. Il fit la grimace. Cette fête constituait un problème chaque année pour chacun des policiers de la Réserve. Par ailleurs, cela voulait aussi dire que l'hiver arrivait. Cette année, il redoutait l'hiver.

Il allait partir déjeuner. Seul. Il prit sa casquette, la mit sur sa tête. L'enleva. S'empara du téléphone. Appela les renseignements.

Elle répondit à la deuxième sonnerie.

— Allô.

— Joe Leaphorn à l'appareil. Comment allez-vous ?

— Très bien. Vous êtes ici, à Flag ?

— A Window Rock. Dans mon bureau.

— Oh ? A propos, j'ai découvert que vous aviez mené votre petite enquête sur moi. Sur mon livre.

— Vos motivations me paraissaient sujettes à caution. C'est l'un de mes défauts. Le cynisme. Emma me faisait la guerre pour ça.

— Bah, je suppose que c'est justifié. Chez un policier.

— Professeur Bourebonette, dit Leaphorn, je crois que je vais aller en Chine. Cela vous dirait-il de m'accompagner ?

Glossaire

Anasazi : les premiers habitants de l'Amérique du Nord. Venus probablement par le détroit de Bering, ils se réfugient dans les habitations troglodytiques du plateau du Colorado et parviennent à vivre de la chasse et de la culture dans ce climat semi-aride. Puis, brusquement, ils disparaissent à la fin du XIIIe siècle.

Dans *Le Voleur de temps (A Thief of Time*, 1988), Tony Hillerman met les mots suivants dans la bouche d'un personnage :

"Anasazis. Ce n'est, bien sûr, même pas leur vrai nom. Juste un mot navajo qui signifie..." (elle tourna son regard vers Chee) : "Les Anciens. Les ancêtres de nos ennemis. Quelque chose comme ça ?" "A peu de chose près, oui", répondit Chee.

Arroyo : terme espagnol désignant le lit sec, en général au fond d'une gorge ou d'un canyon, d'une rivière dont l'eau se tarit en été.

Athabascan : cette famille de tribus vivant de la pêche et de la chasse occupait des territoires situés entre les Rocheuses et le Labrador. L'émigration vers le sud-ouest au XIVe ou XVe siècle entraîna l'apparition de nouveaux groupes (Navajos, Apaches...).

Bâtons de prière (paho en navajo) : offrande faite aux esprits tutélaires. Le plus souvent, il s'agit d'une tige de saule rouge décorée de plumes. Egalement appelé "plume de prière".

Bench : terme géographique pour désigner un plateau en faux plat.

Biligaana (belacani) : homme blanc (en navajo).

Bourse des Quatre Montagnes ou **bourse à médecine** (jish en navajo) : indispensable pour assurer les rites guérisseurs, elle symbolise l'harmonie, la substance de la vie et la force de vie (v. dualisme), et est constituée d'un ensemble d'objets sacrés parmi lesquels des échantillons provenant du sol des Quatre Montagnes sacrées.

Carson (Kit) : tout au long de l'année 1863 et au début de 1864 il mena une campagne sauvage contre les Navajos, tuant sans merci et pratiquant la politique de la terre brûlée. Les rescapés furent ensuite déportés au cours de la Longue Marche (v. ce mot).

Chant : v. chanteur, rite guérisseur et Voie.

Chanteur (hataalii ou hatathali en navajo) : chez les Navajos il est celui que l'on appelle pour tenir les rites guérisseurs car il est le dépositaire de ces procédures extrêmement complexes destinées à libérer le malade de l'emprise d'un sorcier (par exemple), au moyen de prières et de chants associés à des peintures de sables (v. ce mot). Un chanteur ne peut donc connaître que plusieurs "chants" et certains rites disparaissent actuellement car appartenant exclusivement à la tradition orale. Mais le chanteur n'est ni un medicine-man ni un shaman : la guérison est collective, profite d'abord au patient puis, par voie de fait, à l'univers tout entier qui retrouve l'harmonie (hohzho). Encore convient-il de comprendre qu'il s'agit souvent davantage d'un retour à la sérénité morale du patient au sein de son environnement que d'une véritable guérison au sens médical du terme.

Chindi : mot navajo désignant le fantôme. Les Navajos ne croient pas à un au-delà après la mort. Au mieux ils trouvent le néant. Au pire, la partie malsaine et malfaisante de l'individu revient hanter les vivants et leur apporter la maladie et la mort.

Clan : concept familial très élargi. Chez les Navajos, on en dénombre 65. Termes synonymes : Peuple, Dineh.

Cœur-double (powaga) : concept hopi du sorcier ou de la sorcière.

Concha : les ceintures concha se composent d'une forme unique répétée ou de deux formes alternées en argent rappelant des coquillages.

Dieu-qui-Parle : l'un des membres du Peuple Sacré. Associé à Dieu-qui-Appelle, il est celui qui, dans la mythologie navajo, offre le don de création à Femme-qui-Change (v. ce nom).

Dinee ou **Dineh** : le Peuple (également le Clan) ; tel est le nom que se donnent les Navajos. Ils habitent la région qu'ils appellent Dinetah, la plus grande réserve des Etats-Unis d'une superficie de 64 750 km².

Dinetah ou **Dineh Bike'yah** (mot à mot : parmi le Peuple) : les limites des Terres du Peuple marquées par les Quatre Montagnes sacrées qui correspondent grossiè-rement aux quatre points cardinaux (v. ce mot) et sont associées aux quatre couleurs, coquillages et moments de la vie ; Sis no jin ou Tsisnadzhini à l'est (Blanca Peak, Nouveau-Mexique, couleur blanche, coquille blanche, l'enfance) ; Tso'dzil ou Tsotsil au sud (mont Taylor, Nouveau- Mexique, couleur bleue, turquoise, l'âge adulte) ; Dook o'ooshid ou Dokoslid à l'ouest (monts San Francisco, Arizona, couleur jaune, abalone, la mort), Debe'ntsa ou Depentsa au nord (La Plata Mountains, Colorado, couleur noire, obsidienne, le recommence-ment).

Dualisme : Dieu-qui-Parle et Dieu-qui-Appelle, Premier Homme et Première Femme, Garçon Abalone et Fille Abalone, la source de vie qui contient à la fois la "matière" nécessaire à la vie et le moyen lui permettant de passer l'épreuve du temps, la forme non physique dissimulée à l'intérieur de la forme physique des choses, tous ces éléments de la mythologie navajo relèvent d'un dualisme presque systématique pouvant être associé à un pôle positif et un pôle négatif, un caractère masculin et un caractère féminin ; ces contraires complémentaires sont ensuite regroupés pour donner des séquences de quatre dont le premier couple est à son tour considéré comme "positif", le second comme "négatif", l'association des "contraires" pouvant culminer dans la fusion finale et le recommencement symbolisés par le chiffre neuf.

Famille : système matrilinéaire chez les Navajos ; les jeunes époux se mettent en quête d'un endroit où construire leur hogan (v. ce mot), tant pour s'isoler que pour avoir suffisamment d'espace afin de pratiquer l'élevage des moutons. Il faut ici distinguer la notion de clan de ce que Hillerman appelle "outfit" en américain et que nous avons traduit par famille élargie : une sorte de clan géographique élargi permettant aux Navajos isolés de se regrouper à trois ou quatre "familles" afin de coopérer pour certains travaux ou certains rites. Cet "outfit" peut regrouper de 50 à 200 personnes. Ce terme peut également s'appliquer aux habitations et installations attenantes.

Femme-qui-Change : dans la mythologie navajo, elle est fille de Premier Homme et de Première Femme. Elle s'accouple avec Shivanni, le Soleil-Père, pour donner naissance aux Jumeaux Héroïques, Tueur-de-Monstres et Né-des-Eaux. Par la suite, Dieu-qui-Parle et Dieu-qui-Appelle lui donnent le pouvoir de création. Elle est la seule représentante du Peuple Sacré à être entièrement bonne.

Fils : tout comme "oncle", "grand-père" etc., cette appellation commune chez les Navajos est due à la particularité du système clanique et n'a qu'un rapport lointain avec ce qu'elle évoque dans les sociétés occidentales.

Four Corners : région des Etats-Unis où, fait unique dans le pays, les frontières séparant quatre États (Nouveau-Mexique, Arizona Utah, Colorado) se coupent à angle droit.

Harmonie : v. hohzho.

Hataalii : mot navajo désignant le chanteur.

Heure : selon Tony Hillerman, le concept navajo le plus déroutant car... pour eux, ce n'est pas un continuum, un flot régulier. Ils se le représentent sous la forme de blocs. De rencontres. Et par voie de conséquence des mots comme "en avance" ou "en retard" n'ont pour eux aucun sens. (...) Les Navajos ne sont jamais où ils sont censés être. Les autres Indiens appellent cela "l'heure navajo", ce qui signifie "Dieu sait quand !" (interview accordée au traducteur, octobre 1987, publiée dans *Polar* n° 1, Rivages, 1990).

Hogan : la maison du Navajo, sorte de structure au toit arrondi faite de rondins et de boue séchée. Un abri et un corral au minimum viennent la compléter. Le hogan d'été utilisé pendant le pacage des moutons est de facture plus grossière. Des règles précises commandent l'orientation de l'habitation traditionnelle : la porte fait face à l'est qui symbolise la vie ; l'ouverture pratiquée dans un mur après un décès doit être dirigée vers le nord, qui représente le mal ; l'Ouest figure la mort.

Homme-qui-Lit-dans-le-Cristal : Celui (ou Celle)-qui-Lit-dans-le-Cristal (ou les Etoiles), Celui (ou Celle)-qui-Ecoute, Celui (ou Celle)-dont-la-Main-Tremble, autant de "voyants" que l'on consulte pour déterminer le rite guérisseur nécessaire afin de faire retrouver l'harmonie à un malade avant de faire appel à un chanteur, qui exécutera le rite mais dont les services sont onéreux.

Hopi : dans la langue de ces Indiens Pueblos, hopitu signifie "le peuple paisible". Leur réserve se trouve enclavée dans la réserve navajo du nord de l'Arizona : 3 000 d'entre eux environ vivent dans les villages ancestraux des trois mesas (v. ce mot) ou au pied de celles-ci. Leur mythologie est proche de celle d'autres Pueblos (les Zunis) et ils sont célèbres pour leur Danse du Serpent (septembre-octobre), leurs cérémonies religieuses et leurs statuettes kachina. Ce sont avant tout des cultivateurs et des chasseurs.

Hosteen : mot navajo qui exprime le respect dû à la personne (en général l'homme adulte) à laquelle on s'adresse.

Hohzho ou **hozro** : mot navajo qui signifie la beauté, l'harmonie de l'individu avec le monde qui l'entoure.

Jish : mot navajo désignant la bourse à médecine (v. ce mot).

Jumeaux Héroïques : v. Femme-qui-Change et mort.

Kinaalda : la cérémonie célébrant l'arrivée des premières menstruations et le passage d'une jeune fille à l'âge adulte.

Kiva : chez les Pueblos, une chambre cérémonielle souterraine (on y accède par une échelle) où se tiennent de nombreux rites et danses ; il en existe plusieurs par village. Le terme désigne également une fraternité religieuse regroupant des membres appartenant à des clans différents, renforçant ainsi la cohésion de la tribu.

Longue Marche : en 1864, vaincus par Kit Carson, les 8 000 Navajos rescapés furent acheminés en plusieurs convois au cours d'une "Longue Marche" de près de 500 kilomètres, puis parqués à Bosque Redondo, à côté de Fort Sumner (Nouveau-Mexique) jusqu'en 1868, date à laquelle les 7 000 survivants purent regagner leur territoire.

Maïs : l'une des quatre plantes sacrées des Navajos (les autres étant la courge, le haricot et le tabac). Quantité de rites font appel à la farine de maïs, qui peut être donnée en offrande au Peuple Sacré mais également symbole de purification et de fécondité.

Medecine-man : v. shaman.

Mesa (mot espagnol) : montagne aplatie caractéristique des Etats du sud-ouest. Lorsqu'elles ressemblent plus à des collines qu'à des plateaux elles deviennent des buttes. Et les buttes au sommet arrondi sont des collines. Parmi les mesas les plus connues, citons Mesa Verde, dans le Colorado, haut lieu archéologique, et les Première, Deuxième et Troisième Mesas, sur lesquelles se perchent les villages hopi ancestraux.

Mort : les Navajos ont une crainte maladive de la mort au point de s'entourer de toutes sortes de précautions et d'éprouver une intense répugnance à toucher un cadavre, qu'ils enterrent le plus rapidement possible dans un lieu secret. Pour eux, il n'y a pas de "paradis", au mieux le repos. Dans la mythologie navajo, les Jumeaux Héroïques, après avoir dérobé les armes au Soleil et massacré les monstres qui apportaient la mort au Peuple, épargnent une sorte de mort appelée Sa qui regroupe la Vieillesse, la Saleté, la Misère, la Faim et quelques autres.

Narbona : chef de clan navajo qui, comprenant la supériorité militaire des Blancs, tenta d'œuvrer pour la paix.

Navajo : les prêtres espagnols les appelaient "Apaches del nabaxu" ; le terme actuel est la corruption espagnole du mot *pueblo* signifiant "grands champs cultivés". Arrivés tardivement en Arizona ils se rendirent odieux par leur violence et leurs rapines avant d'acquérir, au contact des autres civilisations, nombre de techniques et de connaissances. Leur faculté d'adaptation s'est une nouvelle fois vérifiée lors de la Deuxième Guerre mondiale. Ils habitent la plus grande réserve des Etats-Unis, la terre de leurs ancêtres, et exploitent eux-mêmes les ressources naturelles d'un sous-sol riche par l'intermédiaire du Conseil tribal (élu au suffrage universel, il siège à Window Rock) qui est une création récente (1930). Par le passé en effet, ce peuple ne constituait pas une tribu à proprement parler, ce qui explique le non-respect de certains traités au XIXe siècle : la parole d'un chef de clan n'engageait pas les autres Navajos. Ils constituent la nation indienne la plus importante du pays (près de 200 000 membres).

Oiseaux : sturnelle à cou noir, carouge à épaulettes rouges *(agelaius phoniceus),* corneille.

Origines : avant d'atteindre la surface de la terre, les hommes durent émerger des mondes inférieurs (de quatre à douze suivant les mythologies) en empruntant le tronc d'un arbre perçant les différentes couches successives. Les Navajos émergent du dernier monde souterrain, alors envahi par les eaux, en empruntant un roseau (sipapu). Le monde actuel est la fusion des quatre mondes précédents (v. Femme-qui-Change, quatre et surtout dualisme).

Paiute : tribu du Nevada et de l'Utah dont la langue est affiliée à celle des Utes.

Peintures de sables ou **peintures sèches** : elles font partie des rites guérisseurs et ont pour but de permettre au "malade" de retrouver une unité d'harmonie entre le monde et lui-même. Le chanteur et ses aides y travaillent pendant des heures et utilisent pollen, pierres écrasées, charbon de bois, etc. pour représenter des sujets ayant trait au Peuple Sacré. L'œuvre est détruite avant la tombée de la nuit de peur que les esprits mauvais ne reprennent le dessus et ne rendent la "guérison" impossible.

Peuple : le nom que se donnent les Navajos. Egalement synonyme de Clan.

Peuple Sacré (yei en navajo) : concept navajo. Ils sont capables du bien comme du mal et l'on peut arriver à les manipuler à l'aide de chants et de prières appropriés ; ce sont des animaux (Grand Serpent, Grande Mouche, Coyote...), le Peuple du Vent, le Peuple du Tonnerre, etc...

Points cardinaux : ils jouent un très grand rôle dans les rites religieux et dans toute l'organisation de la Voie Navajo (v. Dinetah, hogan).

Porteurs-de-peau (yenaldolooshi en navajo) : nom que donnent les Navajos aux sorciers, hommes ou femmes décidés à apporter le mal à leurs congénères et à les voler : ils commettent leurs méfaits la nuit en se dissimulant souvent sous une peau de coyote.

Premier Homme : v. Femme-qui-Change et dualisme.

Pueblo : village en espagnol. Au contraire des bergers navajo, semi-nomades, les Indiens Pueblos (Hopis, Zunis, etc.), sont des agriculteurs sédentaires. On les trouve exclusivement dans le sud-ouest des Etats-Unis. Taos, au Nouveau-Mexique, est le plus visité des pueblos.

Quatre : ce chiffre joue un grand rôle chez les Navajos qui dénombrent quatre plantes sacrées, quatre bijoux sacrés, etc. (v. également dualisme).

Religion : pour l'essentiel, les Indiens du Sud-Ouest croient à l'interdépendance des choses de la nature ou à l'harmonie ou beauté, hohzho en navajo, qui doit régner dans leur réserve et par suite dans l'univers tout entier.

Mais les rites navajo sont, à l'exception de la Voie de la Bénédiction, destinés à guérir alors que chez les Pueblos, les cérémonies religieuses ont pour but d'appeler les bienfaits que les Kachina, ou esprits ancestraux, pourront leur apporter sous la forme de nuages de pluie.

Des Navajos convertis au christianisme on dit qu'ils suivent la route de Jésus. Certains se convertissent à la foi mormone. D'autres adhèrent par exemple aux croyances de la Native American Church, organisation religieuse regroupant plusieurs tribus ; elle adapte le christianisme à des croyances et à des rites locaux, autorisant en particulier l'utilisation sacramentelle du peyote : cette plante contient de la mescaline, laquelle provoque des hallucinations ou des visions.

Richesse : le désir de posséder est, chez les Navajos, le pire des maux, pouvant même s'apparenter à la sorcellerie. Citons Alex Etcitty, un Navajo ami de l'auteur : "On m'a appris que c'était une chose juste de posséder ce que l'on a. Mais si on commence à avoir trop, cela montre que l'on ne se préoccupe pas des siens comme on le devrait. Si l'on devient riche, c'est que l'on a pris des choses qui appartiennent à d'autres. Prononcer les mots 'Navajo riche' revient à dire 'eau sèche'. (*Arizona Highways,* août 1979).

Rites guérisseurs : à chaque maladie correspond un rite guérisseur qui peut durer jusqu'à neuf jours. Parfois, pour un seul chant, plusieurs centaines de prières et d'incantations doivent être exécutées au mot près. Si le chanteur est à la hauteur, le patient retrouvera l'harmonie. Par exemple, la Voie de l'Ennemi permet de guérir celui qui est sous l'emprise d'un sorcier, la Voie du Sommet de la Montagne celui qui s'est trop approché d'un ours...

Scarabée : il tient un rôle extrêmement important dans la mythologie de la fécondité. Dans la Voie de la Bénédiction, Femme-qui-Change qui, à ce moment-là, a obtenu le pouvoir de création, fait notamment appel à Scarabée-du-Maïs dans le processus de l'apparition du maïs sur la Terre.

Shaman : terme quelque peu impropre (de même que medecine-man) pour désigner le chanteur navajo.

Sorcier : homme ou femme décidé à faire le mal.

Squashblossom : les colliers de ce style reproduisent un motif en "fleur de courge".

Ute : tribu du Colorado, autrefois ennemie des Navajos.

Végétation : genévrier *(juniperus)*, pin pignon *(pinus pinea)*, tremble d'Amérique *(populus tremuloïde)* pour les arbres.

Pour herbes et buissons : cactus, chardon russe (*Russian thistle* en américain, *salsola kali tenuifolia*), graminées en touffe *(bunch grass* en américain, terme collectif)*, herbe-aux-bisons *(buffalo grass* en américain, variété de dactyle en français), herbe-aux-lapins *(chrysothamnus graveloens, rabbit brush* en américain, probablement traduction littérale du terme local *chamiso ou chamiza*), herbe-aux-serpents *(snakeweed* en américain, terme collectif désignant des plantes associées aux reptiles par la forme, les vertus curatives, etc.), herbe des Bermudes *(cynodon dactylon,* graminée fourragère appelée dactyle en français), sauge *(salvia)*, stipa *(needle grass* en américain, terme collectif regroupant une centaine de variétés), yucca (v. ce mot). Pour certaines de ces plantes nous avons préféré le terme local au terme français.

Voie (de la Bénédiction, etc.) : rite guérisseur navajo. La Voie de la Bénédiction est seule à posséder un but préventif en enseignant comment le Peuple Sacré a créé le Peuple de la Surface de la Terre et comment il lui a communiqué les techniques nécessaires pour y vivre.

Voie Navajo : ce terme désigne l'ensemble de la culture et des coutumes traditionnelles des Navajos.

Wash : le lit, souvent asséché, d'un cours d'eau d'importance variable que des pluies torrentielles parfois tombées très loin en amont peuvent soudain transformer en un fleuve ou un torrent en furie.

Yei : mot navajo désignant le Peuple Sacré.

Yucca (mot haïtien) : plante arborescente à tige ligneuse dont les Indiens du Sud-Ouest ont toujours tiré un maximum de ressources tant au niveau alimentaire que vestimentaire et pratique (cordes, paniers, etc.).

Zunis : peu nombreux, vivant en accord avec leurs coutumes ancestrales, ils ont su préserver leur identité au fil des siècles. Ce sont avant tout des agriculteurs travaillant une terre aride. Ils sont 5 500 à vivre sur la réserve du pueblo le plus important du Nouveau-Mexique.

Rivages/noir

Rivages/mystère

Achevé d'imprimer sur rotative
par l'imprimerie Darantiere à Dijon-Quetigny
en septembre 1996

Dépôt légal : 3e trimestre 1996
N° d'impression : 96-0830

6e édition